JN122179

哲学対話の冒険日記

われら思う、ゆえにわれらあり

Diary of Adventures through Philosophy Dialogue
We Think, Therefore We Are

梶谷 真司
Shinji Kajitani

あいり出版

よむかく
くらすか
んがえるかく
の本棚
Bookshelf to read, to write, to think, and to live

「哲学対話の冒険日記」 もくじ

第2章　旅の出会い

第3章　旅は道連れ

本書に収録の写真は、断りの無いもの以外、著者（梶谷真司）撮影。

photo by きょーいち / kyoichi

プロローグ　旅に出る前に

　2012年、東京大学に着任して間もなく、駒場キャンパスの「共生のための国際哲学研究センター（University of Tokyo Center for Philosophy: UTCP）」というところに紛れ込んだ。引きずり込まれたと言ったほうが正確かもしれない。中島隆博という無頼漢から何食わぬ顔で誘われ、行ってみると、小林康夫という傾奇者がいた。

　後日、ここは「駒場のオアシス」と一部（内輪で?）で呼ばれていることを知るのだが、どちらかと言うと、訳の分からない活動分子が出入りするゆるいアジトのようなところだった。つねに誰かが何かを企んでいる。狭い意味での哲学にこだわらず、むしろ「哲学」の名のもとに何でもやるような気風があった。おかげで、学内では「いかがわしい」と目されることに事欠かなかった。それが証拠に、私はUTCPに関わるようになって、笑われるか怒られるか、気の毒がられるかのいずれかだった。

　だが、それが私には心地よかった。よそで浮くか沈むかして、いつの間にか居場所を失いやすい自分が、ここでは普通でいられた。というより、普通でなくても気にされなかった。そういう意味でここはやはりオアシスだ。

　以来、私はここを拠点に活動を続けてきた。イベントをやったり、出かけて行ったりして。大別すればPhilosophy for Everyone（哲学をすべての人に）と〈哲学×デザイン〉プロジェクトの2つになる。それぞれについての説明は、各章の初めに譲るが、この2つはつながっていて、後者は前者の言わば〝進化形〟である。

土台にあるのは、本書のタイトルにもなっている「哲学対話」である。まずはこれについて説明しておこう。

哲学対話とは、10人~20人くらいの人が一つの問いについて一緒に考えることである。喫茶店のようにもともとテーブルがあるところで行なう場合は除いて、たいていは机はなしで椅子だけで車座になって行なう。参加者はどんな人でもいい。哲学の知識は不要である。もともとはPhilosophy for Children（P4C：子どものための哲学）に由来する。ここで言う「子ども」とは、小学生から（場合によっては幼稚園から）高校生を指す。哲学者の難解な思想を学ぶのではなく、思考力を育成することに主眼が置かれている。その主な手法として「対話」、すなわち、みんなで話しながら一緒に考えるという方法がとられる。

これが実際やってみると、子どもだけでなく、大人がやっても面白いし、ためになる。だからPhilosophy for Childrenにちなんで、Philosophy for Everyone（P4E）、「哲学をすべての人に」と名づけた。

さて、哲学対話では、存在や認識、他者、善や正義といったいわゆる哲学の問題を議論するわけではない。「年をとったと思うのはどんなときか」「気が合うとはどういうことか」「お金で買えないものは何か」「なぜ勉強しないといけないのか」といった、それぞれの人が生活の中で出会う身近な問いや切実な問いから出発して思考を深めていく。

残念ながら、哲学研究者のほとんどが哲学対話に対して批判的である。「素人のおしゃべり」「井戸端会議」であって、哲学なんかではないと。けれども、私自身は哲学対話と出会って、「哲学」について根本的に問い直さずにはいられなかった。〝哲学的〟とはどういうことなのか？　〝考える〟とはどういうことなのか？　哲学は誰のものなのか？

そうして私は哲学とは〝対話〟であり、「問い、考え、語り、聞くこと」であるという定義にたどり着いた。しかもそのさい、この四つ「問う」「考える」「語る」「聞く」のすべてについて——日々何の疑問もなく当たり前のようにしていることなのに！——よく分かっていなかったことに気づく。

そしてそれぞれがどういうことなのか、哲学対話を重ねながらあらためて理解していった。そしていろんな場を経験するうちにルールの重要性に気づいた。実践者によっていろいろだが、私は以下の8つをルールにしている。

①何を言ってもいい。
②否定的な態度をとらない。
③お互いに問いかけるようにする。
④発言せず、ただ聞いているだけでもいい。
⑤知識ではなく、自分の経験にそくして話す。
⑥話がまとまらなくてもいい。

⑦意見が変わってもいい。
⑧分からなくなってもいい。

①の「何を言ってもいい」はもっとも基本的なルールである。他の7つはそのためにあると言ってもいい。考えることにとって重要なのは自由であることだ。常識や偏見にとらわれることなく、物事をより深く、今までとは異なる側面から考えることができる。そのためには、自由にものが言えなければいけない。発言の自由がないところには思考の自由もない。

しかし普段の話し合いでは、人から否定されるのが怖くて自分の思ったことが話せない。他の人からどう思われるのかを気にしてしまう。迷惑かもしれない。馬鹿だと思われるかもしれない。笑われるかもしれない。怒られるかもしれない。甘く見られるかもしれない。もしくは、よく思われたい。賢いと思われたい。だから自分の考えよりも他人の考えに合わせてものを言う。

そうしなくていいように、②「否定的な態度をとらない」というルールがある。絶対に自分が否定されることはないということが分かっていて、私たちは初めて自由に話し、考えることができる。ただし、否定してはいけないと言っても、何でもかんでも賛成・共感すればいいというわけではない。共感も理解もできない場合は、ただ問いかければいい。そうすれば、相手がなぜそのように考えるのか分かる。すると賛成・共感できなくても、理解はできる。理解できなくても、相応の理由があって言っていることが分かる。「そういう考え方もあるんだ」――それはさらに議論する余地があるとしても、頭ごなしに否定することではない。

だから③「お互いに問いかける」というルールがある。とはいえ、日常生活では質問するのは難しい。詮索好きだと思われるかもしれない。こんなことを聞いたら、バカだと思われるかもしれない。相手に嫌な思いをさせるかもしれない。……しかも質問というのは、その人の不満や怒りの現われであることが多い。教師は生徒に「何で宿題をやってこなかったんだ?」と聞き、上司は部下に「何でこんな仕事もできないんだ?」と聞く。そのような質問にはどのように答えても、さらに怒られるだけだ。だから謝るしかない。問うのも問われるのも危険であり、容易にはできない。それに対して哲学対話では、一緒に考えるために問うのであって、他に意図はない。だから何でも問えばいいし、問われたら安心して答えればいい。誰も怒ったり笑ったりしない。

私たちは、問うことによってしかきちんと考えることはできない。どのように考えるかは、どのように問うかによって決まる。思考が抽象的なのは、問いが抽象的だからである。具体的に問うことで、具体的に考えられる。だからお互いに問いかけることが重要なのである。

ただし、何か言わなければいけないわけではない。何か話さないといけない、何か言ったほうがいいと思うと、それがプレッシャーになってかえって話せなくなったり、適当にその場しのぎのことを言ったりするようになる。言いたいことを

東大駒場キャンパス 101 号館　UTCP 研究室
photo by きょーいち /kyoichi

言いたいときに言えばいい。黙っている自由がなければ、話す自由もない。だからルール④「発言せず、ただ聞いているだけでもいい」がある。

次の⑤「知識ではなく、自分の経験にそくして話す」は、できるだけいろんな人が参加できるようにするために必要である。一般的に言って、私たちが話に参加できなくなる主な要因は、知識の欠如である。ここで言う「知識」とは、本に書いてあるようなこと、専門用語や業界用語のように、特定のところで習得・使用される知識である。このような知識を使って話をすると、それを共有していない人は理解できず、話についていけなくなる。他方、自分の経験にそくして普通の言葉で話し、子どもがいれば、子どもでも分かる言葉で話せば、誰でも理解でき、対話に参加できる。

また、言いたいことがまとまらないと話せない人は多い。まとまらないまま話すと怒られる。しかし何か話したければ、とりあえず言葉にしてみる。他の人が分かるように言い換えてくれるかもしれない。うまく伝わらなくても、他の人は何かしらそこから受け取って対話を続けてくれる。それを聞いているうちに、自分の考えがはっきりしてくるかもしれない（さらに混乱するかもしれない）。だから⑥「話がまとまらなくてもいい」と言うルールがある。

さらに、哲学対話は、自分の立場を主張したり守ったりする場ではない。一緒に考えているだけなので、⑦「意見が変わってもいい」し、むしろ変わるのが自然である。いちばんつまらないのは、最初から最後まで自分の意見に固執し変わらないことである。

最後の⑧「分からなくなってもいい」は、もっとも哲学対話らしいルールである。私たちは普段、分かることを目指している。「分かりました」と言うようにしていたり、言わされたりする。分からないのは、頭が悪いか非協力的だと見なされかねない。だから、分からなくなると不安になる。けれども、そんなことをしていると、分かることしか考えなくなるか、分かっていないのに分かった振りをするようになる。分からなくなるのは、問いが増えること、したがって考えることが増えることなので、より哲学的になれるということである。分からなくなっていい、分からなくなるのがいいのなら、発言も質問もより自由になる。

このようなルールに沿って対話をすると、ただ自由に深く考えられるというだけではなく、普段ではめったにない不思議なことが起きる。

まず、年齢や世代、性別、職業、学歴の違いや、病気や障害の有無にかかわらず、誰もがしっかり考え、語る。そこに通常ありがちなギャップや優劣は見られない。それどころか、弱い立場の人、周縁にいる人、排除されたり抑圧されたりしている人のほうが、むしろ鋭い意見、ユニークな見方、深い思考をすることが少なくない。通常の社会秩序の転倒が起きるのである。

また一般には、同じような人たちのほうが深い話ができると思われがちだが、哲学対話をしていると、いろんな人がいたほうが、対話が深まり充実したものになる。同類の者は、似たような価値観や前提を共有しているため、根本的なところは疑われることがない。立場や境遇の違う人で対話すると、価値観や前提が異なるので、その人たちの知的能力にかかわらず、対話が深まりやすい。

さらに、他者との考えの違いを自ずと認め合い、それどころか楽しいと思える。そして何より、仲良くなる。このようなことが起こる哲学対話とは、いったい何なのだろうか。一つのテーマについて一緒に考えているだけで、なぜこのようなことが起きるのか。

私は哲学対話に出会って、思考の新たな役割、ポテンシャルを見る思いだった。その秘密は、考えることそのものというよりは、考える場のあり方なのではないかという予感があった。つまり、どこでいつ、誰と何をどのように行なうのか。そしてこれは、広い意味でのデザインの問題ではないか。

哲学対話を様々なところでするうちに、私は何人ものデザイナーに行き遭い、そう思うようになった。哲学とデザインの交差するところに、自分の目指すものが見つかるかもしれない。こうして私は Philosophy for Everyone から〈哲学×デザイン〉プロジェクトに進んだ。

さらにその後、いわゆるコロナ禍により、私の主な活動の場はオンライン上になり、哲学対話もデザインもヴァーチャルな世界に入っていった。その結果できなくなった諸々のことと、できるようになった様々なこと。そのあいだでたくさんのことを考え、いろんな発見をした。

哲学対話から始まるこの道行きは、すでに十年の歳月を経ている。そこには多くの予期せぬ出会いがあり、私を思考の冒険へと駆り立てた。そしてそのつどＵＴＣＰのブログ報告「邂逅《かいこう》の記録」として書き綴ってきた。本書はその中から主要なものを選んで一冊にまとめたものである。それを日記のように日付順に並べ、時おり「後日談」を追記した。さらに「随想」として、イベントとは別に書いたものを間に入れた。題して『哲学対話の冒険日記』。ＵＴＣＰを拠点とする私の旅も道半ばであるが、ここで一息ついて来し方を振り返ってみたい。

『考えるとはどういうことか』：哲学対話についての体験と思想をまとめた自著
photo by 河本有香

第1章　旅の始まり

前置き

この書物の本体でもあり土台でもあるPhilosophy for Everyone（P4E）というプロジェクトには、準備期間とも言える〝前史〟がある。そのときの経験なしには、そもそも私はこのP4Eを構想することはなかっただろうし、直接そのきっかけとなったPhilosophy for Children（P4C）や哲学対話に出会うこともなかっただろう。だから旅の初めにまずは「P4E（Philosophy for Everyone）への道」と題して綴った一連のエッセイを載せておきたい。これは、このプロジェクトの最初に行なった同名のイベントの趣旨説明として書かれたもので、全部で11回にわたるかなり長い前置きである。

それは、就活支援という一見無関係に思われる場所から出発し、国際哲学オリンピックという国を超えた地点と、ハワイの学校という陽光のあふれる空間を経由している。翻ってみれば、見えない不思議な糸に導かれていたように感じる。一つ一つは、それぞれの必然性と文脈があるが、全体として見れば、人生における稀有な僥倖《ぎょうこう》と言うべきだろう。

出発点としての就活支援

２０１２年12月12日 投稿

Ｐ４Ｅ（Philosophy for Everyone）に至る道程を振り返ると、私の出発点となったのは、おそらくかつて働いていた私立のＴ大学で学生の就活用の書類作成を手伝ったことだろう。その大学の学生たちは、就活が初めてというだけでなく、もともと文章を書き慣れているわけではないため、とにかく書類が書けない。マニュアルを見ても、露骨に、しかも無理やりマニュアルに合わせているため、ぎこちない滑稽な書類になっていた。彼らにとって、エントリーシートや自己ＰＲは、おそらく生まれて初めて真剣に書く文章であり、したがって大変な努力を要する。というわけで、一つ書くだけでも大変で、何とか書き上げると、ほとんど同じものをあちこちの会社に送っていた。

私も研究者、大学の教員なので、いわゆる就活はしたことがないが、これではダメだということくらいは分かる。希望する就職先がいろいろなのに、同じ文面の書類を出すのは、相手かまわず同じラブレターを送るようなものだ。受け取ったほうは、何で自分に送ってきたのか、自分のことをどう思っているのか、送り主と自分の相性はどうなのか分からない。これではこの人と付き合ってみようという気にはならないだろう。したがって、就活で面接に呼ばれることもない。

ここで学生たちを、非常識、世間知らず、マニュアルがないと何もできない、などと言って嘆いたり笑ったりするのは簡単である。けれども、私を含めて、いわゆる就職氷河期以前の人間は、今普通にイメージされるような就職活動なるものは、おそらく知らないだろう。当時はまだ厳然たる学歴社会で、出身大学によって行ける会社のランクはだいたい決まっていた。職種は選んだが、ランクをめぐって熾烈《しれつ》な争いをする必要はなかったにちがいない。だから、履歴書と簡単な志望理由書が書ければよかった。今のようなエントリーシートでいろんな質問に答えたり、自己分析に基づく自己ＰＲを書いたりはしていなかったはずである。

それに当時は、少々（どころかかなり）非常識で世間知らずであってもかまわなかった。入社してから数カ月かけて社内研修があり、性根を叩き直される。そこで最低限〝社会人〟と言える人間になればいい。ところが今は、そんな研修をじっくりしてくれる会社は少ない。入った時点で〝使い物〟になる人材が求められる。今の若者が「ゆとり教育」その他の理由で、知識面、能力面で前の世代と比べて頼りないところがあるのは確かだろう。だが彼らは、昔と違って、社会人として生まれ変わる機会も与えられずに、いきなり裸で放り出される。その最初のステップが就職活動である。まともにできなくても仕方ない。そして身近には、きちんと指導できる人がいない。当たり前だ。大学教員も親もやったことがないからである。そこでマニュアルが登場する。断言してもいいが、今の年配の人たちが学生時代に、今と同じ状況に置かれたら、やはりまともな就職活動はできないだろうし、多くの学生がマニュアルを必要としただろう。

それだけではない。そもそも相手をきちんと意識して文章を書くというのは、そう簡単なことではない。相手かまわず同じスタイルで文章を書いたり話をしたりするのは、会社の人間にも、研究者にも山ほどいる。そういう人にとっては、実際には自分と異なり正面から向き合うべき他者はいないのだ。他者との関係で自分がどういう存在であるかが決まってくることも分からない。いろんな会社に同じ書類を送る今の学生と、たいした違いはないのである。

私に就活の書類を見てほしいと言って学生が来たとき、それはたんに目の前の学生に力を貸してあげるというレベルのことではなかった。もっと重大な課題を突きつけられていたことに間もなく気づくのである。

自分と向き合い、自分の言葉を獲得する

２０１２年12月14日 投稿

学生がもってきた書類――エントリーシートや自己

PR――を見て感じたのは、表現を直すとか、構成を変えるとか、内容的に書き加えるという〝添削〟ではどうにもならない、根本的にやり直さなければならないということだった。だが実際、彼らをどうやって指導すればよいのか。どうすれば彼らは、ちゃんとした書類が書けるようになるのか。

私がもっともらしい作文、模範的な書類をつくってあげるのは、ある意味では簡単なことだ。けれども、そんなものは、書類審査に通っても、面接でかならずバレる。会社というのはそんな甘いところではないはずだ。それどころか面接官は人を審査するプロである。大学教員の入れ知恵などすぐ見抜かれるだろう。大事なのは、学生に嘘をつかせないことだ。彼らが面接で多少の誇張はあっても、偽りではなく本当に自分のこととして話せるようにしなければならない。そのために、彼らの中にあるものを明確にして、それに言葉を与え、彼ら自身が自分で自分を語るための言葉を見つけられるようにしなければならない。

そこで私の指導は、とにかく質問、質問、質問になった。なぜこの業種なのか、なぜこの会社なのか、そこで何をしたいのか、何ができるのか、あなたの長所は何か、短所は何か、それが仕事とどのように関わるのか――そのためには会社のことを理解し、自分自身と正面から向き合わなければならない。これが世に言う「自己分析」なるものなのだろうが、これを徹底的にやる。そうすると、一つの会社のための書類をつくるだけで一週間はかかる。学生は半泣きである。そういう中で、私は彼らにふさわしい言葉を見つけ、それを軸に書類を書かせる。もちろん文章はあとで整えるが、上手すぎないほうがリアルで訴えるものもあるだろう。だがあくまで中身、ネタは彼らが自ら絞り出さなければならない。

これは彼らにとってかなりつらい作業だったようだが、この苦しみを通して、彼らは自分で自分のことをしっかりアピールできるようになっていく。そして自分に自信をもつようになる。それまでは、面接まで行っても、感触があったのかどうかも分からず、不安なまま帰ってきていたのが、「今日のグループディスカッションでは、上から三人には入れた」とか、「これでダメなら、あの会社には行かなくていい」と言い切るまでになっていく。そして実際、内定を取ってくる。

これは私にとっても、非常にいい経験になった。人間は、自分を語る言葉を手に入れることで、変わることができる、人生を変えることができるのだ。私はそれを学生たちから教えてもらった。しかもこれは、自分と自分の人生に向き合い、問い、答えるという、ある意味きわめて哲学的な営みだった。おそらく私の哲学対話は、このときすでに始まっていたのだ。

漠然とした確信

２０１２年12月16日 投稿

就活の書類づくりの手伝いという、限られた学生との経験を積み重ねていたころ、もっと大きな、大学全体に関わることが起きていた。当時、全国の大学では、「初年次教育」なるものが導入され、その内容について議論されていた。初年次教育の趣旨は、大きく分けて３つある。１つ目は、高校から大学での学生生活への移行をスムーズにすること、２つ目はレポートの書き方のようなアカデミック・リテラシーを身につけさせること、そして３つ目が大学卒業後の就職への意識を高めること、である。

こうした流れに対応してT大学でも、それに該当する科目名を「文章表現演習」から「ライフデザイン演習」に変えた。個人的にはこの新しい名称は、けっこういいと思っていた。趣旨をよく表わしている。大学生活から就職、さらにはその後の人生まで視野に入っている感じがする。しかし、ほとんどの教員の間でこの新しい科目名への変更は――容易に想像できることだが――大いに不評を買った。反発、嘲笑、困惑を引き起こし、「無意味だ」「中身が分からない」「アリバイづくりにすぎない」という、いかにもありがちな言葉を誘発した。「どうすればいいいんだ？」と途方に暮れるのは、むしろ誠実な反応だろう。

そもそも教員の中には、会社で働いたことがなく、したがって就職活動をしたことがない人が多い（私もそうだ）。つまり、普通の意味では社会人ではない（社会人とは会社人のことだ）。そういう人間に就活に役立つことを教えろというほうが無茶である。そこで困った教員は、何とかそれらしいこと、たとえばSPIの問題演習のような、一種の試験対策をする。本人自身、勉強と言えば受験勉強しか思い浮かばないのだろう。あまりに芸がない。しかしこれはまだいいほうだ。多くの教員は、何事もなかったかのようにこの変化を無視して、従来通りレポートの書き方や、それ以前のステップとして、新聞記事の要約をさせたりしていた。結局はそれが社会に出たときにも役に立つんだ、というもっともらしい理屈で正当化しながら。

しかし私には、名前の良し悪しはともかく、「初年次教育」なり「ライフデザイン」は、理念としては非常に大事なものを提示しているように思えた。前述のように、1つ目の趣旨は、大学生活へのオリエンテーション的なことなのだが、これはやってあげれば親切という程度のことだ。重要なのは2つ目と3つ目であるが、問題はレポートや論文の書き方と、就活の準備と書類づくりの折り合いをどうやってつけるかである。

これら2つのことは、一般には別のことだと考えられている（もちろんいずれも「社会人として必要なこと」という説明はされる）。一方は、章立ての仕方や、文献の調べ方、注のつくり方、事実と意見の区別、剽窃《ひょうせつ》への注意などが重視され、もう一方は、企業研究や履歴書の書き方、マナーや一般常識などが重要で、かなり違っている。大学教員にとっては、前者のアカデミック・リテラシーのほうが慣れているので、こちらに逃げたくなる気持ちは分かる。だが、ここで挙げたようなことはすべてテクニカルなことで、表面的なことにすぎない。根本においては、この2つは共通しているはずだ——私にはそういう〝漠然とした確信〟のような感覚があった。しかし当時はまだ、それをどのように関連づければいいのか分からなかった。

それでもいろいろ試行錯誤して教えるかたわら、何かいい参考文献がないか探していて、一冊の本に出会った。山田ズーニーという風変わりな名前の女性が書いた『伝わる・揺さぶる！文章を書く』（ＰＨＰ選書、２００１）である。

考えること、書くこと、自由になること

2012年12月19日 投稿

山田ズーニーさんの『伝わる・揺さぶる！文章を書く』は、新書の小冊子である。この本との出会いは衝撃的だった。そこには私が探していたことがほとんどすべて詰まっていたと言っていい。

目次からしてすごい。目につく章や節にはこんなタイトルのものがある――「考えないという傷」「自分の立場を発見する」「自分の頭でものを考える自由」「考える方法がわかれば文章は書ける」「機能する文章を目指す」「他者の感覚を知る／根本思想――自分の根っこの想いに忠実か？」、……一瞬哲学書かと見まがうタイトル。

そう、考えないということは傷を負っていくことなのだ。考えることによって、人は立ち直り、立ち上がり、自由を手にする。根底にあるのは「考える方法」であり、それが「書く方法」、さらには「語る方法」につながる。しかもそこで重要なのは、書いたものが実際に「機能」すること、言い換えれば、意図したこと、達成すべき目標をきちんと実現することであり、そのために自分への忠実さと他者への配慮が求められる。そこに大学の勉強で必要なものと就職で必要なものの区別はない。生きるために必要なものだけがある。

これだけ壮大な話になると、抽象的で大雑把な文章論だと思うかもしれないが、この本がさらにすごいのは、徹底して実用的な点だ。後半の実践編で取り上げられるのは、「上司を説得する」「お願いの文章を書く」「議事録を書く」「志望理由（自薦状）を書く」「お詫びをする」「メールを書く」というシチュエーションである。別の本、『考えるシート』（講談社、２００８）の章・節のタイトルは「相手とつながる」――「おわび」をする／「お願い」をする／「ありがとう」の気持ちを伝える／へこんでる

人を励ます、「自分とつながる」——自己紹介をする／自分を社会にデビューさせる企画書をつくる／自分の悩みをはっきりさせる、「他者・外・社会とつながる」——志望理由書を書く／レポートを書く／小論文を書く／会議を自分でしきる／みんなの前で話す、となっている。

ここから分かるように、「書く」ということで山田ズーニーさんが想定しているのは、大学のレポートや就活の書類のみならず、誰もが出くわす日常生活の様々な場面である。しかもそこには、シンプルかつ具体的なマニュアルがある。それは目的に応じて「問い」と「答え」を積み重ねることで「考え」を広げ、深め、形にすること、そのプロセスを明示化したものである。山田さんはもともとベネッセの通信教育「進研ゼミ」で、小論文を担当していた経歴をもつ。彼女の卓越したマニュアルづくりの能力はそこで培われたのだろう。

「マニュアル」と言うと、安直な小手先の技術の紹介みたいに聞こえるかもしれない。実際そういうマニュアルも多いだろう。しかし、世の中には必要不可欠とさえ言える、真に頼るべきマニュアルがあるということを、私は初めて知った。そこには、文章を書くための思考の根本原理と、それに基づく着実なステップが明瞭に示されている。それに従うと、文章を書くのに、むしろより多くの時間と労力をかけることになるだろう。私たちは普段、十分考えないままに安易に文章を書きすぎている。それにブレーキをかけ、まず考えるように仕向ける。問いと答えを積み重ねる。それはかえって苦しみを増すことになるかもしれない。かつて私が就活の相談に来た学生にそうさせたように。けれどもそのことで、文章は確実によくなり、生き生きしたものになる。

この本に出会うことで、レポート・論文の書き方と就活用の書類の書き方が基本的には同じものだという私の〝漠然とした確信〟は、明確な形をとった。そればかりではない。書くことは、結局、問うこと、考えることであり、要するに広い意味での——そして根本的な意味での——哲学と同義なのだ。そして「考える方法」を身につけることができれば、私たちは実際に自分自身の自由を手に入れることもできる。このことを理解して以来、私にとって教えること、学ぶことは、すべてこの意味での哲学となった。今にして思えば、それは、Philosophy for Everyone への大きな一歩であった。

問わないこと、考えないこと

2012年12月24日 投稿

考えることにとって問うことは、決定的な意味をもっている。考えるためには問わねばならず、適切に明確に考えるためには、適切に明確に問わねばならない。どのような問いを立てるかが、どのように考えるかを決める。とりとめもないことしか考えられないのは、問いにとりとめがないからである。考えが抽象的なところだけで動いているのは、問いが抽象的なままだからである。そして、問いがないということは、要するに、考えていないということなのだ。

ところが、大学で授業をしていて気になるのは、学生たちが質問をしないことである。前任校のT大学にいたころ、講義やゼミをしていても、質問はほとんど出なかった。当初そのことは、あまり気にしていなかった。私の話を聞いて、よく分かったということだろう（学生にはよく分からない授業が多いなか、分かるというだけで十分いい授業じゃないか！）と思っていた。しかし講義後に来たある学生の一言で、私は自分の考えがおめでたい自己満足にすぎないことを痛感した。その学生は次のように聞いてきたのである――「先生、授業中に質問ってしていいんですか？」。

もちろん私は授業中、切りのいいところで「ここまではいいですか？　何か質問はありませんか？」と聞いていた。にもかかわらず、この学生は、質問していいのかどうか自信がもてなかったのである。逆に言えば、この子は、授業中に質問するものではないと思っていたのだろう。私は少なからずショックだった。この学生がどういう経験をしてきたのかは分からないが、一般的に言って、いわゆる「学力」があまり高くない子は、授業中に質問しても、先生から「そんなことも分からないのか」「話を聞いてなかったのか」と怒られかねない。たしかに理解の遅い生徒の質問は、授業の進行の妨げになることも多いだろう。だから一概に学校の先生を責める気はない。しかし子どもたちは、そうした経験を自分でしたり、他の人がそういう扱いを受けるのを目にして、やがて問うことじたいを封じられ禁じられていく。そして自ら問わなくなる。

　では東大に来ているような優秀な学生はどうなのか。よく質問するのではないかと思うかもしれない。たしかにT大学よりは質問する学生はいる。質問のレベルも高い。だがやはり少ない。「何かありませんか」と念を押して聞いても、「大丈夫です」という答えが戻ってくる。私自身ずっと長い間、この言葉をさほど気にとめていなかったのだが、急に強烈な違和感を覚えるようになった。

　いったい何が「大丈夫」なのか。彼らは質問がない状態をいいと思っている。それもそのはず。大学入試を最終目標とする中学高校においては、テストで〝正解〟を出すことに最高の価値が置かれる。だから、習ったことをすべて吸収し、分からないこと、したがって質問することが何もない状態が理想となる。東大生というのは、その理念をもっともよく実現した人たちなのだ。だから〝優等生〟である彼らは、疑問があろうがなかろうが、「質問がないのがいい」という規範に従い、まさしく質問はせずに「大丈夫です」と言う。そう、問題の根っこは同じなのだ。成績の良し悪しにかかわらず、質問・疑問がないようにする――これが日本の学校教育の目標なのである。

　このような態度は大学に入っても続く。もちろん大学では、「もっと疑問をもつように」と言われ、質問するよう推奨される。しかし簡単には変わらない。とくに東大生は、「エライね」「スゴイね」と褒められることに慣れている、あるいはそれを目指そうとする。だからレベルの高い質問をしなければならないというプレッシャーがつねにある。マヌケな質問をするくらいなら黙っているほうがいい。そして「大丈夫です」と言う。実際、東大で低レベルの質問をすれば、教員から嘲笑されるか、呆れられるかもしれない。他の学生からバカにされるかもしれない。逆に、〝いい質問〟に対して教員は「いい質問だね」と言う。そう、いい質問があるということは、悪い質問があるということだ。そこで学生たちは悩む、

「いい質問」って何だろう？　そしていい質問だという自信がもてなければ、質問できないのである。

それに対してT大学の学生には、「いい質問をしよう」というプレッシャーは少ないだろう。でも、レベルの低い質問をすれば、同様にバカにされる。結局、日本の大学では、成績が良かろうが悪かろうが、「大丈夫です」という答えが正解であり、安全なのだ。やはり根っこは同じなのである。

しかし本当は、「大丈夫」なんかでは全然ない。問いがないというのは、考えていないということだ。ただ外から受け取って、自分の中で消化しているか、消化不良を起こしているか、そのいずれかだ。それは要するに、インプットとアウトプットから成る受験勉強の延長でしかない。まずは「問う」とはどういうことかを学ばなければならない。そしてさしあたりは、低レベルのマヌケな質問から始めればよいのだ。そうやって、自分を問うことに慣らしていく。そこからしか思考は育っていかないのである。

学ぶことのない書く方法と考える方法

２０１２年12月25日 投稿

私はT大学で、問いの立て方を意識的に明確化し、それをゼミのレポートや論文、就活の書類の作成に活用し、そうした実践を通して問いの立て方をいろいろと工夫していった。そうやって指導すると、学生の力は、程度の差こそあれ、意外なほどよく、しかも確実に伸びることが分かった。学力があまり高くなくても、文章を書き慣れていなくても、ちゃんと書けるようになる。もちろんいわゆる文章のうまさは変わらない。教養ある文章が書けるようになるわけでもない。けれども、論旨が明瞭で、筋道だった、分かりやすいという意味で〝いい〟文章を書くようになる。そして、就活でも内定をとってくるようになる。

そんなことをしているうちに、ふとしたことから東大で教えることになった。諸事情からゼミ形式の授業は担当しないため、学生たちにじっくり文章の書き方を教える機会はなくなった。講義形式の授業で、学期末にレポートを提出させることにして、T大学でやっていたレポートの書き方の概略だけは伝えた。

　しかし出てきたレポートの多くは、書けていなかった。もちろん東大生は、文章は書き慣れているから、とりあえず字数は稼げる。勉強もするから知識もあるし、言葉もよく知っている。そういうところはT大の学生とはたしかに違う。でも、書けてはいない。テーマやポイントがはっきりしない、論旨が一貫していない、ということは似ている。しかも、量だけは書くので、自分が実は書けていないということに、おそらく気づいていない。

　やはり根は同じだ。しっかりとした問いがない、だから思考もあやふやなまま、ただ言葉が連なり、それが文章として積み重なるだけになる。これは、レポートや論文を書くための高度な学問的訓練がなされていないという問題ではない。東大生も考える方法を知らないのだ。だから書けないのである。意外に思うかもしれないが、たぶんこの点では、大学のレベルによって程度の差はあっても、本質的な違いはない。根底にあるのは、授業中に質問がないのと同じなのである。

　これで日本の大学でレポートや論文の書き方がほとんど教えられていない理由が分かる。そういう名目の授業があったとしても、それは、文献の調べ方、引用の仕方、注の付け方など、レポートや論文を書くためだけに必要な技術や作法を教えるだけである。こういうものは、たしかに学術的なものの〝体裁〟としては重要であるし、そうした形式的なものが瑣末《さまつ》でどうでもいいと言うつもりはない。個人的には、何にせよ形式というのは、一般に思われている以上に重要だと思っている。けれどもそれはどこまでも、レポートや論文の書き方でしかない。それ以前の「書く」ということそのものの方法を教えることにはならない。そして「書く方法」とは、やはり「考える方法」からしか出てこない。しかしこのようなあまりにも一般的な技法を、いったい誰が、どこで教えるのだろうか。小中高から大学に至る学校システムの中に、それを位置づける場所は、不思議なほどないのである。

後日談

本書のテーマである哲学対話に出会う以前、私にとって哲学は「書くこと」と結びついていたようだ。ならば、哲学対話から哲学を考えた本として、2018年に『考えるとはどういうことか――0歳から100歳までの哲学入門』（幻冬舎）を出したあと、2022年に『書くとはどういうことか――人生を変える文章教室』（飛鳥新社）を出したのは、やはり必然だったと言える。就活の書類づくりに端を発するこの一連のブログを読むと、書くことに関する問題意識は、ずっと以前に今に至る道を歩いていたのだとあらためて思う。それが哲学対話に出会って「考えること」を考え直すことができたおかげで、方法論がより明確で体系的になり、さらに「対話的文章法」という〝画期的な〟書き方を提示できたのだ。

『書くとはどういうことか』：私が「書く」について長年考えたことの集大成

国際哲学オリンピックから哲学サマーキャンプへ

2013年1月7日 投稿

書く方法と考える方法は、どのように結びつければよいのか。私がこれを実践的な形に落とし込む話をするには、国際哲学オリンピック（International Philosophy Olympiad：IPO）について述べておかないといけない（詳しくは〈随想コラム1〉を参照）。

IPOとは、世界中の高校生が集まって哲学についてのエッセイを書いて競い合う大会である。数学オリンピックや生物学オリンピックは有名であるが、その哲学版である。各国から高校生二人、教員二人まで参加できる。高校生は国内大会によって選抜され、教員は二人とも審査員（エッセイの採点者）を務める。

高校生には様々なジャンルの哲学者の言葉が4つ（存在論、認識論、倫理学、美学等）与えられ、その中から一つを選んで、それに関連するテーマを自由に設定しエッセイを書く。制限時間は4時間で、母語以外の英語、ドイツ語、フランス語、スペイン語のいずれかの言語で書く。語学の辞書のみ使用が認められている。参加している教員全員で審査し、金銀銅メダルと奨励賞が授与される。

日本は2001年にアメリカ・フィラデルフィアで行なわれた第9回大会から参加し、翌2002年には東京大会を開いている。同志社大学名誉教授で当時敬和学園大学学長であった北垣宗治《むねはる》先生が中心となって10年ほど続けてこられた。先生は80歳を過ぎて、あとを託せる人を探し、上廣倫理財団が事業として引き受けることになった。そして哲学の専門家の協力が必要だということで、ちょうどそのときに財団の寄付部門を設置するこ

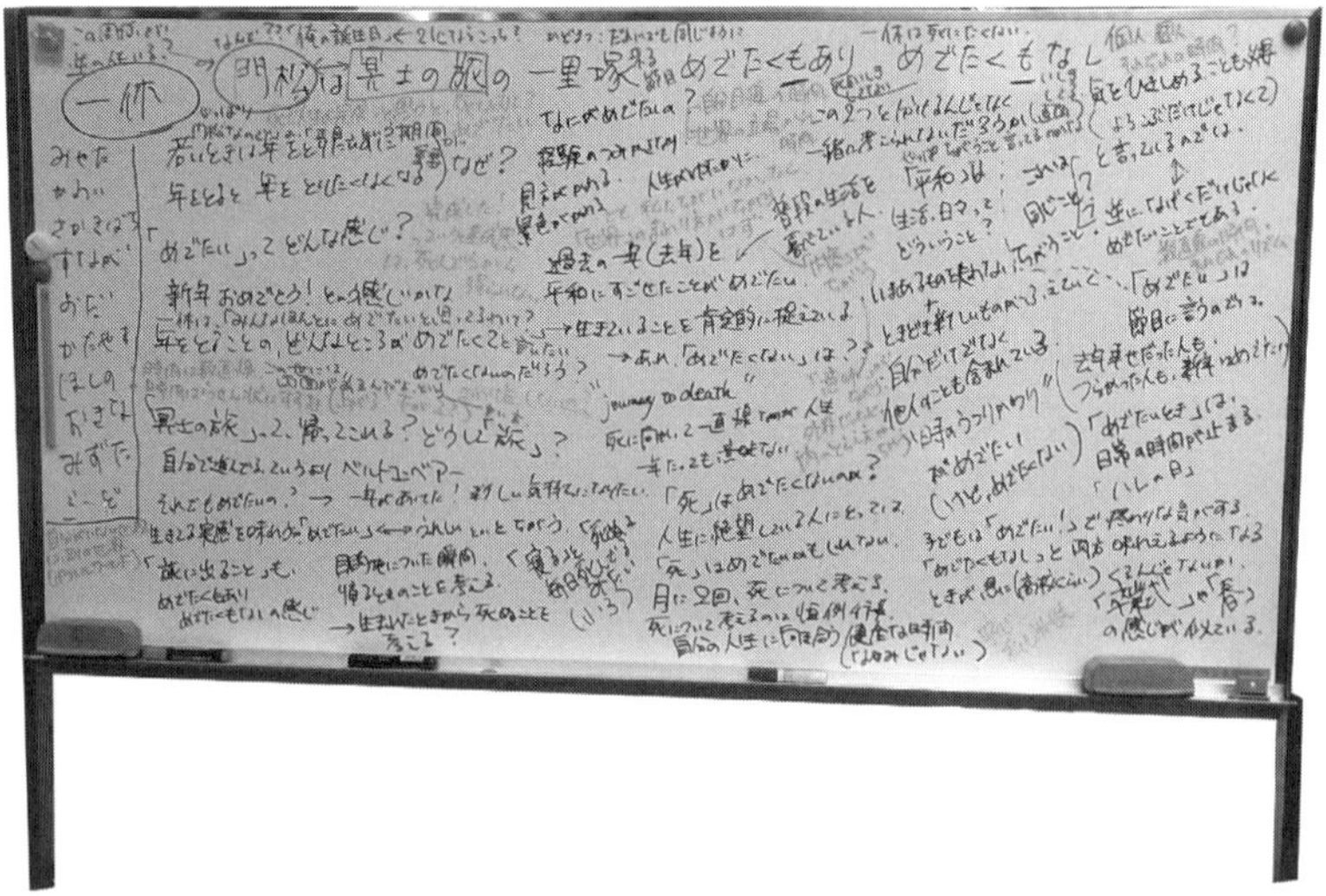

2014年の哲学サマーキャンプ　1日目の対話の記録

とになっていたUTCPに打診があった。

恥ずかしながら私はそのときまでIPOというものを知らなかった。しかし話を聞いた瞬間に興味を覚え、二つ返事でその任を引き受けた。そして2012年5月、さっそく北垣先生に同行してオスロで行なわれた世界大会に参加し、生でIPOを体験した。これが直接のきっかけとなって、私は哲学教育にも関わることになった。

さて、オリンピックの〝選手養成〟と言えば、〝強化合宿〟である。そこで私は、いわゆる哲学のレクチャーをするのではなく、まさに「思考の方法」を教えることにした。その年の8月22日と23日、2日間にわたって「高校生のための哲学サマーキャンプ」を開催した。1日目は、まずIPOと同様の形式で、4種類の異なるジャンルの哲学者の言葉から一つ選び、それに関連してエッセイを書くという課題をやってもらった(もちろん日本語で)。それで書いたものをチューター役の大学院生の力を借りて分析し、問い、定義、根拠、事例、結論などの要素を見つけ出し、その順番、構成、余分なもの、足りないものがないか考えてもらう。その後今度は、分析によって抽出・補完した諸々の要素を取捨選択してエッセイを再構成し、それを発表する。こうして高校生たちは、自分がいつもどおり書いたときと、明確な方法をもって書いたときの違いを、身をもって体験する。それはたんに文章が良くなったというレベルの話ではない。普通に書いていたら考えもしなかったことを考え、より緻密で筋道立てて考え、その上で文章を書くという初めての経験である。

2日目は、同様のことを別の課題文を使って、3〜4人のグループでやってもらった。複数の人の意見・視点が入ることにより、一人で考えるよりも議論に幅が出てくる。他方で、議論をまとめるのが難しくなる。自分とは異なる考えに耳を傾け、自分を開き、受け止める。そうすると議論は時に紛糾するが、よりいろんな視点、論点が出てくる。そし1日目と同様、問い、定義、根拠、事例、結論といった議論のパーツを見つけ、それを組み立てていく。その後、グループごとにプレゼンをして、ディスカッションをする。すると、グループで考えたほうが、議論が深まり、より緻密になることが実感できる。

もちろんこうしたプロセスがわずか2日でうまくできるようになるわけではない。しかし、高校生たちは、考えるとき、書くときにどういうことが必要なのか、何に注意すればいいのかを知る。そして自分たちが今までいかに考えていなかったか、いかに安易に書いていたかを知る。あとで出してもらったアンケートでは、キャンプでやったことが、初めての特別な体験であったこと、自分で、皆で経験した思考と議論の深みのことが綴られていた。

このキャンプの2日間は、私たちUTCPのスタッフ、チューターとして協力してくれた大学院生たちにとっても、感動と興奮に満ちていた。「思考の方法」は、高校生でも十分学ぶことができるし、学生たちももっと自覚的に考えることと書くことを学ばなければいけないことを痛感していた。今年は1回目だったので、手探りの部分もあったし、終わってみて改善点もたくさん出てきた。だが、この方向に進んでいけば、着実な成果を出していける、そこからいろんなものを生み出していける――合宿を通じてそういう自信と確信を得ることができた。

2014年の哲学サマーキャンプ　2日目のグループワークの発表

国際哲学オリンピック（IPO）……哲学を通して世界中の人たちと仲間になる

2022年12月18日 投稿

国際哲学オリンピック（IPO）は、毎年参加する中で、いろんな出会いと経験があって、ブログも大量に書いているが、そのすべてを載せることはできないので、この機会にエッセンスをまとめた。

国際哲学オリンピック（International Philosophy Olympiad）は、世界中から高校生が集まり、哲学的なテーマについてエッセイを書いて競う国際大会である。数学オリンピックや物理オリンピックの哲学版と言えば分かりやすいだろうか。国際哲学協会連盟（Fédération Internationale des Sociétés de Philosophie: FISP）が後援、ユネスコが協賛している。

1993年に6カ国（ブルガリア、ルーマニア、ハンガリー、ポーランド、トルコ、ドイツ）の代表有志によって始まった。第1回大会はブルガリアで開かれ、ブルガリア、ルーマニア、トルコが出場。それ以来、毎年5月、ホスト国を変えて国際大会を開催している。出場国も年を追って増え、現在では40～50カ国が参加するまでになった。目的は、各国の中等教育（中学・高校）における哲学教育の支援、批判的・探究的・創造的思考力の育成、科学や芸術や社会生活についての哲学的省察の促進、現代世界の諸問題についての倫理的省察能力の育成、哲学を通した世界中の若者の交流の奨励である。

日本のIPO参加

日本は2001年のアメリカ・フィラデルフィア大会から参加している。当時同志社大学名誉教授・敬和学園大学学長の北垣宗治先生（英文学）が、同僚の延原時行《のぶはらときゆき》先生（哲学）と一緒に始めた。以降、国内選考から大会参加まで、北垣先生が中心となって続けてこられた。また初参加の翌年の2002年には、IPOの要望を受けて第10回大会が東京で開かれたが、そのさい資金の調達から選手団の世話まで奔走なさったと聞く。これらすべてが個人的な熱意と努力によって10年以上続けられてきたというのは、敬服するほかない。

2011年、すでに80歳を超えていた北垣先生は、将来のためにもっと若い人でしっかりしたところに任せたいと考えておられた。そのことを聞き知った公益財団法人上廣倫理財団は、事務局および財政面での支援を引き受け、代表選抜と国際大会への引率などの面で協力してくれる研究者ないし機関を探していた。ちょうどそのとき、UTCPに財団の寄付部門を設置する話が進んでいて、IPO事業への協力を依頼された。実は当時、大半の哲学研究者と同様私も、IPOのことは知らなかった。今にしてみれば、恥ずかしいかぎりであるが、名前を聞いただけで強く惹かれるものがあって、私がメインで担当することになった。

その時点ではっきりしていたのはIPOへの参加だけだったが、オリンピックと言えば、強化合宿、キャンプである。そこで私は、「高校生のための哲学サマーキャンプ」を始めた。2日にわたって行ない、1日目はIPOを意識してエッセイの書き方を教え、夜は哲学対話を行なう。2日目はグループごとにディスカッションをして発表する。当初の参加者は3~4人であったが、数年のうちに20人を超え、30人を超えるようになった。2020年からはオンラインにしたところ、50~60名の高校生が文字通り北は北海道、南は沖縄から参加した。

もう一つ重要なのが代表選手の選出である。国内審査の第1段階に位置づけられるのが、財団が主催するエッセイコンテスト「倫理哲学グランプリ」である。ここに提出されたエッセイを審査し、受賞者を決める。そして彼らを対象に選考会を行ない、代表となった高校生二人にエッセイの指導を行ない、国際大会に引率する。受験と違って、行けなかったからといって人生に大きな影響はないが、行った高校生は人生が変わるような経験をするようだ。

IPOのエッセイコンテスト

IPOについてもう少し詳しく説明しよう。出場できるのは各国高校生2人まで(開催国は10人まで)、教員2人までで、教員は全員エッセイの審査を行なう。高校生には様々なジャンルの哲学者の言葉(存在論、認識論、倫理学、美学等。近年は非ヨーロッパ圏の思想から一つ)が4つ与えられ、その中から一つを選んで、それに関連するテーマを自由に設定しエッセイを書く。制限時間は4時間で、母語以外の英語、ドイツ語、フランス語、(2013年から)スペイン語のいずれかの言語で書く。語学の辞書のみ使用が認められている。参加している教員全員が匿名で評価し(エッセイは名前を伏せ、同じ国の教員が採点しないようになっている)、金銀銅メダル、および奨励賞が決定される。

第1ステージでは、1エッセイ当たり4人がグループで審査する。3点以上開きがある場合、協議するが、最終的には各自で点数をつける。平均で7点以上が第2ステージに行って、さらに2人が査読する。その結果の上位からメダルと入賞者の数を決めて第3ステージに送り、今度は運営委員会の5人で審査し、メダリストが決定される。第3ステージに行ったエッセイ、つまり何らかの賞をとるエッセイは、合計10人の人が審査しているので、手続きとしてはかなりしっかりしている。勝ち残ったエッセイは、やはりどれもハイレベルである。

　それにしても、哲学のエッセイなど、どうやって評価するのかと疑問に思うかもしれないが、これもまた明確である。審査の基準は5つある——①課題文のトピックとの関連性（4つのうちでテーマとして選んだ課題文の内容と、エッセイの内容がどれくらい関連しているか）、②トピックについての哲学的理解度（課題文の内容について、どれくらい哲学的な知識があり、相応の議論が組み立てられるか）、③議論の説得力（根拠や具体例を示したり、予想される反論に応えたりしているなど）、④議論の首尾一貫性（トピックが相互に関連し合い、議論の展開が分かりやすい）、⑤オリジナリティ（ただ誰かの思想や意見によりかかるのではなく、きちんと自分の考えを述べている）、以上の5つである。

　語学力については、程度問題ではあるが、文法や語法のミス、表現の拙さは、基本的には評価の対象にしない。専門的な知識についても、引用文で述べられていることに関して自分で問題設定をしてエッセイを書けばよく、引用されている哲学者やそこに関連する思想についての知識や理解は求められていない。逆に、哲学者の名前や概念をたくさん出して議論を進めるのはname dropping（ただ名前や用語を持ち出しているだけ）と言われ、自分自身で考えていないように捉えられることが多い。

　このように審査の手続きと基準は、きわめてよくできていると思う（国内予選である倫理哲学グランプリも、同様の基準で審査している）。もちろん先生たちの評価がいつも一致するわけではない。時に大きく違ってくる。それはそのエッセイのどこに重きを置くかで変わってくるし、個々の先生の資質や好みにもよるだろう。しかしこうした手続きによって、哲学という一見評価が困難に思われることについて、異なるバックグラウンドをもつ人たち

2016年のベルギー・ヘント大会の開会式

の間で、可能なかぎり多くの人が納得できるようにしている。

ＩＰＯに参加して思うこと

先に述べたのはエッセイライティングについてであるが、ＩＰＯじたいは、高校生向けと教員向けにそれぞれレクチャーやワークショップがあり、市内観光（多少なりとも思想や芸術、文化に関連する施設や場所を訪ねる）も行なう。最終日の前夜はパーティーもある。そういう意味で、イベントとして単純に楽しいが、ＩＰＯに参加することは、それ以上の充実した貴重な経験である。そのなかでも以下の３つの点について述べておこう。

１　いろんな国の人たちが対等な関係になれる

哲学の研究では、対等な関係が難しい。ドイツ哲学ならドイツ、フランス哲学ならフランス、分析哲学ならアメリカやイギリスというふうに、〝本場〟の国がある。そこに言語的な障壁が加わるため、本場の研究者のほうがその思想のことはよく理解していると一般に思われているだろう。もちろん外国の研究者が貢献できる部分もある。しかしそれでももともとの言語（あるいは英語）で書かなければ、そもそも読んでもらうことすらない。

しかしＩＰＯは、英語という共通語で行なわれる。もちろん英語の得意不得意はあるが、それは哲学の本場かどうかとは関係ない。実際、強豪国はそうでない国が多い。ドイツを除けば、西ヨーロッパで強いのは、イタリアとオーストリア、東ヨーロッパではルーマニア、ポーランド、ブルガリア、ハンガリー、リトアニア、スロヴェニアといった国々、またフィンランド、デンマーク、ノルウェーといった北欧諸国も強く、非西欧圏では、トルコ、アルゼンチン、インド、韓国がメダルの常連国である。全体としてとくに東欧の強さが目立つ。フランス、イギリスは２０１８年まで参加すらしていなかったし、その後とくに実績を積んでいるわけでもない。

日本も私が関わるようになって以降、２０１４年と２０１６年に奨励賞、２０１８年に銅メダルをとったあとは、毎年メダルか奨励賞をとっている。２０１９年は銅メダルと奨励賞、２０２１年には銀メダルもとった。２０２２年も奨励賞をとっている。日本の学校では、思考力を育てることも、自分でテーマを設定して文章を書くこともまともにしていないのに、そのわりには大健闘である。

２　先生も高校生もみんな仲がいい

参加する先生の多くがずっと同じ人であるため、ＩＰＯの雰囲気はいつも同窓会のようで、毎年ハグをして再会を喜ぶ。Familyという言葉をよく使い、新しく参加した国の人に対しても「ようこそIPO Familyへ」と言って歓迎し、たえず声をかけ、仲間に入れる。そういう一体感がある。その影響か、高校生たちもすぐに仲良くなる。先生が連れてきた高校生をお互いに紹介し合う。IPOは哲学が好きだというその一点だけで、国を超えて仲間になれる場なのである。

似たようなことは、日本の哲学サマーキャンプでも起こる。哲学好きの高校生は普段、哲学的なことを話す人が周りにいない。だからキャンプに来ると、探し求めていた友だちにようやくめぐり合えたと言わんばかりにみんなすぐに仲良くなり、寝る間を惜しんで話をする。一部ではイベント後も付き合いが続いているようである。やはり哲学には、共に考えることによって人と人をつなぎ、コミュニティをつくる力がある。

3　子どもたちの未来を考える

IPOに参加する先生たちが関心をもっているのは、哲学の諸問題よりもむしろ、子どもたちの未来である。それはおそらく、大半の先生が高校の先生として、日常的に子どもたちに接しているからだろう。しかもここで言う「未来」とは、けっして抽象的でぼんやりとした理念ではない。

とくに東欧の先生から聞いたのだが、社会主義が崩壊したあと、いまだに政情が安定せず、巷で言われること、政治家が言うことを鵜呑みにしていると、簡単に扇動され、間違った方向へ行ってしまう。そうならないためには、きちんと批判的に考える能力を各自が身につけなければならず、そこで哲学が必要なのだという。ある国の先生は、高校生たちにはいろんなことを経験してもらい、しっかり考えたうえで、必要とあらば、母国から出ていけばいいと言っていた。祖国を離れるための哲学とは、何と切なく、厳しい覚悟だろうか。

日本で哲学を教えるのに、これほどの緊張感はない。以前から考える力の育成が叫ばれ、政治不信が嘆かれているが、なんだかんだ言っても日本は、何も考えずボケっとして、政府や大人の言いなりになっていても、目に見えてひどい状況に陥ったりしない。「日本はもうダメだ！」とずっと前から言い続けているのに変わらない。良くも悪くもそういうおめでたい、恵まれた国なのである。

2022年のポルトガル・リスボン大会の開会式

とはいえやはり日本でも哲学は必要だと思う。誰もが頼みにできる価値観や目標がなくなっていくこれからの世の中では、それぞれが自らの基準をもち、目まぐるしく変化する状況の中で、そのつど必要かつ適切な判断をしていかねばならない。日本でも、大人だからと言って思考力があるわけではないので、子どもたちが自分で考えることを励まし、後押しする必要がある。そのために哲学は様々な形で尽力できるはずである。

ロシアのウクライナ侵攻をめぐって

2020年の開催予定地はポルトガルのリスボンであった。それが新型コロナウイルスの影響で2年延期となり、その間IPOはオンライン開催となった。2022年、満を持してリスボン大会が実現することになった矢先、ロシアによるウクライナ侵攻が勃発し、IPOもまたそこに巻き込まれることになった。ロシアが参加することの是非をめぐって激しい議論が起こったである。

まず話の前提として説明しておくと、各国の代表団は(今回日本は招待状を出してもらったが、それはあくまで渡航制限に対応するため)、通常の手続きとしては、大会事務局やIPOの委員会の許可や招待を得て参加しているわけではない。それぞれの国で選考を行い、代表団が決まったら登録をして参加するだけである。審査もなければ、申し込みをして承認ということもない。

だが今回、ロシア(およびベラルーシ)の参加をめぐって、〝招待〟するかどうかという話になった。最初は、公的な資金をもらってくるのは問題だが、民間や自己資金で来るならいいだろうとか、国旗を出すのはよくないかもしれないとか(参加チーム紹介のときに、通例国旗が表示される)、スポーツのオリンピックみたいに、ロシアIPO委員会みたいな名前だったらいいんじゃないかとか。またIPOからAppeal for Peaceという声明を出したとき、ロシアの先生も名前を連ねているわけだから、彼女たちには問題はない、IPOとしてはプーチンには反対しても、ロシア人全体を排除することはないなど、いろんな意見が出された。

私自身はどうにかロシアも参加する方向で落ち着かないかと期待していた。ところがウクライナはもちろん、隣国で難民を大量に受け入れているポーランド、リトアニアなどの先生たちが激しく反発した。ロシアチームの本人たちが戦争に反対していても、プーチンの政権下で生活してきたことには変わりない。だから彼らも結局はプーチンの支持者であって、この戦争に責任があるんだ、という意見であった。

被害に遭っている国の人たちのこうした意見をなだめたり、まして批判したりするのはほとんど不可能だ。彼らが寛容さを示さなければ、誰も意見が言えない。そのうち「ロシアが参加するイベントに我が国から代表団を派遣するわけにはいかない」という国まで現われた。最終決定権は、今回の主催国であるポルトガルの大会事務局がもっていて、結局はポルトガル政府にも配慮し、ロシアは招待しないという方針になった。

これに私は大きなショックを受けた。素朴すぎる願いかもしれないが、政治と哲学は切り離して考えるべきであって、むしろこういうときだからこそ哲学では結びついていたい、だからロシアの参加は認めるべきだと考えていた。私と同じように考える日本人も多いだろう。しかしひょっとすると、これは自分が日本という遠く離れた国にいて、直接関係ないからこそ言える呑気な理想論なのかもしれないと思った。

そもそもロシアの参加を積極的に（無条件に）認めようとするのは、IPOのメンバーの中でも、まったくの少数派だった。そのような立場を明確にとったのは、トルコ、モンテネグロ、ベルギーの先生だけだった。ベルギーの先生は、何かにつけ中立的態度を崩さない人だった。トルコの先生は（創立メンバーの一人で年配の女性）、強い信念がある人だが、今回のことについては、この話題が出た直後に「罪のない者だけがこの女に石を投げよ」という聖書の言葉を引用して、どの国の人も過去にも未来にもわたって罪がないというわけではない、今回の決定が将来にも影響するから、こういうことでどの国に参加資格があるとかないとか議論すべきではないと主張した。

モンテネグロの先生は、ボスニア・ヘルツェゴヴィナのサラエボの出身、ユーゴスラビア紛争で故国を逃れ、モンテネグロに亡命した女性である。第1次・第2次大戦で多くの親族を失い、ユーゴスラビア紛争のときにはNATOによる爆撃のせいで多くの友人知人が死ぬのを目の当たりにした。それでも彼女は「誰も恨んだことはない。そう育てられた。憎しみは意味のない感情だ。相手が誰であっても手を差し伸べよう。IPOもあらゆる人にとっての避難所になるべきだ」と訴えた。

私も彼女たちに賛同し支持を表明したが、議論の流れが変わることはなかった。理想はともかく、何が現実的に妥当な判断だったのか私には分からない。国家と国民はどのように関係しているのか、国家の責任を個人はどの程度まで負うのか――こうしたことを深く考えさせられた。

久しぶりに対面で行なわれたIPOは、いつものように楽しい、哲学を通して結びついた家族のようなコミュニティであった。けれども、政治的な思惑による排除を乗り越えられなかった軋みと虚しさが残った。これがいつか解消され、より強固な結びつきを生み出すきっかけになってほしい。

P4C(Philosophy for Children)のインパクト

2013年1月10日 投稿

2012年の夏、東京大学とハワイ大学との共同比較思想セミナーが行なわれた(「邂逅の記録」10~18を参照)。これは上廣倫理財団による寄付部門の中の「東西哲学の対話的実践」というプロジェクトの企画で、UTCPの中島隆博さんとハワイ大学のロジャー・エイムズ(Roger T. Ames)さんの長年の親交によって実現した。また、エイムズさんが所属するハワイ大学の哲学科もまた財団の支援を受けているという縁もあった。財団はさらにUehiro Academy for Philosophy and Ethics in Educationという、子どものための哲学(Philosophy for Children:P4C)のセンターも支援しており、国際哲学オリンピックの協力もすることになっていた私は、財団のほうから共同セミナーのさいに、このセンターのリーダーであるトーマス・ジャクソン(Thomas E. Jackson)さんとも会って、ハワイのP4Cを見てくることを勧められていた。

実を言うと、私にとって当初この見学は、共同セミナーのついでに行く、という程度の位置づけだった。P4Cについても、当時それほど深く理解していたわけではなく、土屋陽介さんが「子どものための哲学教育研究所」のHPに書いたコラムや、そこでアップしている論文などの資料を事前に読んでいる程度であった。たしかにIPOへの協力、哲学サマーキャンプの企画は、本気で考えていたし、哲学教育一般にも強い思いがあった。しかしそれは、P4Cとは明確に結びついてはいなかった。楽しみにはしていたが、「とりあえず、長期的には関わってくることもあるだろうから、見ておいて損はないだろう」くらいの気持ちであった。

言い訳をさせてもらえば、実際に見学する前なら、これ以上のことは望めなかったと思う。そもそも私は、共同セミナーにおいて人生で初めて英語で講義をすることになっていて、精神的にはそれだけで一杯になっていた。それに、土屋さんのコラムを読んで、面白そうだと思ってはいても、それだけではまったく不十分だった。とはいえ、その不足は、おそらく、知識や理解の〝量〟ではなく、〝質〟に関わることであり、実際に自分がＰ４Ｃを体験しなければ分からなかったのである。

上廣倫理財団のほうでも、おそらくそのあたりのことを察しておられたのであろう。サマーセミナーの期間中に、ロジャー・エイムズ氏の自宅で関係者を集めてパーティーをする機会を設けてくださった。そのさい私は、ハワイのＰ４Ｃセンターの所長トーマス・ジャクソン氏と知り合うことができた。不思議なことに私たちは、たくさんの人でごった返す家の中で、目が合った瞬間にお互いが誰か悟った。そして哲学教育について語り合い、すぐに意気投合し、翌日にはもう授業を見学させてもらうことになったのである。

詳細は「邂逅の記録」の19～23で書いたとおりである。それはまさに、私が前もって知識としては仕入れていたとおりのものだった。土屋さんのコラムも読んだ。見学に行くことになって、前もって渡されていたジャクソン氏の概説も読んだ。だから、そこでどんなことが行なわれるのかは、おおむね分かっていた。それでも実際に見て自分もその授業に参加して体験したインパクトは、想像を超えていた。

私は「自分一人だけで見ていてはいけない！　学生にも見せなければ！」と強く思い、翌日、いちばん興味をもちそうな大学院生を一人連れて行くことにした。そのとき私は彼女に「今日で人生が変わるかもしれないから、気をつけたほうがいいよ」と〝忠告〟した。それはたぶん（いや、間違いなく）私自身の人生がすでにその時点で変わっていたからだろう（この大学院生とは、のちに哲学対話の実践者として大活躍して、ＮＨＫのドラマ「ここは今から倫理です」の倫理考証を担当することになる神戸《ごうど》和佳子さんである）。

Ｐ４Ｃはきっとものすごいポテンシャルをもっている。相手や状況に合わせてアレンジすれば、いろんな形で使えて、いろんな効果が期待できる――そういう確信が私の中に芽生えた。ハワイから帰国直後の２日間の哲学サマーキャンプで、さっそく私は何か試してみたかった。そこでハワイで見学に連れて行った院生に、夕食後

ワイキキ小学校のP4Cのクラスの床のカーペット

の高校生とのフリーディスカッションを任せた。彼女は私の意を汲んで、P4Cのスタイルでやってくれた。そして予想通り、それは高校生にとってばかりでなく、東大の院生にとっても、普段では得がたい豊かな時間となったようだった。

やっぱりそうだ、これはいける！　いろんなことができる！　一緒にやれる人たちもいる！――そこで11月にワークショップを開催することにした。そのさい立教大学の先生で私よりもずっと前から哲学教育に携わってきた河野哲也さんと、P4Cをすでに実践していた土屋陽介さんに来ていただこうと思い、二人と会ってワークショップの中身について相談をした。そうした流れの中で、「Philosophy for Everyone（哲学をすべての人に）」というイベントのタイトルは、ほとんど自然発生的に出て来たのだった。

もう一つのP4C

2013年1月14日 投稿

Philosophy for Everyoneを構想するのに、大きなきっかけになったもう一つの出会いがある。前回述べたように、ハワイのエイムズ邸で開かれたパーティーに、日本で道徳教育に携わっている先生の一団がいた。彼らは、上廣倫理財団が行なっている日本とハワイの教員交流事業でP4Cの見学に来たとのことだった。そのコーディネーター役には、ワークショップで講演していただいた兵庫県立大学の豊田光世さんもおられた。あとで知ったのだが、実は彼女こそ、日本にハワイのP4Cを紹介し、上廣倫理財団と結びつけた人物である。

パーティーで豊田さんとそれほど多く喋ったわけではなかったが、彼女の話はとても印象的だった。どんなことをしているのか聞いたところ、佐渡島でトキを自然に戻す活動をしており、そのためにP4Cの手法を用いてコミュニティづくりをしているという。そして彼女は静かな口調でこう言った。

「私にとってＰ４Ｃというのは、Philosophy for Communityでもあるんです」

コミュニティのための哲学。子どもや教育のためだけではない、共同体のための哲学、社会のための哲学……結局Ｐ４Ｃは、子どものみならず大人も含め、社会の様々なところで活かせる哲学対話の方法なのだ。彼女の言葉で私は視界が一気に開けたように感じた。

ただそのときは、私自身まだＰ４Ｃは未体験だったし、豊田さんの活動も詳しく知らなかった。だから彼女の話を聞いても、本当のところはよく分かっていなかった。その真意と真価について、具体的なイメージをもったのは、のちに豊田さんが送ってくださったＰ４Ｃと佐渡の活動についての論文を読んだときだった――この人はＰ４Ｃの最前線にいて、そのポテンシャルをもっともよく見せてくれる人だ。何としてでももう一度会って、詳しく話を聞きたい！ということで、11月のワークショップには豊田さんにも来ていただいた。

実際に話を聞いて、その大変さも、大切さも、意義も成果も、想像以上だった。何十回にもわたる地元の人との対話、それも、哲学カフェや今回のワークショップのように、希望する人たち相手ではなく、むしろ乗り気ではない、あるいは、拒絶する人たちとの対話。コミュニティのための哲学でありながら、下手をすれば、利害が衝突したり、お互い腹の中に隠していた嫌な本音が露呈したりして、コミュニティを崩壊させてしまうかもしれない……豊田さんは、そんな緊張感のなか、一回一回、文字通り真剣勝負の対話を何年も、根気よく続けてこられた。それはほとんど〝戦い〟と言ってもいいほどだ。それでも彼女は、きっといつも静かに、細やかな思いやりと折れることのない志をもって続けてこられたのだと思う。

そうして豊田さんを言わば触媒にして、その時々の対話の場に互いに敬意をもって率直に語りうる「安心感（safety）」が生まれる。やがて人々が変わり、コミュニティがまとまり、動き出す。それまでただ国や〝有識者〟の出来合いのプランを受け入れるか拒絶するかしかなかった人たちが、自らのイニシアティヴを発揮し、コミュニティとその未来のために行動するようになる。対話の力とはこういうものか、と感銘を覚えた。

豊田さんの挑戦は、日本全体の今後のあるべきコミュニティづくりにとって、強力な武器になりうる可能性を秘めているような気がした。と同時に、彼女のような人が、いったい何人、何年奮闘しないといけないのかと思うと、気が遠くなる。それでも、こうした対話を実践していくことは、日本を少しずつでも、大きく変えていく力をもっているにちがいない。そうして原発に象徴される国家の横暴から、人々が初めて本当の意味での主権を獲得し、共同体をつくっていけるのではないか——私は彼女の話を聞きながら、そんな壮大な希望に思いをめぐらせた。本当にChildrenからCommunityまでカバーできれば、哲学はきっと、まさしく「すべての人」のものとなるのだ。

後日談

のちに私が地方の村や町の話し合いの場に行って哲学対話をするようになったのは、何より豊田さんの影響である。この本の中で何度も出てくる京都の総合地球環境学研究所のプロジェクトで、都市と地方の問題をテーマにし、対話によってコミュニティのイニシアティヴを強化するということを考えたのも、彼女という先駆者がいたからである。

ただし、私には豊田さんのような使命感も情熱もない。呼ばれたから行くだけである。だから、自分の目的や課題はもたないようにして、現地の意向に合わせるようにしている。だがそのおかげで、私は哲学対話をその場に合わせて自由にアレンジできるようになったし、その場所にふさわしい対話の仕方を考えるようになった。婚活をやったり、地域の特産品の新しい食べ方を考えたり、村の人が集まって漬物とご飯を食べたり、図書館で本を探したり、……いろんなことと対話を組み合わせるのは楽しいし、今やそれが得意になっている。Communityのための哲学はみんな(Everyone)のためでもあり、何でもあり(Everything)なのだ。

プロジェクト「研究・教育の一般的方法としての哲学的思考」

2013年1月23日 投稿

すでに述べたように、ＵＴＣＰの哲学教育への関わりは、ＩＰＯ（国際哲学オリンピック）とＰ４Ｃ（子どものための哲学）を軸にしているが、この2つはかなり性格が違う。Ｐ４Ｃのほうは、哲学カフェや小中高（ないしその年代の子どもたち）で行なわれる対話、もしくはそれに基づく教育である。そこでは、必ずしも議論の緻密さや論理性が重要なわけではなく、また時間的な制約も厳密ではなく、特定の結論に至る必要もない。他方、ＩＰＯはエッセイコンテストなので、一定の時間内に論理的な一貫性と結論のある議論を組み立てなければならない。やはりある種のアスリートを育成するような感じに近い。しかも練習のときはともかく、最終的には一人でやらなければならず、孤独な戦いになる。

夏に行なった高校生のための哲学キャンプではその両方の要素を取り入れたが、もともとこのキャンプはＩＰＯの準備という意味合いがあるので、主体となるのは、問いと主張があって論理的に一貫した議論を組み立てることであった。ただし、ここで高校生を指導するにあたって必要なのは、彼らの書く内容を訂正したり、模範解答を示したりすることではない。そんなことをしても本番では役に立たないし、自分で文章を書けるようにはならない。重要なのは、彼ら自身が問い、考えを整理し、筋道立てて書けるように手助けすること、そのための方法を教えることである。前に書いたように、彼らの書いたものを要素に分解したり、議論に必要なパーツを見つけたりするようにしたのは、そのような意図からだった。

しかし、そもそもこのような「方法」はどういうものなのか。私自身は、就活の書類づくりやゼミのレポート指導でそのようなことをやってきたが、そこでは何度もやり直しをさせる時間もあるし、その場その場で臨機応変に対応できる。それに、哲学の問題を考えさせていたわけでもない。また、私が自分の論文を書くときには、そういう方法をそれなりに意識的に使ってきたが、そこには何となく分かっているだけの〝暗黙知〟も多い。

キャンプで私が参加するすべての高校生の相手をすることはできない。そこで私は、大学院生をチューターとして養成し、キャンプで高校生の思考の手助けをしてもらうことにした。そのために必要なのは、院生に「問いと思考の方法」を教え、それを実地に訓練することである。しかもそのためにさらに必要なのは、私がもつ暗黙知を意識化し、より具体的な〝マニュアル〟をつくることである。

また、よく言うように、私たちは「教えることによって学ぶ」。だから大学院生がチューターとして高校生をサポートできるようになれば、それは彼ら自身の研究、論文の執筆にも役立つはずだ——そういう意図から、私は「研究・教育の一般的方法としての哲学的思考」というプロジェクトを立ち上げ、現在2週間に1回のペースで研究会を行なっている。そこでは、前述のような問いと思考のトレーニングをして、そのマニュアルを開発しているが、それ以外に、哲学対話の方法の研究、ファシリテーターの育成、講演会やワークショップなどもやっていく予定だ。東大に限らず、外部の人にも参加してもらい、こちらからも外に出て行っていろんな人たちとネットワークをつくっていきたい。

哲学をすべての人に (Philosophy for Everyone)

2013年2月1日 投稿

ひと昔前まで、哲学はただ難しいだけで、何の役に立つのか分からないというイメージが強かった。実際、大学で行なわれていた〝教養〟としての哲学の講義は、その〝期待〟を裏切らないものだった。それに対して、当の哲学者たちは「役に立たないから価値があるんだ」と開き直っていた。もちろん、言わんとしていたのは、好意的に解釈するなら、「哲学は実用品ではない」、功利主義的な意味で役に立つものではない、ということだ。教養じたいがそういう性格をもっているわけだから、教養の最たるものである哲学も役に立たなくて当然。それが哲学の矜持でもあっただろう。とはいえそれは、どんな役立たずの哲学研究でもいいという、隠れ蓑になっていたのではないだろうか。

しかし、いつの頃からか、哲学を取り巻く状況は変わった。環境問題や医療問題が様々な形で噴出してきて、科学や技術だけでは解決できない、とりわけ倫理的な問題が提起されるようになった。それに呼応するように、環境倫理や生命倫理のような応用倫理学が登場し、脚光を浴びるようになった。そして哲学は実践的でなくてはならない！と主張されるようになった。

おそらくその背景には、国家の財政難や少子化や国際化で、大学が競争にさらされるようになったことが絡んでいる。その結果、大学が国公立も含めて、経済的な効率（学部学科ごとの学生数、就職率）を重視せざるをえなくなり、個人としても大学としても外部から競争的資金を獲得するよう駆り立てられるようになった。つまり、哲学といえども、社会の需要に応じなければ存続できなくなってきたのだ。さもなければ、研究費は削られ、ポストは減らされ、就職も難しくなる、というプレッシャーがかかっていった。そしてかつてならむしろ敬遠されたような実用性（＝「社会に直接役に立つ」こと）が求められ、多くの哲学者が背に腹は代えられないと、その方向へシフトした。

「役に立たないから価値がある」とする哲学は、一時的な現象だったのかもしれない。国家が経済成長し、大学に経済効率を求めず予算を割り当て、「学問の自由」を保証し、子どもの数が増え、大学の数と定員が増え、ポストが増え……といった好循環のおかげで、役立たずの哲学研究をしていても就職できた。それは哲学にとって、幸運なことだったのだろう。けれども、それはあくまで時代状況に支えられてのことだ。そういう〝古き良き時代〟が過ぎ去ってしまい、とにもかくにも哲学は応用倫理として、世のため人のためをアピールするようになった。

たしかに倫理的な問題は広く社会で共有されるものであり、それによって哲学は多くの人の関心を引くようになった。だが、結局そこでも哲学は高度に専門的であり、しかもそれは応用倫理学である以上、哲学をしたければ、まずは基礎となる古典を学び、そのうえで応用すべきだ、という理屈になる。哲学はやはり哲学者のものであり、哲学者はあくまでプロフェッショナルであり続け、一般の人がもっていない知識をもっていることが存在意義だった。だから応用倫理でもなお、哲学はすべての人のものではなく、一般の人は、いわば観客にすぎなかった。

それでも応用倫理は、哲学が一般の人には縁遠い、訳の分からないものなのだというイメージを変え、哲学への興味を広く喚起したように思う。そしておそらくそのころからであろうが、哲学をやさしく解説する本や、一般向けの入門書が多く出版されるようになった。だがここでもなお多くの人は、哲学という営みにおいて受動的な立場にある。彼らは哲学的な知識や思考を受信し、消費するのであって、発信し、生産するのはやはり哲学者であった。

哲学をすべての人に開かれたものにするためには、誰もが哲学を発信し、〝生産〟できるようにならなければいけない。それが対話の実践である。哲学カフェやP4Cは、まさにそのような場である。そこには専門家も素人もない。大人も子どももない。それは、専門的に見れば、たいしたオリジナリティはない。しかし、どのような人であろうと、対話をする人たち、その場にいる人たちみんなにとって、そこで生まれる思考は、そのときそのときで一回的であり、その意味でそのつど新しく、オリジナルなのである。

このような共同の思索としての対話は、古代ギリシャ以来、そもそも哲学の原点ではなかったか。哲学はこの原点に返ることによって、すべての人のものになりうるのだ。かつて哲学的な対話ができるのは、ごく限られた人だけであった。したがって今日の課題は、そうした対話の場をどこでどのような形で生み出し、どれだけいろんな人を巻き込んでいけるか、である。P4Eの存在意義も成否もそこにかかっている。

2016年2月の研究会
赤ん坊を抱いているお母さんも参加

制度の先へ行く意志 —— 西山雄二編『人文学と制度』への書評

２０１３年５月１日 投稿

この文章は、西山雄二氏の編による『人文学と制度』への書評として書いたものだが、昨今の人文学無用論に対する私のスタンスを表明したものでもある。それと同時に、哲学対話や〈哲学×デザイン〉プロジェクトの背景の一部になっているので、ここに収めることにした。

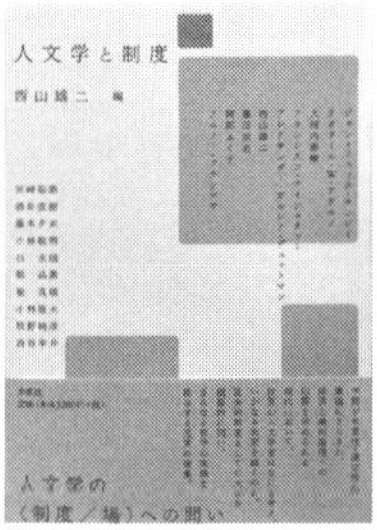

西山雄二『人文学と制度』
（2013）

哲学をはじめとする人文学の研究者は、本を読んであれこれ調べたり、思索をめぐらせたり、書き物をしているというイメージがあるかもしれない。実際、人文学の研究では、一般には自然科学のような特別な設備が必要なわけではなく、自宅で研究を行なう人も多い。だからであろうが、人文学は制度にはあまり依存していないように思われることも多いし、研究者自身、とりわけ「霞を食べて生きる」哲学者はそう思っている節がある。

しかし、どんな分野であれ、研究というのは〝制度〟そのものである。論文を書くのも、授業をするのも、学会で発表するのも、すべては教育と研究を支える制度によって初めて可能になっている。そもそも研究者の給料が制度によって支払われている。個々の研究の営為にかかるお金の多少にかかわらず、学問や研究、教育にとって制度は決定的なのだ。哲学も人文学もけっして例外ではない。普段あまり意識されないこの根本的な問題を正面から、世代も専門も異なる多彩な執筆陣とともに果敢に論じたのが、西山雄二氏の編集による『人文学と制度』（未來社、２０１３）である。２００９年に刊行された『哲学と大学』の続篇で、前著が思想史的哲学論集であるのに対して、本書は実際の制度やその歴史をより具体的に、様々な専門の立場から多角的に論じており、より広い層の読者に向けて編まれている。

さて、人文学と制度に関しておそらくもっともよく言われるのは、人文学のように世の中の役に立たない、もしくは何の役に立つのか分からない学問にはお金は出せない、だからポストを減らす、より役に立つものにシフトさせる、といった有用性に偏重した価値観であろう。この場合の有用性とは、経済的利益をどれくらい生み出すかということである。こうした実用志向は、資本主義社会では以前からずっと一般的であり、人文学の無用論もあちこちで言われていた。それが1980年代以降、いわゆるネオリベラリズムが台頭してから、効率性と競争原理が徹底されていき、人文学をはじめとする〝役に立たない〟学問は、現実の制度的危機に直面するようになった。

このような傾向は日本に限ったことではなく、いわゆる先進国では世界的に見られるらしい。本書でも、日本のみならず、韓国、フランス、イギリス、ドイツ、アルゼンチンの研究者が寄稿しており、また論考の中には、ドイツや合衆国、イギリス、EU、ラテンアメリカ、オランダやチェコスロヴァキアの事情について書かれているものもある。哲学カフェのようなアカデミズムにとらわれない哲学プラクティスについての小論もある。それらを読むと、地域や国による違いはあるものの、世界各国が本質的には共通した問題を抱えていることが分かる。

たしかに人文学は、とくに冷戦終結以降、社会主義が凋落し、資本主義の論理がグローバル化していく時流には乗りにくい。実用主義がたんなる一つの立場ではなく、世界全体を支配する原理になっていくからである。そうした苦境に立たされれば、当然のことながら、人文学の研究者は国家の政策や社会的風潮、世界情勢に批判を向けることになる。実用主義そのものは、合理的であり間違っていないにしても、それで世の中のすべてが決められるとすれば、それは人文学にとってだけでなく、社会全体にとっても憂慮すべきことだろう。そのような状況にあっても、人文学の研究を支え、そうした教養を備えた人材を育てておくことは、文化国家の使命でもあり、長期的・大局的には、広く社会のためにもなるにちがいない。西山氏が序論で述べているように、有用性という価値観そのものを根底から問い直す力になるという点で、人文学はより広い意味での公共的価値をもつはずである（「序論　人文学と制度」18頁）。

さて、人文学がもろもろの社会情勢のせいで制度的に苦境に立たされており、何とかしなければならないというのは、出発点となる基本認識である。では、人文学の意義が何らかの形で社会的に認知され、制度的にも存続が保証されていればいいかと言うと、事はそれほど単純ではない。そもそも人文学が安泰でいられる社会とは、どのようなものなのだろうか。

一つの極端な例は、中国における大規模な文化事業である。清朝の時代、学者たちは皇帝からふんだんに時間とお金を与えられ、古典の大編纂事業を任された。人文学者にとっては夢のような話だが、皇帝からすれば、たっぷり仕事とお金を与え、学者が余計なことを考えないようにして飼いならすという意味があったという。また近現代で人文学が優遇された例としては、社会主義国におけるマルクス主義や、体制派の保守的学問が挙げられるであろう。

本書の中でも、宮崎裕助氏はサイードを引き合いに出しながら、人文学が文化保守主義的なイデオロギーと容易に結びつくことを指摘している（「ヒューマニズムなきヒューマニティーズ」47頁）。また酒井直樹氏によれば、第二次大戦後に世界で興隆した地域研究は、戦後の世界秩序におけるアメリカの地位と、それが支配する植民地主義的世界観を反映しているという（「アメリカ合州国の人文学」77、79、82頁）。つまり、人文学というのは、体制を支持するものとして制度的に方向づけられていれば、安泰でいられるのだ。

だがこのような状況は、人文学にとって別の意味で危機ではないだろうか。たしかに一方では、そうした優遇によって研究が飛躍的に進展し、学問的にも質の高い成果が後世に残される場合もあるだろう。しかし他方でそれは、制度的な保証によって人文学が骨抜きにされ、あるいはたんに体制の維持に積極的にせよ消極的にせよ加担していることにもつながる。だとすれば、社会や権力への批判や抵抗、あるいは自己自身への反省という人文学の核心を捨てることになる。ならば人文学は、体制からある程度距離をとり、場合によっては不遇であるくらいが健全なのかもしれない。

大河内泰樹氏が書いているように、今から見れば、哲学の黄金期のようなヘーゲルの時代においても、人文学は危機にあったという指摘は興味深い（「特権としての教養」221頁）。逆に、フランスのように哲学が教育課程の中にしっかり組み込まれている国では――日本の哲学者にとっては羨望の対象であるが――、むしろ国家による支配、管理を受けているというのは、当然と言えば当然である。だからこそ西山氏の論にあるように、デリダは「哲学への権利」を語らなければならなかったのだろう（「哲学への権利と制度への愛」299頁）。

このように人文学と制度との関係はかなり微妙であり、アンビヴァレントでもある。だからいっそのこと体制から抜け出すという選択肢もある。白《ペク》永瑞《ヨンソ》氏が構想する「社会人文学」はそうした試みの一つであろう。これは制度化により専門分化し、生の問題から乖離した人文学を批判し、社会の人文性回復に貢献し、社会的弱者や疎外された人たちのために戦う実践、社会運動としての人文学である（『社会人文学の地平を開く』128〜136頁）。こうした市井の人文学は、私塾のような形では日本でも伝統的に見られるが、それを白氏は、延世大学の国学研究院という公的機関のプロジェクトとして、いわば制度的に制度の外部をつくり出そうとしているように見える。

　だが人文学にとっては、このような制度の内部か外部かという極端な二者択一しかないわけではないだろう。そこで示唆を与えてくれるのが、フランシスコ・ナイシュタット（Francisco Naishtat）が論じている「異種混交化する大学」である。これは「教養の大学」、「専門分化した大学」へと変化してきた大学が次にとる形態の一つとして位置づけられる。彼の論考はラテンアメリカに関するものであるが、もっと一般的な趨勢として受け取ることもできるだろう。人文科学者が置かれている状況に対処するためには、もはや既存の専門の「内的な力学」ではなく、現実の錯綜した「問題の力学」に依拠しなければならない。したがって、大学は知を独占的に生産する場所ではもはやなくなり、他の機関や組織と連携しなければならなくなる（『大学とグローバリゼーション』254頁以下）。

　これはまさに現在、日本でも起こっていることではないだろうか。だとすれば、日本でも研究者は、望むと望まざるとにかかわらず、大学の外に出なければならない。それは制度の外に出るというより、大学の内部と外部という制度的枠組みを取り払い、学問の分野間のみならず、国や文化、職業や階層など、あらゆる境界が取り払われたところに身を投じること、そこに研究という営みを位置づけることを意味する。

　これがグローバリゼーションの帰結もしくは現われなのだとしたら、混交化は時代の要請なのだろう。ならば人文学もそれに合わせて変わらなければならない。小林康夫氏が言うように、それぞれが守ってきた自分の領域から出て「共通の世界」を生み出すことが重要であろう（『人文科学と制度をめぐって』166頁）。それは、大学の内外を問わず、多様な領域が出会い絡み合う場であり、従来の学問や研究の論理が少なくとも当たり前のように通用するところではない。そこに出て行くことは、資本主義的論理から多かれ少なかれ守られ、そのことによって権威を保持してきた大学内の学問、とりわけ人文学にとっては、過酷な試練なのかもしれない。

しかしそれを危機だと言って訴える前に、人文学者は何を目指すべきなのか、今一度問い直す必要がある。居心地よく研究できることなのか、学問としての成果を上げることなのか。あるいは、社会を批判することなのか、新たな価値を見いだすことなのか、社会に貢献することなのか、弱者のために戦うことなのか、個々人を豊かにすることなのか。誰に対して、誰と共にか。

それに現代に生きる私たちはどうあがこうと、資本主義から離れては生きられない。ならば人文学の側も、資本主義に翻弄され犠牲になるのではなく、そこに自ら積極的に関わっていく道を模索すべきだろう。そのさい、資本主義に対抗する独自の価値を提示するのも重要だが、それと矛盾しない――しかも人文学の存在意義を貶めることのない――「第三の道」がないか考えてみなければならない。

実際、人文学と資本主義との関係も、それほど単純ではない。たしかに効率性や実用性を重視されると、文系の学問は、理系に比べて分が悪いのかもしれない。けれども、大学への予算を削減し、その代わりに科学研究費を申請させて審査の結果に従って配分するのは、何もしていないのに自動的に給料と研究費が降ってきていたかつての制度を改め、きちんと成果の見込める研究にお金を出すようになったという点では、ポジティブな意味での効率化ではないだろうか。それにより、高尚な研究にじっくり打ち込んでいた学者先生に、申請書や報告書を書くという事務作業の負担が発生し、学問は時間とお金で縛られるようになったのだが、同時にそれで研究がより推進された面があったことも事実であろう。とりわけ若手が自らの研究を構想して進めていくというのは、以前にはありえなかったことだ。また、新たなテーマのもとで行なわれる大型の共同研究が増え、相応の成果もあげた。その意味で効率化は人文学のみならず学問全体にとってプラスになったと思われる。

そのことと大学において人文学のポストが削減されるのは、おそらく同じ現象の異なる側面なのだ。程度の問題はあるが、一方は善で他方は悪だと単純に決めつけることはできない。それに、そもそも人文学で大学院に行ったら研究者になるしかないと考える人がいまだに多く、減り続けるパイをめぐる争いがやまないところにも問題が深刻化する原因がある。

大学の内外、領域間の区分を取り払って混交化する世界に人文学も入っていくとしたら、私たちには、自ら制度の先へ行く覚悟と意志が必要だろう。体制に迎合するのでも、ただ批判するのでも、まして無関心でいるのでもなく、大学や分野の内外を問わず、自らを生かす場を探し、つくり出していくこと、そのために年齢も世代も職業も越え、立場も境遇も経歴も越えて協働していくこともできるのではないか。それは人文学にとってけっして二次的なことでも瑣末なことでもなければ、不承不承に甘受すべきことでもない。むしろ、既存の価値観に挑戦し、自らの存在意義を問う人文学の実践そのものでありうる。そのためにも、まずは制度の何たるか、人文学を取り巻く現状、その背景、様々な試み、困難、その歴史と未来を知らねばならない。本書はそのために豊富な知見と視点を与えてくれる。そして読者は、自分がどのようにそれに応答するのかを問われるのである。

第2章　旅の出会い

旅の第一歩は、2012年の11月に開催したPhilosophy for Everyone（哲学をすべての人に）というワークショップである。そこに来ていた人々、表情、仕草、そこで起きていた出来事は、その後に出会うすべての予兆であり、私を今に至るまで駆り立てる原動力である。

さて、イベントが成功するというのがどういう状態を指すのかは分からないが、このときは文字通り想像を超えた成功だった。来場者80人という数字は、今振り返ってみても不可解である。当時私は、哲学対話や子どものための哲学の分野ではまったく活動しておらず、無名だったからだ。

UTCPは哲学の研究センターにしては、破格のアクセス数と〝ファン〟を誇っていたが、今回のイベントは、それまでのUTCPからするとまったく傾向が違っていたので、そうしたファンたちが関心を示したとは思えない。その証拠に、参加者にはもともと哲学になじみの薄い人たちが多くて、世代も若い人から年配の人まで幅が広く、しかも女性が多いのが印象的だった。普通、哲学のイベントは、男性が圧倒的に多く、どちらかと言うと年配の人に偏っているように思うが、今回はまったく異なる層の人たちが来ていた。

登壇していただいたゲストの力もあったと思うが、そもそも哲学対話も子どもの哲学も、そのころはまだまだ知られていな

ワイキキ小学校で参加した子どものための哲学（P4C）

かった。だから、どうしてこんなに人が集まったのか、今もって謎のままだ。ともあれ、哲学に対するこれまで隠れていた需要、いや、渇望とでも言うべきものが人々の間にあることだけは確かだった。その年に「研究・教育の一般的方法としての哲学的思考」という堅苦しい名前で始めたプロジェクトは、翌年2013年の4月にワークショップと同じ名称 Philosophy for Everyone というプロジェクトとして全面展開する。通称もP4C（子どものための哲学）にならって、P4E（みんなのための哲学）とした。

その後は、「母」「お金」「ビジネス」「宇宙」「恋」「アニメ」「演劇」「こども」「サイエンス」「妊娠出産」「地元」など、哲学らしからぬテーマでワークショップを重ね、哲学とは無縁の人たちとコラボレーションをした。さらには、熊本で地域起こし、町のカップリングパーティー、東京郊外の団地の高齢者コミュニティまで出かけた。それは、様々な人との出会いや出来事を通して哲学の可能性を極限まで広げ、どこまでが哲学でどこからが哲学でなくなるのか、その〝果て〟を見極める冒険だった。

ワークショップ「哲学をすべての人に」報告（1）

2012年11月8日 投稿

先週の土曜日、11月3日にワークショップ「哲学をすべての人に（Philosophy for Everyone）」を行なった。来場者は80人近くになり、予想をはるかに超える大盛況となった。ゲストは河野哲也さん、土屋陽介さん、豊田光世さん、綿内《わたうち》真由美さんという、哲学教育の世界では、第一線にいる人たちである。その他、大阪カフェフィロの松川絵里さん、東京カフェフィロの廣井泉さん、鎌倉哲学カフェの堀田利恵子さん、サマーキャンプの取材に来てくださった雑誌『哲楽』の編集者田中紗織さんなど、その方面で活動している人たちも勢ぞろいしていた。中学高校の先生もいたし、一般からの参加者、主婦、定年退職後の人、学生も多かった。他にもまさに老若男女、アカデミズムの枠を超えたワークショップとなり、社会的な関心の広さに、会場にいたみんなが驚いたであろう。

以下、講演とワークショップの中身の報告をしよう。

豊田光世さんは、現在兵庫県立大学で教鞭をとっておられる（＊これは当時のことで２０２３年現在は新潟大学に在職）。もともとの専攻は分子生物学で、その後アメリカで環境思想を学び、ハワイのＰ４Ｃに日本人としていち早く触れ、それをコミュニティづくりに活用してきた。研究者などという小さな枠に収まらない、むしろ真のパイオニアと呼ぶにふさわしい人である。講演のテーマは「コミュニティのための哲学」――佐渡島でトキを自然に戻すご自身のプロジェクトについてお話しされた。４年間で50回近くも、島の中をめぐる哲学対話（その名も「移動談義所」）を通して、住民との話し合い・住民どうしの話し合いを重ねてきたという。ほとんど〝闘い〟とも言える彼女の活動、その結果として徐々に変わっていく佐渡島のコミュニティと自然は、哲学教育がたんに教育の問題ではなく、日本の社会を再生させていくための強力な武器であることを教えてくれた。

後半は、河野さんと土屋さん、綿内さんによる、来場

初めての哲学対話イベントPhilosophy for Everyoneのポスター。これが出発点となった

者全員参加の哲学対話の実践であった。実は私自身が彼らの授業を受けたいと思ってこの企画をしたこともあり、ここからの進行は、彼らに丸投げして、私も一参加者としてワークショップを体験した。

河野さんは、現在立教大学の教授で、現象学の研究者としても一流だが、そんな彼が哲学教育に本気で取り組んでいるというのは、それだけでも重要なことである。哲学教育は、哲学の傍流などではなく、本流の一つなのだという強いメッセージになるからだ。

さて、河野さんは、普段授業でやっていることの一つ、「相互問答法」を行なった。オスカー・ブルニフィエ(Oscar Brenifier)の「こども哲学」のシリーズ本(朝日出版社)、『よいこととわるいことって、なに?』『いっしょにいきるって、なに?』『人生って、なに?』から「問い」を6つずつ、計18個出して、まずは全員で、そのうちのどれがいいか意見を言ってもらった。最終的に「しあわせってなに?」ではなく、「しあわせっておもうのはどんなとき?」がテーマとして選ばれた。今度は5人一組になって、一人5分そのテーマについて話し、他の人はその人にひたすら質問する。5分たったら次の人に交代。最初は「美味しいものを食べたとき」とか「リラックスしたとき」のように、具体的な場面が答えとして出てくるが、「それはどうして?」「それが幸せって、どこがいいの?」とみんなで問うていくと、間もなく「他者とのつながり」や「自分を超えたものの経験」のように、哲学的に見ても深い話に入っていく。こういうのを次々にやっていくのだから、かなり慌ただしい。しかし、それがかえって時間と思考を濃密なものにしてくれる。

ワークショップ「哲学をすべての人に」報告（2）

2012年11月9日 投稿

5人のグループワークのあとは、3グループが一緒になって対話をする。当初は3つのグループで行なう予定だったが、来場者多数のため、4つのグループをつくった。そこに河野さん、土屋さん、綿内さん、そしていつも土屋さんと活動している村瀬智之さんが、ファシリテーターとなって対話を進めていった。

土屋さんと村瀬さんは、大学でも教えながら、小中高で哲学対話の授業をしておられる。とくに土屋さんは、今や哲学教育では第一人者で、海外の事情にも詳しく、実践経験も豊富である。綿内さんは長野県の公立高校の社会科の先生で、まさに哲学教育の最前線である現場で奮闘しておられる人である。

さて、哲学対話では、最初に5人でやっていたときにどんな意見が出たか、各グループから一人が代表でまとめ、必要があれば、他の人が補足する、というところから始まった。

私は河野さんがファシリテーターをするグループにいた。彼は意見が出るたびに、「それはどうしてですか」「たとえばどんなことですか」といった具合に問いを重ねていく。そしてやがてテーマは、「幸せには、他者との関係が必ずあるのか、それともまったく一人だけの幸せというのもあるのか」に絞られ、それについてさらに対話を進め

Philosophy for Everyone のイベントの様子
（立っている人の左から土屋さん、河野さん、渡内さん、村瀬さん）

ていった。

実際に体験してみて分かったことだが、とくに哲学の素養があるわけではない人たちばかりで話をしていても、おのずと対話が深まり、哲学的になっていく。もちろんまったく自然にそうなっているわけではない。〝おのずと〞そうなるようにするのがファシリテーターの力量である。仕切りすぎず、ほったらかしにしすぎず、流れを邪魔せず、深みへと導いていく。今回、河野さんの〝技〞を見せていただいて、その巧みさに感心した。以前土屋さんから聞いたことだが、同じくいい哲学対話でも、ファシリテーターの個性によって話の方向性や雰囲気が変わるらしい。たぶん今回も、土屋さん、綿内さん、村瀬さんのグループは、趣が違ったものだっただろう。しかしどのグループも、それぞれの深みを体験していたようだった。

その後はみんなで「メタ哲学対話」、対話そのものについて振り返り、語り合うという時間をもった。これも哲学対話ではいつも行なうことらしい。まず、「積極的に対話に参加したか」「人の話をきちんと聞くことができたか」「対話を通して自分の考えが変わったか」といった対話の姿勢やその結果について全員に質問し、「はい」「いいえ」「どちらでもない」で答える(「はい」は手を上に、「いいえ」は下に、「どちらでもない」は前に挙げた)。

続いて参加者から様々な質問が出された——「対話がどこへ向かっているのかいまひとつ分からなかったが、何か方向性があるのか」や、「対話が深まるとはどういうことか」といった、対話そのものについてのもの、「ゆっくりとか、結論が出なくていいと言っても、実際に授業でやるのは難しい」とか、「対話の結果が学習指導要領と矛盾するようなことになったらどうするのか」など、実際に行なうさいの問題点、悩みについても意見、質問が出た。

たしかに、学校のカリキュラムや授業の枠とどのように折り合いをつけるのか、どの科目で行なうのか、それが最終的にどういう役に立つのかなど、先の見えないところはある。しかし、哲学対話(とくにP4C)そのもののモットーにあるように、「急いではいけない(not in a rush)」のである。一回の授業だけで何ができるかとか、授業の中で何が学べるかということではない。授業の時間と場所を超えた生活全体への波及効果は想像以上に大きく、またそれが結果的には授業の中での学びにもいい影響を及ぼすのではないかと思う。はっきりしたことを言うのは難しい。

それでも、確実に何かが変わる――誰もがそう感じたのではないだろうか。そう、これはPhilosophy for Everyoneなのだ。すべての人に開かれた哲学。それは皆で共有できる場であるとともに、各自が自らのために、それぞれの目標をもって引き受け、進めていくべき道なのだろう。

Philosophy for Everyone のイベントの様子

「研究」でない哲学
～カフェフィロの松川絵里さんを迎えて

2013年2月14日 投稿

2月5日(土)、関西を中心に哲学カフェを実践している大阪の「カフェフィロ」の副代表、松川絵里さんに来ていただいた。カフェフィロは、大阪大学臨床哲学研究室のメンバーが、哲学対話を推進するため、2001年に立ち上げた「哲学コミュニケーション kikumimi」を前身として、2005年に改組して活動を広げ、現在に至っている。

松川さんは、そこでファシリテーターとしてだけでなく、広報やメールマガジンの配信、依頼の受付、カフェの会場となる施設との連絡など、組織運営の中核も担ってきた。そこで松川さんには、まず講演として、カフェフィロのこれまでの活動、様々な形で開催してきたカフェの様子、広報や運営のあり方や工夫、課題についてお話しいただいた。

自分たちを哲学研究者ではなく、「てつがくやさん」と呼ぶ彼女たちの活動は、肩に力を入れず、どんな人にもオープンに語り合う場を生み出していくことに向けられている。街中のカフェのみならず、駅の構内のスペース、大学構内でも定期的に開いている。さらには駅の工事現場で「駅」について語ったり、公園で花見をしながら対話をしたり、というのもあった。テーマは哲学的であろうとなかろうと、誰もが一緒に考えられる身近な問題を取り上げる。それを哲学的に語り合えばいい。「哲学する」とは、松川さんによれば、「思考の吟味と反省」、すなわち、考えや発言の背後にある前提や根拠、そこに至る道筋を考え、明らかにすることである。このもっとも基本的な意味での哲学であれば、社会的立場や知識の有無にかかわらず、老若男女が一緒に対等に話し合える。それが哲学カフェの意義である。また、参加者が考えること、語り合うことの楽しさを知る、というのも哲学カフェの目的であるという。

こうしたカフェフィロの活動はきわめて多岐にわたる。カフェだけとってみても、いわゆる何かテーマを決めて対話するだけでなく、芸術や映画、本と組み合わせることもあれば、「オーダーメード」、すなわち依頼を受けての対話もある。小学校、中学校、高校で子どもとともに語り、人権センター、男女共同参画推進センター、国際交流センター、社会教育センター、まちづくりセンターなどの市民講座、病院や在宅ケアの組織のスタッフ研修を頼まれ、少年院や美術館に出向いたこともある。文字通り、子どもから大人まで、様々な立場、職業の人たちのために対話の空間を提供してきた。また、それを支える対話の技法や意義についての研究、ファシリテーションの講座や実践のサポートも行なっている。さらに松川さんは、組織の構成、運営の方法についても詳しく説明してくださった。どうやって場所を確保し、人を育て、選び、派遣するか、対話をどのように進め、何に気をつけるべきか、どうやって活動を知っ

カフェ・フィロの松川さんから
ファシリテーションの極意を学ぶ

てもらい、どのように様々なところと協力していくか、等々。

松川さんの話を聞いて、カフェフィロが長年にわたる活動の中で蓄積してきたのは、まさに哲学対話という実践のための叡知であり、今後日本で広く共有されていくべき財産だということだ。そんな彼らがぜひ必要だと考えているのが、情報提供のためのメディア、情報収集するスタッフ、双方向的な交流のための場であるという。その後の議論で、ファシリテーターのコツ、スタイル、必要な資質、知識、カフェを運営していくうえでの問題点、課題、工夫などについてディスカッションを行なった。

この日は、他にも哲学カフェなどのプラクティスに関わる人たちが多く来ており、今後、カフェフィロと協力して、活動、人材育成、広報など様々な面でお互い協力し合っていくことになった。カフェフィロが蒔いた種をまずは東京に芽吹かせ、育てていかなければならない。そしてそれをさらに日本全国に広げていければと思う。これは壮大な構想であるが、けっして絵空事ではない。それだけの手ごたえを感じた日だった。

「母」をめぐる哲学対話（1）
～なぜ「母」なのか？

2013年4月14日 投稿

4月6日(土)、P4Eプロジェクトが4月に本格始動して初めてのイベントを開催した。今回は「母」をテーマにした。子育て中のお母さんたちをたくさん呼び、そこにさらに学生、独身者、結婚はしているがまだ子どもがいない人、すでに子育てを終えた年配の人も来てもらった。夫婦で参加してくれた人もいたし、託児をつけて子連れでも来られるようにした。たんなる育児サークル的な集まりにするのではなく、あくまで「母」を通して母である人たちとともにいろんな人が語る場をつくりたかった。

では、なぜ「母」で哲学なのか。母親と哲学というのはかなり遠い感じがする。「母」が哲学のテーマになることはまずないし(『哲学事典』にも項目はない)、子育て中のお母さんが哲学書・思想書を読んでいる光景というのも、想像しにくい。しかし、誰でもそれに関して何らかの経験があり、予備知識なしに自分の立場から考え、語ることができるという点で、哲学対話のテーマの条件を完全に満たしている。それに普段はない組み合わせだし、いわゆる哲学では扱われないという意味でも、哲学対話の可能性を試すにはうってつけだ。

「母」でやりたかった理由は他にもある。私は東大に来る以前、帝京大学というところに勤めていて、大学の近くに住んでいたし(自転車で15分)、大学の仕事もたいして忙しくはなかった。そのため子どもを幼稚園に送り迎えしたり、真昼間からスーパーに買い物に行ったりして、近所のお母さんたちとぺちゃくちゃ立ち話をする機会が多かった。それに家にいる時間が長いので、かみさんから母親どうしの会話の中身をたっぷり聞いていた。おかげで、世のお母さんたちが何に興味をもち、何を心配し、どんなことを考え、悩んでいるのかよく分かっていた。それにたぶん——これがいちばん大きいと思うのだが——私自身が〝おばさん気質〟なのだ。主婦やお母さんたちのおしゃべりは、会社で働いている人たちから見れば、些細で下らないと思われがちだ。だからとくに専業主婦、子育て中の母親は、世間知らずで気楽だと言われる。けれども私は、こういう日常の些細な話が好きだ。単純に楽しいし、いろいろ考えさせられる。

だがそれだけではない。彼女たちは、身近な問題、とくに子育てに関わる様々な問題を通して、社会を広く見ている。自然環境、生活環境、社会規範、家族のあり方、人間の成長、等々。それも子どもが育ったあとの将来、10年、20年先のことまで考えている。こんな先のことを生活に密着した形で当たり前のように考えられるのは、母親以外誰がいるのだろうか。会社で働いていれば、せいぜい数年先、下手をすれば、今月、今週のことしか考えていないことも多い。

それに今どきの母たちは、結婚・出産前に会社で働いた経験のある人がほとんどなので、本当の世間知らずはあまりいない。一回働いて、そこから距離をとっているぶん、世の中を冷静に見ている面もある。彼女たちは、会社かなり多面的に物を捉えている。そういう視点は、会社で働いているだけのいわゆる「社会人」にはない。だから「母」はテーマとして面白いだけでなく、世の母たちは、対話の相手としても面白いのだ。だから母たちと、その他のいろんな立場、年齢の人たちが語り合えば、絶対に面白いはずだ。

こんなことを考えていて、昨年の秋の週末だったと思うが、学校で哲学対話の授業をやっておられる土屋陽介さんの研究会で、大阪カフェフィロの松川絵里さんに出会った。話しているうちに、大阪で育児サークルのママさんたちを相手に哲学対話を何年もしていると聞いた。松川さんがいれば、やれる。これは、やるしかない。

「母」をめぐる対話のポスター
妻と娘の写真。ドイツ郊外の河原を散歩しているところ

「母」をめぐる哲学対話（2）
～心地よい衝撃

2013年4月16日 投稿

当日、参加者は研究会やUTCPのスタッフも入れて60人を超えた。来客だけでも50人はいただろう。子育て中のお母さんがおそらく25人前後、男性が15人くらい、

年齢層は、20歳くらいの学生から80代の人までいた。託児もつけたので、子連れで参加したお母さんもいた。子どもは全部で12人預かることになった。今回は申込制で、当初は30、40代の母親ばかりで育児サークルみたいになってしまうのではないかと少し心配したが、最終的には様々な人の協力もあり、非常にたくさんのバラエティに富んだ人たちが来てくださった。

ワークショップの初めに、私がブログの(1)で書いたような趣旨、経緯を皆に話した。そして松川さんにバトンタッチ。彼女は、神戸のグリーングラスという育児サークルで続けている哲学対話の活動について紹介してくれた。そこでは、彼女がイラストを交えて(松川さんは漫画家志望だったらしく、イラストがめちゃめちゃうまい)、子どもが遊んだりケンカしたり、泣いたり騒いだりしているところで、様々なテーマで対話をしてきた。たとえば、「怒ることと叱ること」「自分の時間／家族の時間」「夫はどうあるべきか?」「友だちを使い分けることはできるか?」「正直なのはよいことか?」「人はなぜ自己嫌悪するのか?」など、いずれも母親にとって切実な問題であるとともに、普遍性も備えたテーマである。最初は雑談でも、次第に、あるいは突然、議論が深まり、哲学的な次元が開かれるという。

そして参加した母親からは、「他の人と意見が違っても、それぞれの意見が尊重されるので安心して話せる」「私ってこんなふうに考えてたんだ!」「みんなが先生で、みんなが生徒。お互いに学び合える場」というような感想が出る。こうした安心して語れる空間、自分自身への気づき、互いの学び合いという経験は、日常生活の中では意外なほど少ない。親子や夫婦の間ですら、そのようなことは稀ではないか。それればかりではない。何より単純に楽しいし、語り合うことで気分が晴れやかになるという効果もある。さらには、「夫や子ども、学校の先生と話せるようになった」という育児サークルを超えたところでの変化もある。

このように対話そのものの展開についても、参加者の感想についても、哲学対話でよくある現象が、育児サークルでも起こるのだ。そして今回も同様のことが起きることになる。

松川さんのイントロダクションに続いて、いよいよ哲学対話に入っていくわけだが、ここでふたたび立教大学の河野哲也さんと茨城大学の土屋陽介さんにご協力いただいた。哲学対話のワークショップでは一般的なことだが、本格的な対話に入る前に、「アイスブレイク」が行なわれる。これは、ゲームのようなことをすることが多く、場の雰囲気を和らげ、参加者どうしが互いに親しむようにする意味がある。この日は「自分の知らない人、自分と似ていないと思う人を探して、自己紹介をする」というものだった。すべての椅子を脇にのけて、会場の中を参加者が縦横に歩き回り、次々に相手を探して自己紹介をする。その間わずか数分なのだが、これだけで互いに見ず知らずの人の間に共感、連帯感が生まれる。これがあるのとないのとでは、その後の対話のしやすさがまったく違ってくる。たんに自由に発言できるだけでなく、それがしやすい環境づくりが重要なのだ。

その後6人でサークル状になって座る。知らない人どうしで、年齢もできるだけ違う人がグループになる。必ず男性が一人、二人入るようにする。こうやっていろんな人が一緒になることで、意見に多様性が生まれ、対話がより深まり、広がるのだ。

ここからが前半のセッション。まずは誰にとっても共通のテーマを取り上げることにした。松川さんとの打ち合わせで、前もって「自由」を選んでいた。そして自由にまつわる問いを7つほど用意した。「したいこと、なんでもできる?」「みんながいると自由にできない?」「大きくならなきゃ自由になれない?」「自由って何の役に立つの?」等々。これらの中から例によって投票で選び、最終的に「自由だと感じるのはどんなとき?」に決まった。

やり方は「相互問答法」(私はその後「質問ゲーム」と呼ぶようになった)と言って、最初の一人がこの質問に答え、残りの人はその答えに対してまた別の質問を順番に投げかけ、解答役の人は次々出てくる質問にひたすら答えていく。5分で交代し、それを全員に回るまで行なう。今回は6人のグループだったので、トータルで30分の対話である。答えるほうも質問するほうも急ぐ必要はなく、ゆっくり考え、悩みながらやればいい。

「母」をめぐる対話の様子。お母さんのポテンシャルを知るきっかけになった

ファシリテーターはどのグループにもおらず、参加者だけで話を続けていく。松川さんと河野さんと土屋さん、私は会場全体を眺めながら、雑談しているだけ。けれども、どのグループも対話に夢中になっているのが、みんなの表情を見ているだけでよく分かる。60人いるみんなが前のめりになり、時に考え込み、目を輝かせて話をしている。この前半のセッションが終わり、休憩時間になったのだが、多くのグループがそのまま対話を続けている。終わってしまうのが、休む時間がもったいないかのように。これがお互い今日初めて会った人たちの間の対話なのだ。このような奇跡のような出来事がごく自然に起こる。何度見ても心地よい衝撃である。

「母」をめぐる哲学対話（3）
～種を持ち帰る大切さ

2013年4月23日 投稿

後半のセッションは全員での対話である。まずは、ふたたびアイスブレイクとして、土屋さんの提案で「私－あなた」というゲームをした。みんなで輪になって立ち、ある人が自分の胸に手をやって「私」と言ってから、誰か自分で相手を選び、その人に向かって「あなた」と言って手を伸ばし、そのまま近づいていく。指名された人は、今度は自分で「私」と言って、また別の人を選んで「あなた」と言って近づく。それを繰り返していく。途中から二人同時に動き出すようにして、指名された人が「えっ、私?」と確認しながら、続けていく。何度も選ばれる人もいれば、まったく選ばれない人もいて、何がそうさせるのか分からないが、そういうことも含めてなかなか面白い。戸惑いと笑いで場が、また皆が打ち解けるいい機会になった。

さて、いよいよ後半のセッション。今度は全員で輪になって座り、「母」をテーマに話し合う。まずは話し合いたい問いをあげてもらった。「母と子は友だちみたいでもいいか?」「母親の役割は何か?」「母親を一人の人間として感じることはあるか?」「母としての資格は何か?」「どうして母になろうと思ったのか?」「子どもが幸せを感じるような子育てはどうしたらいいか?」という多くの人が抱きそうな問いもあれば、「あなたが母親にかけられた呪いは何か?」という特殊なものもあった。これらの質問から、それぞれのお母さんたちが、何に悩み、何に関心をもっているかが垣間見える。

こうして合計9つの問いが出て、哲学対話でよくするように、この日も多数決で話し合う問いを選ぶことにした。それで「母親としての資格は何か」がいちばん多く票を取った。けれども松川さんは、全員に目を閉じてもらって、「今日これについて話をするのはちょっときつい人はいますか」と聞いた。すると手を挙げた人がいたため、この問いはやめることになった。そして2番目に多かった「子どもが幸せを感じるような子育てはどうしたらいいか?」が、「今日はきつい」人もおらず、対話のテーマに決まった。

このような配慮は、P4C (Philosophy for Children) で言われる「安心感」を確保するためにはぜひとも必要であろう。テーマによっては、話すことで傷つくこともある。もちろんしんどいと思っていても、話すことによって楽になることもあろう。どちらかは分からないし、周りが変に気を回すことでもない。だから、こちらから聞いて、その人が今日の自分の調子を考慮して大丈夫だと

「子どもが幸せを感じるような子育てはどうしたらいいか？」について参加者全員で対話

思えばそのまま話せばいいし、ダメだと思えば、そう意思表示すればいい。一人でも安心して話ができない人がいるなら、そのテーマはやめたほうがいい。他の問いでも、結局は似たような話が出てくることも多い。とくにこの日のように大枠として「母」というのがあれば、どこから始めても、きっと本質的なところは共通した内容になるはずだ。

さて、かくして「子どもが幸せを感じるような子育て」についての対話が始まった。なかにはノウハウ的な話もあったが(別に悪いわけではない)、すぐに「子どもにとっての幸せと親が考える幸せは違うのではないか」とか「そもそも幸せって何か」という本質的な問いに入っていく。そして「恵まれていて不自由していないという のを〝幸い〟と名づけるとしたら、それと実際に自分で実感する〝幸せ〟とは区別できるのではないか」という提案がなされた。他方、「そういう恵まれた状態をそのまま幸せだと感じることもある」という人もいた。また「親が幸せであれば、子どもはそれを見て幸せが何なのか分かるようになるのではないか」という意見が出ると、「親の幸せとは何か」ということになり、「子どもがふとしたことで「幸せだ」と言ったのを聞いて、自分も幸せになった」とか、「子どもの面倒を見ることができるだけで幸せだ」という発言が出た。

その他いろんな意見が、お母さんたちだけでなく、一緒に来ていた旦那さんや、学生、結婚はしているがまだ子どもがいない人など、いろんな立場の人が意見を述べていた。とくに子どものいない人は、子どもの立場から「親が良かれと思ってすることも子どもにとってはうれしくない」という、おそらくは誰しも子どものときに感じたことのある気持ちを、あらためて母親の前で代弁したので、話に奥行きが出た感じがした。こういう発言は、親子間ですれば、ケンカか愚痴になりかねない。けれども、哲学対話という形で話せば、冷静に客観的に話をしつつ、深めていくことができる。やはりここがたんなるおしゃべりと違うところだ。

話は尽きなかったが、時間が来て終了。最後に書いてもらったアンケートには、もっと話をしたかったという感想が多かった。しかし哲学対話にとっては、時間が足りないのもいいことなのだ。不満をもって帰る。この不満が松川さんの言う「お土産」になる。つまり、物足りないから、さらに自分で考え、周りの人、家族とそれについて語り合うのだ。そうやって終わったあとも対話が続いていく。これが哲学対話のいいところ、すごいところである。

当日も最後に述べたことだが、私自身は、哲学が世の中をよくするのに貢献できるとかすべきだとはあまり考えていない。そういうのはおこがましいことだ。むしろ哲学対話を通して、各自の中に種が蒔かれ、それが芽吹き、育っていく。そうやってそれぞれの人が自分自身の力で変わっていくのだ。その結果、世の中がよくなってもいいし、ならなくてもいい。けれども、一人一人の人生は少しかもしれないが、確かに変わる。世の中が変わるならば、その積み重ね以外にはありえないのではないか——哲学対話のワークショップをするたびに、そういう思いが強くなる。

後日談

私はこのイベントのあと、多くのお母さんたちと知り合い、様々なところで哲学対話の場をつくる手伝いをしてきた。とりわけ印象的だったのは、最初に個人的にコンタクトをとってきた二人のお母さんである。彼女たちはいずれも2～3歳くらいの子どもがすでにいて、第2子を妊娠中だった。なぜこのいかにも大変そうなタイミングなのかと思い、理由を聞くと、一人目をある程度育てていろいろ考えたいことがあるのに、二人目が生まれてきたら時間がなくなるから、妊娠中の今しかないとの答えだった。何と切羽詰まったバイタリティだろう。これは協力するしかない(もっとも二人とも、出産後も間もなく活動を再開し、子育てと両立させていた)。

彼女たちには、考えることへの渇望にも近いものがあって、それは子育てによって妨げられるどころか、むしろより強くなることさえある。そういうお母さんは、哲学対話によって子育ての大変さも子どもと一緒に乗り越えてしまう。

あるお母さんは、自分で哲学カフェを運営し、どんどんいろんな人を巻き込んでいった。その人は今やファシリテーターとしても大活躍し、さらに学校で教えるまでになり、今度は大学院にまで進学した。別の人は、他の人たちと一緒に子ども哲学のサークルをつくり、いつの間にか区議会議員になってしまった。また別の人は、子どもはもう手を離れているので、定期的に哲学カフェを開催し、趣味のように楽しんでいる。彼女たちは、自分たちに必要な場を自分でつくっていく力があって、私が少し手伝うと、すぐに自分たちだけでやっていけるようになる。

拙著『考えるとはどういうことか――0歳から100歳までの哲学入門』(幻冬舎、2018)で「母親は存在じたいが哲学的だ」と書いたが、この確信はこのイベントとその後の彼女たちとの活動に基づいている。彼女たちの姿は、哲学対話にとってインスピレーションに満ちている。

哲学プラクティスの職業化

2013年5月25日 投稿

哲学プラクティスとは、社会における哲学の実践的な活動で、対話を主たる手法としており、したがって哲学対話と類義語のように用いられることもある。具体的には学校における哲学教育、市井の哲学カフェ、哲学をベースとするカウンセリングやコンサルティングなどの総称である。

一般に(とくに日本では)哲学プラクティスと言えば、哲学カフェのような愛好者の集まりか、初等中等教育での対話型授業を指す。病院や会社の研修でも行なわれているが、単発的な試みにとどまり、継続的な活動には至っていない。しかし大阪のカフェフィロのメンバーや立教大学の河野さんら、哲学対話を使った研修をしたことのある人は、潜在的な需要は確実にあるという感触を得ており、また私自身も、企業の人に話をすると、興味をもつ人が多く、同様の印象をもっている。

このたび、アメリカから世界の哲学プラクティスを牽引してきた一人であるニューヨーク市立大学哲学科の教授ルー・マリノフ（Lou Marinoff）氏を招聘することができた。彼は、アメリカ哲学実践者協会（American Philosophical Practitioners Association: APPA）の創設者でもあり、とりわけ個人向けのカウンセリングと、企業などの組織へのコンサルティングの分野では第一人者で、いくつものグローバルな組織や国際的なリーダーシップフォーラムにも協力している。

東大では3つのワークショップを行なった。まず5月20日には、大学院の英語教育プログラムであるＧＳＰ（Graduate Program on Global Society）の授業を一般にも公開する形で講演をしていただいた。通訳なしであったにもかかわらず、ＧＳＰ所属の留学生以外に、学生、高校の先生、一般の人など、12人ほどが参加してくださった。

マリノフ氏はまず世界的に広がりつつある哲学プラクティス全般について話し、その後、彼が行なっている個人向けの哲学カウンセリングの方法を、事例を交えながら説明した。彼はクライアントに様々な問いかけをして、その人の個性や彼らが抱えている問題を浮かび上がらせる。そしてその人にふさわしい哲学者の言葉や思想的立場を選び、そこから各自が自分の問題や自分を取り巻く状況を反省的に捉えられるように導いていく。それはたしかにカウンセリングと言えるものだが、問いかけによって彼ら自身が問題や自分自身に気づくようになることが重要だという。

アメリカではサイコセラピーが盛んだが、そこではセラピーそのものよりも、うつ病やＡＤＨＤなど診断名をつけて薬を出すことが重視される。その病名は、その人の病歴に公式に記録され、スティグマとなる。マリノフ氏によれば、アメリカの社会においてこうした行きすぎた医療化は深刻な問題であり、医師やセラピスト、製薬会社の利権と絡み、人々を薬とセラピーに依存させ、そこから離れられなくさせてしまう。そうした状況にあって、哲学によるカウンセリングが果たすべき役割と責任は大きくなってきているという。

彼のコンサルティングにおいてもソクラテス的対話[1]が使われるが、そこには非常に明快なルールや基準がある。たとえば、自分の疑問を言う、一人で長々と話してはいけない、どこかの本に書いてあることや誰かが言ったことを引き合いに出さない、事例は必ず自分の体験に基づいて簡潔に話す、等である。マリノフ氏は、あるグループで行なった「希望とは何か」という対話で、哲学の訓練を受けていない素人6人で出した「希望」の定義を、ホッブズやショーペンハウアーのものと比較したが、それは哲学者に引けをとらないどころか、むしろより優れているくらいであった。その強みは、一人で考えているのではなく、何人もの人によって様々な角度から考え、問い、探求している点である。彼の紹介した事例から、哲学対話という方法の強みをあらためて教えられた。

　彼の話でとりわけ参考になったのが、職業化のために必要な要件である。それは公的に認可された組織の設立、活動の範囲の明確化、倫理規定、定期的な会合と刊行物、資格のためのプログラムである。また哲学対話によるアプローチがふさわしい問題として、個人的な善悪、職業的な倫理、意味や価値や目的に関わる問題、個人的ないし職業的な満足感、考え方の矛盾、変化した生活条件の受容等を挙げていた。

　こうしたことは、たんに学校教育における哲学対話に限って言っても、他の類似の方法とどこが違うのかしっかりと差別化をするために重要であろう。対話が哲学的でなければならないということは必ずしもないが、哲学的であることの利点、意義は、明確にしなければならないし、そのことは、「哲学とは何か」という哲学そのものにとって本質的な問いに答えることでもある。今あら

［1］　ソクラテス的対話（Socratic dialogue）とは、ドイツの哲学者レオナルト・ネルゾン（Leonard Nelson：1882-1927）が考案した「ソクラテス的方法」に由来する共同での思考の方法である。ここではおおむね66頁のネオ・ソクラティック・ダイアローグと同じ意味である。5人から12人がグループになり、ファシリテーターの協力のもと、一つの問い（たいていの場合、幸福、正義、善など哲学的なテーマ）について、各自が実体験から事例を出して、全員が合意しうる結論に至るよう努める。数時間で行なうものから、5日間にわたって行なうものまである。

ためてそれを問うところに、哲学プラクティスがたんなる応用や実践ではなく、それを超えた新しい哲学の潮流であることが示されているのではないだろうか。

ビジネスと哲学

2013年5月29日 投稿

5月22日と25日、ルー・マリノフ氏によるビジネスマン向けのワークショップが本郷キャンパスの伊藤国際学術研究センターで行なわれた。彼を呼んだ主たる目的は、むしろこちらのほうである。水曜日は通訳つきにして一般に開放し、土曜日は通訳なしで、海外でも活躍してきたビジネスマン（東京大学の社会人向け講座、エグゼクティブ・マネジメント・プログラムの修了生）に限定して行なった。どちらも基本的には同じ内容で、前半は哲学がビジネスで果たす役割を列挙して説明してもらい、後半はワークショップ形式でゲーム的なエクササイズをしながら、来場者も参加する形で行なわれた。

マリノフ氏の言うビジネスにとっての哲学の役割は、①会社の理念、方針を内外に対して明確にすること、②職業上の倫理規定とその実践のためのアドバイス、③社会的責任や慈善活動についてのアドバイス、④環境に関わる責任・取り組みに関する助言、⑤財産の所有や管理についての助言、⑥芸術の支援に関するアドバイス、⑦リーダーシップと起業家精神の育成のサポート、⑧革新のための教育のサポート、⑨仕事へのやる気を起こさせるためのアドバイス、である。

マリノフ氏はこの9つのポイントをそれぞれ実例、体験を交えて話したが、そのなかでもとりわけ印象的だったのは、会社の理念なり、倫理規定なり、ただたんに教科書的なこと、どこかに書いてありそうなことを明文化して与えるだけではなく、それをクライアント自身が考え、明らかにし、さらには、それを内外に対して示すことを目指している点である。いくら高邁《こうまい》で理論的には完全な理念や規定をつくることができても、それが実践的に生かされるものでなく、たとえば、たんに壁に貼ったり印刷物にしておしまいになったり、社員が身につけることもなく、また社会にも伝わらなければ、それはなかったのと同じになる。

彼が言っていたように、「正義がなされるだけでは不十分だ。それが見えるようにしなければならない」のである。こうした透明性は、たんに企業に倫理的に求められているとか、あるいは周りに認められなければ、社会的な評判の向上につながらない、という打算だけではないだろう。他者を意識しなければ、自覚も生まれず、自覚がなければ、結局のところどんな思考であれ、それは明確な形ももたず、私たちを導く力はもちえないのである。そしてそこでは、自分自身(その会社)の置かれている立場、社会的役割、目指すべき目標、あるいは新たに生み出すべき価値観について問い、反省し、洞察することが必要になる。その意味で、こうしたコンサルティングの作業は、それじたいが哲学的なプロセスだと言っていい。

これら9つのトピックに加え、マリノフ氏は哲学カフェ、ジレンマトレーニング、ソクラテス的対話、戦略ゲームについて説明した。これらは、個別のトピックというより、哲学プラクティス一般の方法論であって、いろいろなところで使うことができる。とくにソクラテス的対話については、哲学を知らない一般の人6～7人がこの方法によって一緒に考えることで、歴史上の哲学者よりもすぐれた物事の理解に達することができるのを、マリノフ氏は、ここでも「希望(hope)とは何か」という問題を例にして示した。

このように問い、考える方法を知っていて、適切な導きがあれば、(つねにではないにせよ)個々の哲学者に匹敵する、場合によってはそれ以上の洞察を得ることができる。このことは、哲学者が生み出してきた思想や理論の価値を貶めるわけではないが、難解で一般の人には近づきにくかった哲学を誰でも手が届くものにしたという点で、哲学プラクティスの画期的な力を示すものである。その一端を参加者は垣間見たであろう。

さて、後半のワークショップでは、囚人のジレンマ[2]

[2] 囚人のジレンマとは、数学者のアルバート・タッカー

とその応用ヴァージョンを使って、個々人の意思決定が、全体としてどのような結果を生み出すかを実際に皆で試し、討論した。このジレンマトレーニングのポイントは、以下のようなことである——互いに協力的な選択をすれば、最大ではないが、みんなが利益を得ることができる。他方で自分が他の人より得をする選択もあるが、そのような選択をする人が増えれば、全員で利益を奪い合い、結局はそれぞれの受け取る利益は少なくなり、場合によってはなくなってしまう（最悪の場合、マイナスになる）。こうしたジレンマは、天然資源や食糧、経済的な利益の追求など、様々なところで見ることができ、最終的にどのような戦略をとるのがいいのか、どのような方向へ向かうべきかについて考えるための、明確な手がかりを与えてくれる。

参加者の数人からあとで感想を聞いたが、それぞれが自分の課題として考えるヒントを受け取っていたようだった。哲学対話と同様、哲学プラクティスの神髄は、人から何を学ぶかではなく、自分自身が何を考えるかにある。そこに決まった答えや成果はないが、だからこそ、かえって普遍的な価値があるのではないだろうか。

（Albert W. Tucker：1905-1995）が考案したゲーム理論の事例の一つ。共同で犯罪を行なった二人の囚人を別々の部屋に入れて、司法取引を持ちかける場合、互いに協力したほうが双方の利益になることが分かっていても、自分だけ助かろうとする者が利益を得る状況だと、二人とも自分の利益だけを考えて、結局は双方ともより大きな不利益を被るというジレンマ。

後日談

当時マリノフ氏の姿は、はるか遠くに見えていて、容易に近づけるとは思えなかった。しかし現在、私に限らず、哲学対話の実践者で企業研修を引き受けたり、企業とコラボレーションしたりしている人は珍しくない。彼の立っていた地点に思いのほか早く到達したと言える。

企業が哲学対話に関心をもつ理由は、大きく分けて2つある。1つ目は、コーチングやチームビルディングための社内研修であり、いずれにせよ目指しているのはよりよい

東京大学の社会人向け講座エグゼクティブ・マネジメント・プログラム（EMP）の修了生に 向けて語るマリノフ氏

コミュニケーションである。私が折に触れ強調することだが、哲学対話によって考える力がつくかどうかは必ずしも確かではないし、そもそも1回や2回やったところでそんな力は身につかない。けれども哲学対話でお互いが率直に話したり、じっくりお互いの話を聞いたりすると、1回しただけでもかなり仲良くなれる。少なくとも、人間関係がよくなるとはどういうことか実感できる。

2つ目の目的は、今までの前提を問うたり、価値観や意味を問い直すという哲学的な思考によって、個人の仕事の悩みに応じたり、会社の運営を刷新したりするという、カウンセリングやコンサルティングのような役割である。さらには新しい企画や商品の開発、いわゆる〝イノベーション〟のために役立つのではないかという期待もある。こうした目的のためには単発ではなく、組織として継続的に進めていく必要があるし、定期的に哲学対話を取り入れる企業が出てきている。

さらには、そのようなサポートを提供するNPOや会社組織も必要である。本書でもすでに紹介した大阪のカフェフィロや、東京の「こども哲学おとな哲学　アーダコーダ」はそのような団体であり、Cross PhilosophiesやShiruBeのように哲学を事業の中核に置く会社も出てきている。このように哲学を〝社会に役立つ〟ものにする、しかも一部はそれで利益を得ることについては、批判もあるだろう。しかし哲学は「役に立たなくてもいい」が、「役に立ってもいい」のであって、それを拒否するのはバカげているし、哲学のポテンシャルを下げるだけだろう。概して哲学研究者は哲学対話にも哲学プラクティスにも否定的だが、彼らの哲学観はある意味とても狭くてステレオタイプであるように思われる。もっと気楽に、自由であっていいのに。

「哲学プラクティス週間」を終えて

2013年8月26日 投稿

5月は、海外から哲学プラクティスの専門家が相次いで来日し、数多くの講演やワークショップが開催された。この記事は、途中まで書いたところで忙しくなって放置していたのを、せっかくなので記録として残しておこうと、お盆が過ぎてから書いたものである。

さて、この5月の言わば「哲学プラクティス週間」に来たのは、シンガポールのエリート中学高校の哲学教育の主任ケネス・ロー（Kenneth Low）氏、オランダのロッテルダムにあるエラスムス哲学実践研究所のピーター・ハーテロー（Peter Harteloh）氏、そしてUTCPで招聘したルー・マリノフ氏である。8日から25日の間に、実に9つのイベントが行なわれた。そのうち私は、すでに報告したマリノフ氏の講演やワークショップ以外に、5月10日（金）にお茶の水女子大学で日本哲学会の大会の前夜祭として行なわれた哲学教育ワークショップ、12日（日）に立教大学で行なわれたワークショップ「哲学プラクティスと子どものための哲学」、18日（土）に神奈川の江の島で行なわれた「哲学ウォーク」というイベントに参加した。以下、それについての報告である。

ケネス・ロー氏は、10日の日本哲学会の前夜祭では、自身が立ち上げて以来ずっと中心メンバーとして関わっているラッフルズ・インスティテューションの教育のメソッド、カリキュラム、成果について報告を行なった。この学校は公立ではあるが、運営は独立性が高く、カリキュラムは独自のものをつくって実施しているという。内容的には、いわゆるクリティカル・シンキングとディベートの能力を養成するもので、メソッドはきわめて体系的で創意工夫にあふれ、運営も非常に組織だっている印象を受けた。もともと優秀な生徒を集めていることもあり、成果も着実にあげているようだった。もちろんできる生徒を相手にしているからといって、容易だというわけではない。それ以上にロー氏を中心とする教員たちが協力し合ってたえず努力をしているようで、そうした長年の蓄積がうかがえる発表だった。彼は、12日のワークショップでは、簡単な模擬授業のようなことを行ない、そのメソッドの一端を見せてくれた。それはエリート向けに考えられたものであるが、基本的な部分については、より広く哲学教育一般に生かせるもので、大いに参考になった。

ピーター・ハーテロー氏は、12日のワークショップで、ネオ・ソクラティック・ダイアログ（NSD）[3]を実践して見せてくれた。「本当のことを言うとはどういうことか？」というテーマで、最近本当のことを語ったと言える状況について参加者が各自の経験にそくして述べる。そのあとそうした状況に共通する「本当のことを語る」ための条件を出して、今度はそれを使って物語をつくる、

［3］ 60頁の注［1］を参照。

というステップを踏む。こうして参加者たちは、「問い」→「具体例」→「抽象化による本質の解明」→「その応用と具体化」という思考の鍛錬のプロセスを体験した。彼のワークショップは、NSDのオーソドックスなやり方とその成果を見せてくれた。

またハーテロー氏は、江の島で「哲学ウォーク」という変わったイベントを開催した。彼はあらかじめ哲学者の言葉――「神は死んだ」（ニーチェ）や「言語の限界は世界の限界である」（ヴィトゲンシュタイン）のような言葉――を書いた小さな紙を袋の中に用意していて、参加者はくじ引きのようにその中から一枚引く。その言葉はけっして他の人に見せないようにして、全員で江の島を歩いていく。そのさい Walk or Talk（歩くか話す）というルールがある。参加者は歩いている間、その言葉について一人で黙って考え、お互いに話してはいけない。そして自分がもっている言葉と関連がある、もしくはそれを表現している場所を探す。そこに来たと思ったら手を挙げて「ストップ」と言う。すると全員その人のところに集まり、輪になって立つ。手を挙げた人は、自分の

もっている紙を見せて読み上げ、なぜそこで止まったのか説明し、他の人はそれに対してただ質問をする。たとえば「神は死んだ」を持っていた人に対しては、「その神はどんな神ですか?」「神が死んだとはどういう意味ですか?」「神は本当に死んだんですか?」といった問いである。手を挙げて止めた人は、質問にはいっさい答えず、その中からいちばんいいと思ったものを一つ選び、他の人には言わないようにする。そうしたらまたみんなで黙って歩き、他の誰かが手を挙げたら、また同じようにする。最終地点までに全員がそうして、一人一つ「問い」をもつようにする。そのあと近くの公民館に行って、輪になって座り、それぞれ自分の言葉と選んだ問い、それについて考えたことを発表する。

こうして「哲学ウォーク」では、歩きながら自分がもっている言葉について考えつつ、周囲の景色を眺め、様々に思索をめぐらせ、言葉と思いと、目に映るものを沈黙のうちで紡いでいく。それは、考える、歩く、見る、語る(黙る)という行為を、日常とは異質なコンテクストの内に置き、そうした行為もろとも自分自身を捉えなおす不思議な時間であった。それは対話とはまた違った深くて満たされた哲学的体験である。

もともとハーテロー氏は、これを街中で「シティーウォーク」として行なっていたらしいが、実際どんなところでも、雑多なありふれた日常空間でも、そこを丸ごと哲学的な空間に変えてしまう、きわめて特異な、それでいてまったくシンプルなプラクティスであり、いろんな形で応用できそうだった。[4]

---

［4］実際その後、私は、小金井市在住の子育て中のお母さん、中川知美さんの依頼で、3回哲学対話イベントを行なったが、3回目で「商店街へ行こう!」と題して、「哲学ウォーク」を私なりにアレンジしてやってみた。そのときは二人でグループになり、哲学者の言葉の代わりに「見えるけど見えないもの」「きれいだけどきたないもの」「静かだけどうるさいもの」を探してくるというもの。その言葉に合うと思ったものをどんどん写真に撮ってもらう。そのあと公民館で写真を見せながら、自分たちがもっていた言葉とその写真を撮った理由を説明してもらった。このときの趣旨は、「見える」「きれい」「静か」と言ったごく普通の言葉について、あらためて考えてもらうこと、またそうすることで普段見慣れた景色をまったく違った仕方で経験してもらうことだった。

　最後に日本で屈指の実践家、大阪大学の本間直樹さんと、長野県望月高校の綿内真由美さんについて述べておこう。日本哲学会の前夜祭のワークショップのさい、二人の発表があり、私もそれを聞くことができた。本間さんは、カフェフィロで子どもたちと積み重ねてきた対話の実践を通して、考えることの意味、対話の哲学的な質について話した。とりわけ印象的だったのは、哲学対話でもっとも重要なsafety（安心感）の意義、その場において語る人をその表現においてそのまま肯定し、受け止めようとする彼の粘り強さと優しさである。同様のことは、望月高校の綿内さんにも言える。彼女は倫理の授業で、高校生たちが「問い」を通して考え、話し、聞くよう導いている。望月高校はけっして進学校ではないが、そこで行なわれる対話はまさに哲学的であり、綿内さんの努力と技量、子どもたちの考える力に感銘を受けた。

　こうした子どもや〝素人〟の哲学対話は、一般には（とくに研究者の間では）何か胡散臭いもの、取るに足らない〝井戸端会議〟のように言われることが多い。中高での哲学教育の重要性については、あまり否定しないだろうが、それはあくまで初歩的な訓練であって、対話の哲学的な質やレベルについてはしばしば懐疑的な見方がされる。しかし哲学対話は、少なくとも哲学研究とは別の基準で見れば、十分すぎるほど哲学的な深さと広さを備えている。

　阪大の本間さんは、たとえば2時間対話をして最後の10分間に哲学的に深い議論ができたら、それで十分だという。そこまでの時間は無駄だったのではなく、その10分のためにあったのだ、というようなことを言っていた。

　そう、どんな営みも、初めからいたるところでうまくいくわけではない。いわゆる哲学研究でも、とりとめのない思考の流れがあって、同じところをグルグル回っていたかと思ったら、突飛な考えに飛躍したりする。そしてそれを整理・凝縮して一貫性のある思考へと鍛え上げる。対話であれ研究であれ、哲学的な深みに達するのは、むしろ稀な瞬間なのであって、そこに至る過程が無意味なわけではない。むしろそこまでの道のりも同じくらい重要である。哲学対話と哲学研究の間には種類の差こそあれ、体験としての質は比較できない。どちらも「急いではいけない」のであり、じっくり時間をかけて育てていくべきものであるという点では変わりないのである。

さらに言えば、本間さんが言うように、話している内容の哲学的な質よりも大切なものがある。子どもが語ることが哲学的であれば、大人は驚嘆し感動するが、そういうことも結局は大人の勝手な思い入れにすぎない。むしろ「表現がそれじたいとして充実している」、その様が周りの人にも伝わり、共有されること、そこでは何を表現しても――言葉であれ感情であれ態度であれ――許され受け止められること、そのような場が開かれることがもっとも重要なことなのだ。本間さんと綿内さんの発表は、そういうことを教えてくれた。

哲学プラクティス週間を通して、実に多くの刺激を受け、その可能性と課題についてあらためていろいろと考えるいい機会になった。これをどのような形でどの方向へ向けて展開していくか、今後周りの仲間たちと一緒に考え、実現していきたい。

後日談

「哲学プラクティス」というのは、哲学教育、哲学カフェ、哲学カウンセリング、哲学コンサルティングなど、哲学の実践的な活動の総称である。当時はまだまったく新しい言葉だった。しかし2015年に「哲学プラクティス連絡会」という組織が設立され、日本国内で哲学プラクティスの実践者が集まり、お互いの活動を報告したり、情報を交換し合ったりするプラットフォームが生まれた。参加するのは、研究者や学者はむしろ少数派で、学校の先生、学生、高校生、社会人、子育て中のお母さんなど、実に多様な人たちが集まる。

毎年秋に大会が開催される。2015年に行なわれた第1回大会は、100人以上が参加し、翌年には200人に増えた。世の中の関心の高さがうかがえる。活動報告やワークショップ、ラウンドテーブル、活動紹介のブースなどで、年齢も立場も越えて、活発に交流がなされる。さらに機関誌として『みんなで考えよう』を年1回(および不定期で緊急特集号)公刊している。

また2018年には「日本哲学プラクティス学会」が

設立された。これは、哲学や倫理学、宗教学だけでなく、教育学、心理学、社会学等、様々な分野の研究者が集まって、哲学プラクティスを専門的な見地から支援する組織である。年次大会での研究発表と学会誌での論文発表を主な活動としている。

連絡会という一般に開かれた場と、学会という専門的な議論をする場の両方があることで、日本の哲学プラクティスは、類のない広がりと厚みをもっている。

「お金」をめぐる哲学対話（1）
～人と人をつなぐもの

2013年12月14日 投稿

「お金」というのは、私が哲学対話を始めた時点で、いつかは取り上げたいと思っていたテーマである。今日、私たちは、お金と無関係に生きることはできない。どんなに清貧で無垢無欲であろうとしても、どんな信念をもって拒絶しようとしても、そのことは変わらない。お金がなければ、必要なものも手に入らず、人付き合いも限られてくる。「一人前」として認知されるのは、経済的な自立による。死んだあとですら、葬儀や遺品や遺体の処理など、すべてお金がかかる。「地獄の沙汰も金次第」であり、お金が「命の次に大事」というのは、けっして誇張ではない。

とはいえ、どのような視点からお金を捉えればいいのか。お金について、普通とは違う切り口で語ってくれる人がいないかと思っていたところ、カフェフィロ東京の廣井泉さんからの紹介で、影山知明さんに来ていただくことになった。影山さんは、外資系の経営コンサルティング会社、ベンチャー投資会社を経て、現在はミュージックセキュリティーズというクラウドファンディングの会社を経営し、国分寺市で地域通貨「ぶんじ」の導入に関わりつつ、クルミドカフェという喫茶店の店主をしている、という異色の人物である。グローバルとローカルの間でお金に関わり続けている人が、どんな話をしてくれるのか、彼の話を聞くことで、お金について新たな視点から語れるのではないか、そんな期待をしていた。そこで11月2日(土)に開催したワークショップ「お金」をめぐる哲学対話に、影山さんをお呼びした。

まず彼はご自身の事業についてお話ししてくださった——クラウドファンディングは、インターネット上で行なわれる小口の投資である。影山さんの話の中に出てきたのは、「ふるさと投資」と「被災地応援ファンド」の2種類である。いずれも事業に賛同・共感した人が直接投資をするシステムで、金額的には一口1万円から5万円程度。影山さんの運営する会社では、もともとミュージシャンの音楽活動(CDの制作など)をファンが支援するものとして始まった。その後、音楽以外でも、酒造や林業など様々な分野の事業に拡大したという。

他方、「被災地応援ファンド」は、「ふるさと投資」と同様、賛同する事業に直接投資するものであるが、投資金額の半分が最初から寄付に回される。金銭的な利益の点から言えば、損失(それもいきなり半分になる!)から始まる、従来の常識からは考えられない投資である。こんな投資をする人がどれだけいるのかと思うが、2年で10億円を突破したという。

いずれも、事業の応援が主な趣旨であり、また一口当たりの金額が小さいため、投資家のほうに利益追求の動機が弱い。それゆえ銀行からの融資より返済期限が長いこと、1年から5年、長いものは10年になる。仮に元本割れしても苦情が出にくく、別の形での返済(製品や何らかの特典)が可能である。また、株とは異なり、会社全体に対してではなく、個別の事業に対する投資であるため、会社の経営の自立性が保たれ、投資する人によって経営方針が左右されたり、経営権が脅かされたりする心配がない。会社が自らのポリシーに従って安定的に事業を継続できる。

こうしたビジネスに携わる影山さんにとって、お金とは人と人とを結びつける媒体である。もちろんお金はcurrencyという語で表わされるとおり、世の中に流通するものであり、そうすることで世界を結びつける。けれどもそれは、不特定多数の人たちである。他方、影山さんがこだわるのは、「特定多数」である。「不特定多数」

は無際限の顔の見えない関係で、これは通貨やマスメディアによって成立する。その反対である「特定少数」は、個人的な生活圏の中で成立する顔の見える関係である。「特定多数」は、その中間に位置する。すなわち、個人的な活動や動機に基づきながら、広範囲に成立する限定された関係である。それを可能にするのが、クラウドファンディングという、インターネットを通して個人と個人を結びつける投資であり、その両端にあるのが「事業者の志」と「投資者の共感」である。これによって、人々はお金を媒介として、間接的にせよ個人どうしの顔の見える関係を構築できる。貨幣じたいは均質な媒体であるが、それが事業の多様性と個人の価値観の多様性を結びつけるのである。

　けれども、（とくに被災地応援ファンドの場合）なぜ寄付ではなく投資なのか。寄付のほうが、相手が返済する義務がなくてよいのではないか。そこで影山さんが言うのが「健全な負債感」という考え方である。寄付というお金は、その場かぎりの一時的な、しかも一方的な関係である。それに対して投資というのは、継続的な関係を生み出す。投資した人はその事業に関心をもち、見守る。事業者はそれに応えるべく努力し、折に触れ、現状を報告する。直接顔見知りの関係でなくても、お金を通して期待と信頼によって長期にわたって結びつくのである。

　影山さんが国分寺で行なっている地域通貨の活動も、そうした発想に通じている。この通貨「ぶんじ」は、１００ぶんじ＝１００円ほどの価値をもつものとして使うことができるが、それはだいたいの目安にすぎない。むしろ重要なのは、これが人にお礼を言いたいときに渡

「お金」をめぐる哲学対話：金融の世界を知り尽くしつつ、国分寺にある実家の喫茶店クルミドコーヒーで哲学カフェを営む影山知明さんを迎えて

したり、不動産屋が新たに町に引っ越してきたときに歓迎の印としてプレゼントしたり、何かしら気持ちを伝えるときに一緒に渡すという点である。そのため、裏には一言メッセージを書く欄が7つほどあり、そこにみんなが言葉やイラストを描いて相手に渡す。たんなるメッセージカードは、プライベートなものなので、個人どうしの間で一回やり取りされるだけだが、これは貨幣としての性格をもっているため、それぞれの思いを載せて地域社会の中をめぐっていく。

こうした一連の活動を通して影山さんは、社会における〈利用し合う関係〉を〈支援し合う関係〉へと転換しようとする。それは利害によって結びつく社会から、気持ちによって結びつく社会への転換でもある。興味深いのは、それがお金という、むしろ気持ちとはしばしば矛盾すると思われるものによってなされる点であろう。資本主義は非人間的であるかのように言われるが、流通という本性は、人と人をつなぐというきわめて人間的な特性ももっている。

おそらく問題なのは、お金そのものではない。重要なのは、お金を私たちがどのように位置づけ、どのようなシステムをつくるかである。私たちは、お金の支配する資本主義の世の中を、お金を通して変えられるのかもしれない。影山さんの話はそんな希望を与えてくれた。

「お金」をめぐる哲学対話（2）
～哲学的テーマとしてのお金

2013年12月16日 投稿

カフェフィロの廣井さんによると、これまで哲学対話の機会にお金が話題になることもあったが、そうなると決まって「汚い」「品がない」などの理由で、すぐに話が打ち切られ、みんなで考える場がもてなかったという。それで今回の企画となったわけだが、たしかにお金というのは、日常的には、あまり好んで語られず、哲学で取り上げることがあっても、資本主義との関連で原則論のレベルで批判的に取り上げるくらいだろう。そう、いずれにせよ、お金は否定すべきものなのだ。

もっともこれには地域差もある。関西は「儲かりまっか？」が挨拶と言われるほど（もちろんこれは誇張で、商売人でないかぎりそんなことはめったにない）、お金の話が好きである。私自身、学生時代から16年ほど関西で生活したこともあり、お金を汚いとか下品だとは思わない。関西人は、とりわけ値段の話をするのが好きである。それも、いいものをいかに安く買ったかの自慢である。相手がもっているもの、とくに新しい服や持ち物の値段を相手に聞くのは、ほとんどマナーですらある。こちらが聞かなければ、「聞いて聞いて！ これいくらやったと思う？」となる。だから、関東の人がその手の話を極力避けたがるのを見ると、ずいぶん感覚が違うなと思う。

とはいえ、いくらお金について好んで語ったとしても、それが哲学的なわけではない。そもそも、哲学的にお金について語るとは、どのようなことを言うのだろうか。それも、難しい理論についての予備知識なく、誰でも参加できる語り方とはどんなものだろうか。基本的には、哲学対話の手法でやれば、おのずとそれはできるわけだが、せっかくだから、お金についての新しい捉え方を知ったうえでのほうが、議論に広がりが出るだろうと考え、影山さんにお話しいただいたわけである。

当日、影山さんの講演と質疑応答のあと、対話のセッションでは、まずお金について疑問に思っていることを参加者から出してもらった。すると、「楽をして儲けるとなぜ批判されるのか？」「お金と社会的地位はどう関係するのか？」「お金をもっていることと稼ぐことはどう違うのか？」「お金を粗末にすると罰が当たるのか？」「毎月定期的に入ってくるお金はなぜ魅力的か？」「お金が人間関係に与える影響はどんなものか？」「お金をもっていると異性にモテるのか？」「お金がなければ生きていけないのか？」など、次々といろんな問いが上がった。いずれも、身近でありながら、哲学的な問題へと接続可能なものが多かった。

こうして上がった数々の問いの中から、例によって投票で選んだ。すると次のようなものに票が集まった——①お金があったら幸せか？ ②お金は流れないといけないか？　③自分のお金は自分で稼ぐべきか？　④お金が人間関係に与える影響は？　⑤お金にはどういう意味があるのか？――その日はスタッフを合わせて50人ほどの参加者だったので、4つのグループに分かれ、それぞれでこの5つの中からさらに投票で選んで対話を行なった。⑤を選んだのが2グループ、①と④がそれぞれ1グループずつだった。

どのグループでもそうだが、お金について語りつつ、結局はもっと広い価値観、人間関係のあり方を問題にしていた。たとえば、私のいたグループでは、「お金があったら幸せか？」という問いで話をしたが、お金と幸福の関係は、当然何にどれだけお金を使うのかという価値観の問題でもあるし、またお金があることでできることの選択肢が増えることを考えれば、それは自由の問題とリンクする。お金を使うことで人や物との関わりができるということは、それはどのように、何をしてどんな人と一緒に生きるのかという生き方の問いになる。こうしてとかく抽象的・一般的になりがちな、幸福論、自由論、人生論も、お金を軸にすることで、一気に具体的で個々人に根差した話になる。

そのなかでも、最後の全体討論で話題になったのは、「おごる」という行為である。どういう場合に、誰に対しておごるのかという問題には、上下関係や性別など、社会的な身分や人間関係の差、それに対する個人的・社会的な捉え方が潜んでいる。しかしまったく対等な、友だちどうしの間であってもおごる場合がある。それは、「おごる」ことで、緩やかな「貸し借り」の関係ができ、次の機会をもつこと、将来への関係継続の意思がこめられるということでもある。逆に「割り勘」は、関係をそのつど清算することでもある。いずれにせよ、「おごる」か「おごらないか」は、人間関係への問いでもある。こうして図らずも、「おごる」というまったく日常的で個人的な行為を通して、「人と人をつなぐ」という、先に投資のところで明らかになったお金の本質があらためて浮き彫りになった。

前回の「母」に引き続いて、今回も「お金」という一般には哲学と縁の薄いテーマを取り上げたが、対話を通しておのずと哲学的問いへと導かれていった。そして各々が様々な問いを新たに持ち帰ったのではないかと思う。哲学対話のポテンシャルをさらに強く確信する機会となった。

後日談

実を言うと、今回お越しいただいた影山知明さんと、後述する熊本出張に一緒に行った赤井厚雄さんは、ミュージックセキュリティーズの同僚である。お二人から私は、「お金は人と人をつなぎ、コミュニティをつくる力をもっている」ということを教わった。このことは、その後の私の活動に大きな影響を及ぼしている。

このイベントに先立つ同年の5月、京都の総合地球環境学研究所でプロジェクトが採択され、私は地方と都市をどのように結びつけ、地方がより強いイニシアティヴをもつようにするためにはどうすればいいかという問題に取り組んでいた。翌年の2014年から、その問題にアプローチするのに、対話（言語化）、調査（体験化）、デザイン（感性化）と並んで投資（社会化）というサブテーマを置き、赤井さんにもメンバーに加わっていただいたのは、二人から学んだこのお金の捉え方が大いに関わっている。お金は遠く離れた人たちの関心を引き寄せ、お互いに結びつける。お金は破壊的に作用することもあるが、やり方次第では創造的になりうる。

そのあと私は、ジェイン・ジェイコブズ（Jane Jacobs）の地域発展論、エリノア・オストロム（Elinor Ostrom）のコモンズ論、ジェレミー・リフキン（Jeremy Rifkin）の共有型経済についても読むようになった。哲学の研究者は、お金を概して否定的に捉えるが、もっと肯定的にその可能性を考えるべきだろう。

「こまば哲学カフェ」を終えて

2013年12月18日 投稿

11月22日（金）から24日（日）まで、東京大学駒場キャンパスの学園祭「駒場祭」が開催され、P4E研究会として「こまば哲学カフェ」を出した。これまでプロジェクトとしては、2、3か月に一度、テーマを決めて講演+対話という形でイベントをやってきた。そして、「哲学対話」というものに対して、広く強い関心と需要があることが分かった。何度もイベントに足を運んでくれる人もいる。また研究会に参加する人も増えた。学内だけでなく、学外からも学生や社会人、カフェやNPOの運営をしている人、年齢も様々な人がワークショップや人づてに興味をもって集まってきた。

そこで駒場祭という機会を使って、研究会のメンバーからアイデアを出してもらっていろんな〝実験〟を行ない、哲学対話の可能性を試してみようと考えた。まず私自身の企画として、2つの案を出した。1つ目は、学園祭と言えば、男女の出会い、合コンである！ということで（と言っても、今の学生にはこの感覚はなかった）、「愛」をテーマに対話。そうして恋愛や結婚などの男女関係（あるいは愛情に根ざす親密な関係）の構築や改善、相互理解にどのように作用するか試そうと考えた。題して「「愛」を語ろう！～哲学対話で恋愛力UP!!」。

もう一つは、私が京都の総合地球環境学研究所で行なっているプロジェクト「地域性と広域性の連関における環境問題～実生活への定位と哲学対話による共同研究」との関連で行なう「環境」についての対話。ここでは都市で生きることと地方で生きること、都市と地方の関係について語り合う。そこで「環境をめぐる哲学対話

駒場祭の賑わい　銀杏並木の通り

〜都市と地方の問題から」というイベントになった。

それ以外は、研究会のメンバーに企画を立ててもらい、そこからみんなで練り上げていった。その結果、実に多様な対話が生まれた。創作の物語で宇宙をネタに話すもの。女性限定で結婚について語る時間。親子で絵本を読んで行なう対話。演劇で役柄を演じながら自己表現をするもの。お菓子やパンを食べる自分の姿を鏡で見て人間と動物の境界を問うもの。対象もいろいろだ。中学生以上、中高生、高校生以上の女性、小学生と保護者、18歳以上、4歳くらいから大人まで、等々。極めつけは、0歳から大人、というものだ。テーマの点でも対象者の点でも、まさしく実験の連続である。[5]

11月22日の9時。駒場祭が始まり、カフェもオープン。最初の1時間「朝の哲学カフェ」は誰も来ないだろうと思っていた。テーマも設定していないし、メンバーだけで絵本の企画で話し合いでもするか、のんびりおしゃべりでも、と言っていたのだが、いきなり2人やってきた。そこでさっそくオスカー・ブルニフィエの「こども哲学」から問いを取り上げ、そこから選んでもらった。メンバーを含めて、5人での対話だった。

最初はたまたまかと思ったが、このたった2人と言えばたった2人の客が開店と同時に入ってきたのは、この後の出来事を象徴していた。ここから3日間、朝9時の開店から夕方6時の閉店まで(最終日24日は5時まで)、客が途切れることはまったくなく、私たちは休む暇もなかったのである。そして最終的には、のべ200人を超える参加者となった。しかもその大半が、いわゆる〝内輪〟の人ではなく、一般参加者であった。ネット上で事前に知ってわざわざこの企画のために学祭に来た人もいれば、パンフレットの中に出していたわずか数行の紹介文を見て来た人もいた。通りがかりに興味をもって入ってきた人もいた。さらに驚いたのは、わずか3日の間でリピーターが何人もいたことだ。3日間通い続けた人もいた。

全体的には30代〜40代が多く、年配の人もそれなりにいた。20代もけっこういたが、学生や高校生は比較的少

[5] 詳しくは、http://UTCP.c.u-tokyo.ac.jp/events/2013/11/komaba_philosophy_cafe/

なかったように思う。親子企画もあったおかげで、子ども連れや、家族で来ていた人もいた。遠くから自分の生徒を連れてきた高校の先生もいた。どの企画も参加者が少なくて寂しいということはなく、23日の「愛」の対話企画は、50人を超えて椅子が足りなくなるほどだった。

上に挙げた個々の企画は、スタイルも参加者も異なっていたが、全体として哲学対話はどのような形でやっても、おおむねうまくいくことが分かった。もちろん、企画によって思ったとおりにはいかないとか、もう少しうまくやれたのではないかという反省点はあるだろう。しかし重要なのは、哲学対話の面白さ、一般的な対話との違いはどこにあるのかということである。

一つには、いわゆる哲学的な問いかどうかはともかくとして、一般性の高い、言い換えれば、誰にとっても多かれ少なかれあてはまる問いについて語り合うということである。哲学対話では、まず参加者に問いを出してもらうことが多い（大枠のテーマが決まっていることも決まっていないこともある）。その後投票で話し合う問いを決めるのだが、ここであまりに特殊なもの、個別的なものは自然に消え、誰でも何か言えそうな問いが選ばれる。それはしばしば哲学的な問いに近いか、いずれは哲学的な次元に接続しうる問いである。

2つ目は、一点目と密接に関わるが、誰でも何か言えそうな問いは、それぞれが自分の経験に基づいて具体的に話ができるということである。それを各自が持ち寄ることで、経験が豊かになり、その根底にある前提や理由も、そこに込められた意味も、そこから出てくる帰結もそれぞれに考え、また共に考えることができる。

3つ目は、これも上記2つと関連するが、特殊な知識を前提せずに対話ができるということである。もちろん、そうした一般的な問題について、哲学をはじめとして、様々な学問的な知見もある。しかし、それを対話に持ち込むと、積極的に発言する人と、それをただ聞く人、教えてもらう人に分かれてしまう。どちらも自ら考える、という姿勢が弱くなる。そうではなく、自分の経験に基づいて話をすることで、誰もが話し、聞き、教え、教わるという役割を果たし、経験とそれについての思考を共有する。

こうした対話の空間は、日常生活の中ではほとんどな

すきまなく車座に座って対話をしている人たち

いだろう。哲学対話の前に、私はいつも説明するのだが、私たちは普段、言いたいことを自由に言っていないし、疑問も自由に口にしていない。どのような場であっても——教室、会社、家庭、友人関係——言っていいことと言ってはいけないことがある。そのルールの中でしか話ができない。有意義なこと、正しいこと、相手が望むことを言わねばならず、当たり前だとされていることに疑問をさしはさんではならない。哲学という学問の中ですら、それはある(というか、一般よりも強いかもしれない)。また相手に理由や意味をじっくり聞いてはいけない。答えに窮したり、考え込まなければならないような事態は回避しなければならない。

こうしたことが哲学対話ではすべて許されている。どんな些細なことでも、間違ったことでも、相手の望みを斟酌《しんしゃく》せず、日頃思っていることや疑問を、安心して口にすることができる。そして安心して答えに窮し、考え込むことができる。それを妨げたり、急がせたりすることもない。また、話したくなければ話さず、ただじっと聞いて自分のペースで考えることもできる。それを一人ではなく、共同で行なう。それが哲学対話であり、そこで思考が広がり、深まっていく体験が〝哲学的〟なのである。おそらく多くの人にとって、それは稀有な満たされた時間なのであろう。

来年も駒場祭でさらなる実験をしていくつもりである。

後日談

学園祭での「こまば哲学カフェ」は、2018年まで6年間続いた。毎回外部の人の企画・セッションが多く、ここで哲学対話に出会う人、ここで哲学対話を始める人もたくさんいた。そして毎年楽しみにしてくれる人がいて、なかには主催者と一緒に企画運営してくれる人まで現われた。毎年出てくる企画は実に多様で、どれも独創的だった。

セッションのタイトルからもそれがうかがえる——2014年は「環境をめぐる哲学対話」「キュン♥コスプレだらけの対話大会」「さらば我が愛!~終わってしまう愛をめぐる哲学対話」「「沖縄」をめぐる哲学対話」「SF

と性：男×女×⁇」「頭がいいってどういうこと？」「しかくさんかくまる」「落語×哲学対話」、２０１５年は「せっかくコミュニティボールを作るんだから、キレイに作ろう！」「モノのみかたの哲学・モノのみかたは哲学？」「「記念日」をめぐる哲学対話～愛・誕生、記憶・忘却」「目隠し対話～恋は盲目？ 恋に終わりはあるの？」「出張‼ＳＰＡ」「開智学園ありとぷら」「Death Café こまば」「子どもの／で哲学」「におって、話そう」「てつたん！～哲学対話×短歌のこころみ」、２０１６年は「対話って、言葉だけのもの？～音楽療法やサウンドスケープの視点から」「五感プチ対話集～feel × play × talk」「てつがくたいわ、おもちゃのチャチャチャ～おもちゃは誰のもの？」「どうする⁉ 子どもの英語教育」「受けたかった教育」「sing! sing! think! ～歌をテーマに哲学対話」「短歌×哲学対話」「終わりの哲学対話」、２０１７年は「手ざわりの哲学、手ざわりを哲学」「哲学人と語る」「ＡＩやロボットは人を幸せにするか」「人形～ひとがた」「無意識の模索」「生き方を問う～エイドワーカーの働き方から」「〝アート〟について考える」「対話コン～異性の価値観と向き合う」「レンアイを哲学する」「アートという言葉／こども哲学」「インクルージョンな社会は目指せるか」、２０１８年は「といおきば～参加型展示とミニ対話」「対話と身体～言葉とからだで対話する」「こんな問いから哲学するつもり？～すべての問いを哲学する」「東大の中心で、老いを叫ぶ」「うそをつくことは良いか悪いか？」「〈演劇×哲学対話〉演劇で現象をとらえなおす」。

従来の哲学の枠を大きくはみ出す、自由であることに何の気後れもない場で、毎年多く人が楽しんでくれたし、その後も付き合いが続いている人も多い。それだけに終わってしまったのは寂しかった。

しかし、復活の日は、意外な形で訪れた。新型コロナウイルスの影響により、対面での哲学対話ができなくなるなか、オンライン上では、参加するのも開催するのも格段に気軽にできるようになったおかげで、哲学対話が爆発的に広がっていた。そこで私は、オンラインの「こまば哲学カフェ」の企画を募集した。これは自分でテーマを設定して、哲学対話をシリーズで開催するもので、14人もの人が応募してきた。このときもテーマは「あの世とこの世」「学び」

「受験」「性」「アート鑑賞」「星の王子さま」「無意識の偏見」などバラエティに富んでいた。コロナ禍は、哲学対話の可能性をさらに広げるきっかけになった。

熊本での出張対話（1）～その始まり

2014年1月19日 投稿

2013年12月6日と7日、熊本への哲学対話の〝出前〟をしてきた。一つは南阿蘇での農業に従事する人たちとの対話、もう一つは、上天草市の婚活イベントでの「愛についての対話」である。

そもそもなぜこのような出張対話をすることになったのか。それは、東大の社会人向け講座エグゼクティブ・マネジメント・プログラム（EMP）で知り合った熊本県庁東京事務所の今村智《あきら》さんとの出会いに始まる。ここから出張対話に至るまでは、いささか複雑で長い経緯がある。それを説明しておかないと、熊本でしてきたことの意義がよく分からず、たんに奇抜な試みにしか見えないかもしれないので、まずはこの点について書いておこう。

今村さんは私と知り合う以前から、自治体においてまともな話し合いがなされないまますべてが決まり、進行していくことに強い危機感を覚えていたという。これは何も自治体だけではなく、日本のあらゆるところで起きていることだろう。話し合い、タウンミーティング、説明会と称して、結局のところ、結論ありきの誘導がなされ、ある程度の〝ガス抜き〟ができれば、〝活発な議論があった〟ことにされ、それがアリバイとなって〝合意〟を取りつけたことにされる。学校での話し合いも、おおむね同じだ。〝正しい〟〝望ましい〟結論は最初からあって（学校ないし先生が決めている）、そこに向けて話し合いが着地するように誘導され、しばしば子どもが自らそこに行くように教育される。自治体で起きていることは、その延長線上にある、至極当然の光景だと言える。

今村さんの危機感は、私たちが学校教育について抱いていた危機感と通底していた。だから私が雑談の中で哲学対話の話をしたとき、彼がすぐさま反応したのは偶然ではない。必要なのは、考えることを人任せにせず、自らが考えること、その権利と責任をきちんと自らのものにすることである。私たちは疑問をもっていいのであり、考えていいのであり、それを言葉にしていいのであり、実際にそうすべきであり、そうしなければならないのである。

それで一度今村さんを私のＰ４Ｅ研究会にお誘いしたところ、さっそく来てくださった。そのときは、学生がハワイへ行ってＰ４Ｃ（子どものための哲学）を見学して帰国したあとの報告会であった。そこでも私たちは哲学対話のやり方で、コミュニティボールを使って、いろんな意見を言っていた。その場に居合わせ、話に参加した今村さんは、対話の自由さと心地よさに、彼が必要だと考える話し合いの可能性を見いだしてくれた。私も今村さんの話を聞き、地方自治に哲学対話が生かせるのであれば、それは私たちにとっても新たなチャレンジだと思った。それで意気投合して「何か一緒にやりましょう！」ということになった。

折しも私は、京都の総合地球環境学研究所に「地域性と広域性の連関における環境問題～実生活への定位と哲学対話による共同研究」というプロジェクトを申請したところであった。これは、環境問題を都市と地方の問題（多くの場合格差）との連関で捉え、そこに哲学対話によるアプローチを図る、というものである。

それにしても、なぜこのような奇妙な研究をすることになったのか。この地球研には、私の大学院時代の友人である鞍田《くらた》崇《たかし》君が勤めており、彼もまた哲学を専門としていた。この研究所は、名称から予想されるように、理系の人を中心とする機関であるが、「総合」ということで人文・社会科学系の研究者も所属していた。しかしやはり人文学、とりわけ哲学が関わる学際的ないし文理融合的な研究は、なかなか成立しない。それも、従来のように文献研究を中心とするような哲学では、なおさら難しい。そんななか鞍田君は既存の枠にとらわれずに活発にいろんな人が動いているＵＴＣＰに目をつけ、私が行なっている哲学対話のプロジェクトに関心をもって声をかけてくれたのだった。

「都市と地方」というのは、その彼から提案されたテーマであった。彼自身は、これまで主に「民芸」の領域で地方の問題に取り組んでいて、彼も現地の人と話をするなかで、「対話」の重要性に思い至っていた。それで私と彼で一緒にあれこれ考え、前述のように、環境問題、都市と地方、哲学対話を絡めたプロジェクト案を練って、地球研で申請することになった。申請のためのプレゼンでは、理念中心で具体性に欠ける構想にやはり理系の人たちから多くの疑念が寄せられたが、結果的には採択。今村さんと「何か一緒にやる!」のにいいチャンスとなった。

それで実際に何をすればいいのかといろいろと話をし、紆余曲折あっての8月のある日、今村さんが上天草市役所の大野公二朗さんと水俣市役所の宮本裕美さんを連れて私の研究室に来てくださった。二人とも2年の任期で東京に出向中であった。皆であれこれ話をしていたが、そもそも地方自治体に町や村の将来について対話するなどと言って、東京から、それも東大から研究者が来るなど、向こうからしてみれば、何ともいかがわしい話。誰も興味をもたないか、警戒するかのどちらかだろう。

何かいい形で入れないかと話をしていたが、どうにも埒が明かない。もうそろそろ今日はこれで終わりにしようかという感じになり、余談で駒場祭の合コン企画「愛をめぐる哲学対話」のことを話したら、上天草市役所の大野さんが急に「それなら協力できます!」とおっしゃった。話をうかがうと、毎年市役所の主催で婚活パーティーを12月にしているという。そして最後は「それはいい!熊本を愛の国にしよう!火の国の火は愛の炎だ!」ということになった。大野さんはその夜のうちに見事な企画書をつくってくださり、一気に動き出したのである。

熊本での出張対話(2)
~いきなり熊本出張!

2014年1月24日 投稿

そもそも駒場祭で合コン企画をすることになったの

は、「愛」について対話すれば、お互いたんに気が合う合わない、外見の好きか嫌いかのような表面的なことではなく、人柄や考え方のレベルでお互いを理解し合い、ただ会って話をするだけでは見えてこない相手の魅力が出てくると考えたからだ。そうすれば、普通では話をしない人どうしが話をするだろうし、その結果（願わくば！）普通では好きにならない人を好きになるかもしれない。「あの人の考えてる姿、ステキよね」「あの子の問い、いいなあ」などと――そんな思惑からだった。

今村さんとの話し合いの場にいた大野さんは、こういう私の考えを実に素早く的確に理解して、企画案を立ててくださった。その後この企画書は、すぐさま上天草へ送られ、今度は担当者の木本臣英さんと電話で話をすることになった。しかし当然のことながら、市役所のほうでは訳が分からない。なぜ婚活で〝哲学〟なのか。しかも私は、対話の参加者はいろいろいたほうがいいという考えから、婚活とは無関係のいろんな年齢の地元住民の参加を提案していた。これではますます意味不明だ。なぜ婚活イベントに、結婚する気もない、既婚者や独身者を呼ばなければならないのか。

こっちとしても、初めての経験なので、いまひとつうまく説明できない。でも、趣旨にもかなっているし、必ずうまくいくという自信だけはあった。それで言葉を尽くして説明をするが、いかんせん、先方に哲学対話のイメージがないので、そう簡単には伝わらない。木本さんも趣旨だけは理解できても、具体的にどうなるかが分からない。上司の人に話をすれば、やはり疑問に次ぐ疑問、質問の嵐となる。そしてまた私と電話で話をする。

ちょうどそのころ、ＥＭＰの懇親会があり、そこに出席すると、またしても今村さんが人を紹介してくれた。クラウドファンディングの会社ミュージックセキュリティーズの取締役（兼早稲田大学の客員教授）を務める、前述の赤井厚雄さんである。彼もまた、今村さんに声をかけられ、熊本で新しく投資事業を展開することになっていた。赤井さんは近いうちに熊本に行く予定とのことで、私もこの機会に上天草へ行き、市役所の人と直接会って説明することにした。その場でスケジュールを調整し、さっそく2週間後の9月27日から2泊3日で赤井さんと一緒に熊本へ出張することになった。

　赤井さん自身は、南阿蘇で農業を営む大津愛梨《えり》さんと赤牛の飼育を事業化するための打ち合わせが、出張の主たる目的であった。しかし今村さんは、出発までのわずかな期間に、上天草のほうでも投資先の候補になる事業者を探して打ち合わせをセットしていた。そこで赤井さんと私はまず南阿蘇へ行き、そのあと上天草へ行くことにした。

　この大津愛梨さんは、旦那さんの大津耕太さんとともに、ドイツのミュンヘン工科大学で学位を取得し、耕太さんの親戚の後を継いで南阿蘇の地で農業をしている。２０１３年に阿蘇が世界農業遺産に認定されるときには、ＦＡＯ（国連食糧農業機関）で最後のプレゼンテーションを行なった人でもある。赤井さんと南阿蘇に行って大津さんを訪ね、哲学対話のことを少し説明すると、彼女は即座に興味を示し、一緒にやりましょう！と言ってくれた。今村さんからすでに私のことはある程度聞いていたようだが、それにしてもフットワークの軽い人だ。あまりの反応の良さに、こっちのほうが不安になる。何はともあれ、こうしてもう一人、熊本でのパートナーが見つかった。

熊本空港で見つけた大津さん夫妻が写っているポスター

　そのあと最終列車で熊本駅まで戻り、市内のホテルに泊まる。翌日上天草へ向かった。そこで対話イベントの会場候補の一つだった天草四郎メモリアルホールを見学し、例年婚活パーティーの会場になっていたフィッシャリーナ天草へ行き、木本さんをはじめ市役所の職員の人たちと話し合いをした。そして婚活にとっての哲学対話の意義、具体的な段取りについて説明し、今後も前向きに検討していくことになった。

　その日は上天草に宿泊し、翌日午前の便で東京へ戻った。その間、赤井さんとは、彼が投資の話をして、私は哲学対話の話をして、お互い深く共感し、意気投合していた。ここで詳しく説明することはできないが、哲学と投資は根底において相通じるものがある——私たち二人はそんな普通では考えられない境地に達し、何度も「投資と哲学って同じですよね」と、それだけ聞けばまったく意味不明なことを言い合っていた。冗談ではなく、本気の話である。

とにもかくにも、こうして12月の熊本での対話の準備は整っていった。

熊本での出張対話（3）〜いよいよ本番！（南阿蘇編）

２０１４年１月31日 投稿

上天草市役所の木本さんとは、その後も緊密に連絡を取り合い、当日のプログラム案を具体的に詰めていった。

そして彼は、11月にはるばる駒場祭に来て、「こまば哲学カフェ」に３日間参加し、いろんな哲学対話をたっぷり体験してくれた。それもきちんと市役所からの出張としてである。哲学対話婚活に懐疑的な課長が「一度実際に体験して来い。それで君がやりたいというならやろう」と言ってくれたそうだ。そしてもちろん２日目の「愛についての哲学対話」も出てくれた。この企画を私が立てたのは、対話が私たちの相互理解や問題の理解に大きく資するのであれば、それは恋愛についても、必ずプラスになるはずだと考えたからである。もともとこれは、上天草の婚活イベント以前に企画されたが、今やその予行演習としての位置づけになっていた。

はたして11月23日の「愛の対話」は、50人を超える参加者を得て、大盛況となった。しかも対話の効果は、イベント後に懇親会に来た人数の多さとなって現われた。実に参加者の半数近くが、イベント後の懇親会に来た。それだけ多くの人が、もっとお互いに話したかったのである。この成功は、上天草のイベントにとっても大きなプラスの材料だった。３日間参加してくれた市役所の木本さんも、具体的なイメージがつかめ、上天草でもうまくいくのではないかという感触をもってくれたようだった。

他方、大津さんのほうはあまりにも多忙で、具体的に何をするのかについて、事前の打ち合わせはできなかった。そして「ぶっつけ本番で行きましょう」との提案。さすが大津さん。面白い。どうなるか分からないが、何とかなる。そのほうがスリリングだ。というわけで、いよいよ12月6日〜8日の日程で熊本へ。

6日(金)、南阿蘇へは院生3人をファシリテーター、サポート役として連れて行った。昼すぎに熊本空港に到着。大津さんが迎えに来てくれた。当初は昼と夜の2回、対話の場を設ける予定であったが、昼は参加者が少なかったので、夜だけにして、まずは昼食をとりながら打ち合わせをすることになった。

大津さんはこのとき、阿蘇でバイオマスエネルギーによる発電をすることで、光熱費を節約し電力も売って、農家の収益を上げようという構想をもっていた。それを実現するための話し合いに哲学対話を活用したいとのことだった。このように趣旨が明確だったので、私としては、対話もそれに沿ったものにするのがいいと考えた。そこでまずは、質問ゲームで「あなたにとっていい村とはどんなところか?」を共通の問いにし、そのあとの対話では、ストレートに「エネルギーについて疑問に思うこと」を問いの形で上げてもらい、進めていくことにした。

昼食後は、大津さんの自宅へ行き、畑や牧場を見せていただいた。そして夕方6時からの大津さん主催のイベント「南阿蘇でエネルギーを生み出せたらいいね!」に参加すべく、村の集会所へ行った。すでに多くの人が集まっていた。全部で20人くらい。年齢は20歳から70歳くらいまで。子連れで来ている人も多く、子どもたちが走ったり寝転がったりの中での対話となった。

質問ゲームのあと、エネルギーについて疑問に思うことを問いの形で上げてもらった——「どうやったらエネルギーをつくり出せるのか?」「エネルギーって何だろう?」「自然エネルギーの良い規模感はどれくらいか?」「エネルギーはどんなところで無駄づかいしているか?」「エネルギー自給ができなくなったらどうなるか?」などなどいろんな問いが出た。投票の結果、「どの自然エ

南阿蘇村の集会所で大人も子どもも集まってエネルギーについて哲学対話

ネルギーがこの村にいいのか？」「何のためにエネルギーが必要なのか？」「自然エネルギーは本当にいいのか？」の3つが選ばれた。

そのあと2つのグループに分かれて、それぞれでこの3つから一つ選んで、対話を行なった。一方のグループは「自然エネルギーは本当にいいのか？」、もう一つのほうは「何のためにエネルギーが必要なのか？」となった。

私のいたのは後者のグループだったが、どれくらい質素に生活できるのか、電気や水道が整備されていなかった時代にどのように人々がお互い関わり、助け合いながら生きていたか、他方で、それがどのような意味をもち、どういう点がよくて、どういう点が大変であったかなどが話題になった。また、農業を営むさいに、どれくらいの光熱費、燃料費がかかっているか、あまり意識されていないが、実は経費のかなりの割合を占めており、その意味でも自分たちで発電する意義があるとのことだった。

いずれのグループも、目の前の課題から一歩下がって問うことで、どのような生活を目指すのか、エネルギー自給をどのような規模で考えるのか、人間が生きることが自然にとってどのような意味をもつのかなど、根本的なところから問題を考え直すことができたようだった。

対話は夜9時半ごろまで続き、そのあともみんな10時ごろまで集会所に残っていた。子どもたちも、眠そうにしながらもぐずったり騒いだりせずに付き合ってくれた。彼らに対しては少し申し訳なかったが、とくにこのような場所では、子連れで家族ともども参加できるのが望ましいだろう。哲学対話によって、性別も年齢も越えて話ができたのではないかと思う。私たちにとっては、具体的な課題、問題があるところで対話を行なったのは、初めてのことで、とてもいい経験になった。

南阿蘇の皆さん、大津さん、この場を借りてあらためて謝意を申し上げたい。

後日談

総合地球環境学研究所のプロジェクトで、都市と地方の問題に関わり始めてから、地方創生や地域起こしに協力することが増えた。熊本の阿蘇以外では、滋賀県の高島市朽木、新潟県上越市、宮崎県の高千穂町、長野県の南相木村などである。地域によって解決すべき課題は異なるが、いずれもコミュニティづくりのために哲学対話を活用するという点はおおむね同じだった。

地方の町や村では、意思決定する人が決まっていることが多く、たいていの場合は、年配の男性である。若い人や女性が発言する機会は少なく、してもなかなか聞き入れてもらえない。しかしこのままではいけない。子どもから高齢者まで世代の違う人たちが身近に暮らし、移住者もいる。立場や年齢、性別を超えていろんな人がフラットに話ができる場が必要だが、どうすればできるのか分からない——そこで哲学対話に関心が寄せられるということらしい。

ブログで報告した南阿蘇での哲学対話は、地球研のプロジェクトの活動の一つとして行なわれた。このプロジェクトはテーマを少しずつ変えながら3年間続いたが、地方に出かけて行っては対話をするということを繰り返すばかりで、それ以外は外から見て分かりやすい成果は上げなかった。地球研の一部では大変不評であったと聞いているが、当然であろう。それでも3年間続けさせてくれたことに、今さらながら深謝している。

言い訳を言えば、私がこだわったのは、私たちが外から課題を持ち込むのではなく、地域の課題は地域の人が見つけるもので、その手伝いをするのが自分たちの役目だということだった。それはコミュニティの自立性やイニシアティヴをどのように育て、強化するかというプロジェクトの中心テーマであった。だから、最初から課題を決めて、それを解決するという通常のプロジェクトにはならなかった。

さて、この話し合いの2年後の２０１５年10月10日、大津さんは南阿蘇村で「田んぼでファッションショー」というイベントを行なった。その企画を考えるさいに、プロジェクトメンバーの服部滋樹《しげき》さんが関わった。それだけと言えばそれだけだが、内容的には、このイベントはとても大きな（たぶん形になったものとしては唯一の）成果だと言える。そして何より、まったくジャンルの違う人たちが集まって、ここでなければできないような議論をして、それぞれにいろんなことを考えることができたのがもっとも意義のあることだった。

熊本での出張対話（4）
～いよいよ本番！（上天草編）

２０１４年２月９日 投稿

翌日12月7日（土）、上天草市役所主催のイベント「愛を語ろうin上天草X'masカップリングパーティー２０１３」へ行った。こちらからは、前日の夜に合流した2人の研究員と合わせて総勢6人のチームである。12時すぎに最寄り駅の三角《みすみ》に到着し、会場のフィッシャリーナ天草に直行。着いてすぐに市役所の職員の人たちや、ボランティアでイベントの手伝いをしてくださるNPO法人KAプロジェクトの人たちに挨拶をして、会場の設営、細かい打ち合わせをした。

14時30分にイベントがスタート。参加者は上天草在住の男性12人と、近隣の町から来た女性12人。対話をするにはちょうどいい人数だ。それ以外に地元住民の人がオブザーバーとして来ていた。多くが既婚者で、夫婦で来てくださった方も何組かいた。他に市役所の職員の人たち、ボランティアで手伝いに来てくださった人たちも対話に参加していただいた。

質問ゲームでは、男性には「自分がいい男だと思うのはどんな人か？」、女性には逆に「いい女だと思うのはどんな人か？」を聞いた。そのあとは、みんなで「愛」に関わる疑問を出してもらった。いろいろ出た問いの中から、最後に投票で「愛するのと愛されるのとどちらが好きか？」「愛と恋の違いは？」「愛って何？」「愛があればお金はいらないか？」「友達以上恋人未満ってどこからどこまで？」に絞った。その中からグループごとに問いを選んでもらい、対話をした。グループは全部で4つ、一度は参加者の男女が必ず同じグループになるようにするために4回シャッフルをした。最初はぎこちなかった参加者（とくに男性たち）も、一回グループ替えしたあとの対話からは、次第に身を乗り出して話をして、笑ったり真剣に意見を言ったりしていた。

若い人が自分たちの恋愛観や価値観を語る一方、地元住民の年配の既婚者の人が、結婚後お互いの愛情がどのように変わるのかを話す。また、地元住民で参加していた女性が早々に「実はバツイチなんですが、そのあと同じ人と再婚したんです」と言って、自分の経験を話してくださった。すると、参加者で同じくバツイチの人が何人もいて、「私もそうなんです」とあっさりカミングアウト。おそらく普通の会話であれば、なかなか口にできないことを話せるのは、何を話してもいいという哲学対話の safety（安心感）と、多様な人が参加するということがあってこそだろう。そういう場では、離婚がけっして悪いことではなく、一度別れたからこそ言える言葉からは、むしろその人の人柄の深みと温かみが感じられ、聞いている人はかえって心を打たれる。

またあるグループでは、「女性を誘って一緒に過ごしたとき、どういう場合だったら脈があるのか」という質問をした男性がいた。これはまったく俗な質問であるが、本人は至極真面目に聞いている。普通の飲み会では、このようなことは真剣に話し合われることはなく、ただ冗談交じりに笑いのネタにされるだけだろう。しかしそのときは、女性たちもみんな真剣に応答してくれた。彼女たちはそれぞれに考え方が違い、しかもその人の価値観、もっともな理屈があって、そこにいたみんながお互いの意見に感心していた。

たとえば、「朝とか昼から誘ってくるようだったら脈があるけど、夜誘ってくるのは脈がない」と答えた女性がいた。一見すると、意外な意見で、むしろ逆ではないかと思うだろう。しかしここには上天草ならではの事情があった。彼女によれば、上天草には公共の交通機関があまりないので、デートとなれば車で移動することになるが、昼間から誘いに応じるということは、一日一緒に過ごしてもいいという意思表示だという。しかも、車ですれ違う人のほとんどが知り合いなので、人に見られてもいいという覚悟の表われでもあるそうだ。それに対して夜に来るのは、たんに飲みたいだけであって、特別な意味はないとのこと。

この説明には、その場にいた全員が目を開かれる思いだった。こうして年齢も立場も違う人が一緒に輪になって話すことで、おのずと自分たちの考えの前提や偏向が明らかになり、物事の見方が変わったり広がったりする。そして何より誰もが率直に話ができ、いつの間にか親密になっている。

4回グループ替えをしているうちに時間が長くなりすぎて、多くの人が最後のほうは疲れ気味だったが、続けて行なわれたパーティーでは、最初からみんな楽しそうに歓談していた。その前の対話なしには、この雰囲気はありえなかっただろう。市役所の人によれば、例年であれば、話の輪の中に入れず、ポツンと立っている男性が何人もいるとのことだったが、今回はそういう人が一人もいなかった。

最後に一人3人ずつ気に入った人を紙に書き、それでマッチングをするのだが、成立したカップルの数はそれほど伸びず、その点では目立った成果には結びつかなかった。しかし、対話のときの参加者の生き生きした表情は、いつもの対話イベントで見てきたのと同じだった。パーティーの雰囲気が最初から打ち解けていたのは、明らかに対話の効果だ。パーティーが終わったあと、多くの参加者が残って、二次会に行くようだった。これは、参加者どうしが仲良くなった証拠であり、普通の婚活パーティーではなかなかないことだろう。

また、地元住民の人たちも、みんな口々に「面白かった、またやりたい」と言っていて、市役所の人たち、ボランティアで来ていた人たちも、哲学対話が他のいろんな場で活用できそうだと期待の言葉を口にしていた。

今回の熊本出張は、私たちのプロジェクトにとって、哲学対話の可能性を広げるいい機会になったし、それ以上に東京にいるだけではなかなか分からない地方の事情について考えるきっかけになった。南阿蘇の農業とエネルギーの問題、上天草での婚活イベント、いずれも相互理解を深め、連帯感を強める必要性が根底にある。哲学対話がもつ力は、どちらの場でも同じように発揮された。とはいえ、これは第一歩にすぎない。このあと具体的なコミュニティづくりや問題発見と解決へ進んでいかないといけない。そこにどれだけの貢献ができるのか。哲学対話はまだまだ進化していける——そう確信した。

上天草のカップリングパーティー
対話をすれば恋も芽生える!?

後日談

率直に話をしてお互いを深く理解できる、それで仲良くなる——哲学対話が婚活に向かないわけがない。この直観を証明したのが、上天草でのカップリングパーティーであった。このイベントには、「あまり頑張っておしゃれはしない。週末に町中に出かけるくらいのカジュアルな服装で」という一見奇妙なドレスコードを設けた。

一般に婚活パーティーに行くときは、できるだけ自分をよく見せたい、いちばんいい格好で行きたいという気持ちから、男女とも気合を入れておしゃれをするのが普通だろう。しかしおしゃれは、自分を防御し隠すことに他ならない。率直に自分の思いを話す哲学対話とは真逆の姿勢である。かといって、寝間着にサンダルで来られても困る(来るはずないけど)。だからこのようなドレスコードになった。

さて、このカップリングパーティーで自信を深めた私は、東京でも婚活パーティーをすることになった。コラボしたのは、大阪で5年連続No.1、最高で一日1600万を売り上げ、当時最年少でホストクラブの経営者となった元カリスマホスト、井上敬一さんと、婚活会社マハロー社長の

会場となったフィッシャリーナ上天草から望む有明海

石原鉄兵さんである（この二人はのちにイベントにお呼びすることになる。第2章で登場する）。２０１７年の12月10日、「婚活サークル」×「伝説のカリスマホスト」×「東京大学教授」コラボイベント企画 究極の婚活イベント『恋の技法＆愛の哲学』という仰々しいタイトルで、歌舞伎町のレストラン・バーを借り切って行なった。

このときも服装はカジュアルにしてもらい、「サポーター」と称する既婚者にも参加してもらった。案の定、対話のあとのパーティーは、こちらがほったらかしにしておいても、親しい友達どうしの飲み会のように盛り上がっていた。おまけに終わったあと、やはり勝手に二次会に行ってしまった。哲学対話は婚活に有効であるというのは、私にとってほとんど自明の真理となった。

ラーニングフルエイジング ～生涯学び続ける場をつくる（1）

２０１６年１月11日 投稿

２０１５年12月20日（日）、「ラーニングフルエイジング[6]～超高齢社会における学びの可能性」というイベントを開催した。これは帝京大学の森玲奈さんの同名プロ

［6］「ラーニングフルエイジング」のプロジェクトについては、http://learningful-ageing.jp/ を参照

ジェクトとのコラボ企画である。ここに至る経緯には、いささか長い説明がいるので、まずはそのことについて記しておこう。

私が森さんと知り合ったのは２０１３年。当時私は、京都の総合地球環境学研究所でプロジェクトをもっていて、そのパートナーで大学院の後輩でもあった鞍田崇君から森さんを紹介されたのだった。彼女は、東大の情報学環でU-Talk[7]という東大の教員による一般向け講座のコーディネートをしていて私に声をかけてくれた。U-Talkは土曜日の午後に、本郷キャンパスのカフェで行なわれる1時間だけの講座で、少し空いた時間に立ち寄れる気軽さのために、〝短さ〟を大切にしているとのことだった。私は10月12日に「哲学カフェを体験する!」と題して行なった。参加者は20名ほどだった。30分レクチャーをして、そのあと20分哲学対話を行ない、10分質疑応答。ずいぶんと短時間に詰め込んだプログラムで、20分で哲学対話の面白さ、良さが伝わるか若干不安ではあったが、やってみたら、思いのほか好評だった。森さんもこのとき、哲学対話に興味をもってくれたようだった。

それからしばらくして、２０１４年の7月、森さんのほうから「高齢者の学び」に関する書籍を計画しており、哲学対話の経験を交えて論文を書いてほしいとの依頼が来た。合わせてそれをテーマとする研究会を立ち上げるという。これは彼女が以前から進めてきた「ラーニングフルエイジング」の活動の一つとして構想されたわけだが、このときは私でいいのか、森さんは何か思い違いか、過大な期待をしているのではないかと思った。たしかに当時、私は高齢者との対話の場を探していた。だから、森さんがやろうとしているテーマと共通点がないわけではないが、いかんせん私は別にこの方面の専門家ではない。機会があれば、いずれ高齢者とも関わろうかと思っていただけで、実際には素人同然だ。だから、彼女から話を受けた時点では、こちらから提供できることはとくにないと思っていた。けれども彼女は、哲学対話

［7］ U-Talkについては、https://fukutake.iii.u-tokyo.ac.jp/utalk/ を参照

の専門家として関わってほしいということだったので、ありがたく引き受けることにした。

　そうこうするうちに森さんは、本務校の帝京大学近くの百草《もぐさ》団地で、学生とのフィールドワーク中に偶然、今回イベントにお越しいただいた「百草ふれあいサロン」の人たちと知り合っていた。ここは、平日の午前11時から午後3時まで、昼ご飯をはさんで周辺の団地から高齢者が集まっておしゃべりをしたり、本を読んだり、将棋をしたり、思い思いに過ごせるところである。時おり講習会や講演会を開いたりしている。

　2015年の2月に、森さんと私からの提案で最初の哲学対話をサロンで行ない、「みんなで哲学」というイベントとして、続けていくことになった。ここではその場にいる人たちみんなが対話に参加するわけではなく、希望者だけが対話をして、それ以外の人は同じ空間にいながらも、普段通り好きに過ごしてもらうことにした。最初は一部の人たちだけでも、徐々に関心をもってくれる人が増えればと思い、あえて対話に誘わない方針であった。

　その後私は、3月に森さんの研究会で、「老いることと哲学すること～哲学対話による老いの共同的転換」と題して発表を行なった。そこでは哲学対話、「老い」の意味、それを考えることの哲学的含意について話をし、そのあと実際に哲学対話を体験してもらった。「自分が年をとったと思うのはどんなときか」ということでお互いの経験、思いを語り合った。時間があまりなくわずか15分ほどであったが、研究会に来ていた人たちにそのポテンシャルは十分感じてもらえたようだったし、なかには自分の子どもが通う小学校でやってみたいと意気込む女性もいた（この人は1年後にそれを実現してしまった）。

　ふれあいサロンでは3月以降も月に1回のペースで森さんのプロジェクトの様々なイベントが継続して行なわれている。3月は森さんの大学院の後輩で、UTCPで哲学対話を一緒にやってきた宮田舞さんが絵本を使った対話を行ない、4月からはNPO法人アーダコーダの井尻貴子さんの協力もいただいて哲学対話を行なってきた。それ以外にもプロジェクトメンバーである「演劇百貨店」の柏木陽《あきら》さんが演劇ワークショップを行ない、同じくメンバーで医師の孫大輔さんは、医療従事者と市民が語り合う場「みんくるカフェ」を百草団地でも開催した。

こうした活動を続けつつ、森さんは百草団地をフィールドとする「多世代で共に創る学習プログラム開発と持続可能な運営者育成方法の検討」というプロジェクトを、科学技術振興機構の社会技術研究開発センター(RISTEX)に申請した。幸いそれが承認されたので、私のほうでもこれまでの活動を広く知ってもらうために、UTCPで今回のワークショップを企画した次第である。

ラーニングフルエイジング ～生涯学び続ける場をつくる(2)

2016年1月13日 投稿

今回のUTCPでのワークショップは、百草ふれあいサロンの人たちに自分たちの活動について話していただき、それを森玲奈さんのプロジェクトの中に位置づけるものだった。そこでサロンの運営の中核を担ってきた丸山朋子さん、山口あつ子さん、福田照子さんの3人にお越しいただくことになった。またサロンでファシリテーターとして協力していただいている哲学対話のNPO法人アーダコーダの井尻貴子さんにも来ていただいた。

当日はまず、サロンの方たちにお話しいただいた。このサロンは、普段は月曜日から金曜日の午前11時から午後3時まで開いていて、一緒にご飯を食べたり、おしゃべりをしたりする、ごくごく日常的な集まりの場である。もともとは日野市の高齢者見守り支援ネットワークの活動として2008年に始まった。その後、健康づくり、子どもの通学の見守り、特別支援学校の実習の受け入れなどの活動を行なってきた。こうした経験を積んできただけあって、このサロンはすでに非常にうまく運営されているように見えた。もちろんこれまでも、またこれからも、いろいろ問題やトラブルはあるだろう。けれども、それとて、話し合って解決していく土壌がしっかりとできていて、とにかくメンバー、とりわけ丸山さんのような運営の中心にいる人たちが、うまく協力し合ってやっていて、他のメンバーたちも、彼女たちに全幅の信頼を寄せているようだった。

とはいえ、サロンは基本的には高齢者の集まりであり、近隣にある小学校や大学など、より広い地域とのつながりはなかった。そういうこともあって、サロンの方たちは、このラーニングフルエイジングのプロジェクトを歓迎してくださった。

ふれあいサロンの人たち

イベントの当日は、まず丸山さんたちに「ネットワークで育ちあう！ ただいま団地は成長期」と題して、これまでの活動についてお話しいただいた。先に述べたような成立の経緯、支援学校の喫茶実習以外にも、講師を招いてみんなで懐メロを歌ったり、サロンの壁面を利用者の手工芸の作品で飾ったりする活動、戸外でのグランドゴルフ、家庭菜園、そして「ラーニングフルエイジング」の枠内で行なった哲学対話、演劇、まち歩きなどのイベントについて報告いただいた。
続いて森玲奈さんからこのプロジェクトの趣旨の説明があった。彼女は高齢社会において「生涯学び続けること」をテーマにする場合、何より「多世代の共生」を重視している。というのも、「一人でいるより誰かといることが豊かさを生み出す」と考えるからである。したがって、百草団地における彼女の活動は、たんに高齢者が集まる場所でワークショップを通して交流をはかることが目的ではない。そうではなく、近隣の大学、小学校などの若者をはじめ、地域でいろんな世代の人たちが関わり、しかもそれが高齢者の一方的な支援ではなく、お互いにとって学びになるということを目指している。最初は私たちのように外部の実践者が関わって進めていくにせよ、いずれはそこに住む人たち自身がそうした学びの場の運営者になっていくことを最終的な目標にしている。そしてプロジェクトの全体は、「健康情報」「芸術文化」「住まい方」という3つの大きなテーマから構成され、「対話」がその全体をまとめる形で組織されている。

以上のような森さんからの発表のあと、NPO法人アーダコーダの井尻貴子さんに、彼女がファシリテーションをしたときの対話の内容、感想を語っていただいた。もともとサロンじたいの雰囲気がいいこともあり、初めからとてもいい対話ができたこと、最初は参加者のほとんどが女性だったのが、徐々に男性が増えていったとのことだった。もちろんそれは、丸山さんたちの配慮もある。けれどもとくに印象的だったのは――私もそのとき一緒にその場にいたのだが――最初は同じ部屋にいながら入り口近くの机に座って黙々と将棋をしていた男性が、突然立って対話に加わってきたことだったという。対話はそばにいても、何となく耳に入ってくる。そうすると、自然に仲間に入りたくなる。対話にはそんな引力があるのだ。

多世代の関与を重視する森さんのプロジェクトにおいて、「対話」は他の部門をまとめる位置にあり、その中心にあるのが「哲学対話」である。それは一つには、哲学対話がもともと多様な立場の人たちが率直に対等に話せる場をつくりやすいからだろう。ただし、私自身は、この活動をたんなる「応用」だとは考えていない。むしろこうした実践的な現場において、「哲学対話」そのものが拡張され、より汎用性の高いものになっていくいい機会だと思っている。そこでは必ずしも輪になって一緒に座る必要はなく、いろんな活動をしながらでもいいし、場合によっては、話すこと、言葉を使うことも必要ではないかもしれない。より本質的な〝対話的なもの〟がこのプロジェクトを通して捉えられ、それを形にしていければと考えている。そこで重要なのは、やはり「多様な人たちが対等に関わる」ことである。

また私は以前から、哲学対話は当事者意識を醸成し、「自由と責任」を調和的に実現する場だと考えてきた。

このプロジェクトの趣旨は「多世代で共に創る学び」と「自ら運営する人たちの育成」である。その意味でもこのプロジェクトは、哲学対話の可能性を探るうえで貴重な機会になるだろう。百草団地は、サロンじたいが非常にうまく運営されているので、これから私たちも、サロンの人たちも、また地域の人たちも、まさに共に学び、育っていければと願っている。

後日談

ここで書いた森さんの活動は、２０１５年から２０１６年にかけてプロジェクトとして集中的に行なわれ、その後はそれほど活発ではないにせよ、２０２２年現在でも続いている。その間、サロンの人たちは帝京大学の市民講座に参加するようになり、２０１７年からはプロジェクトで芸術文化部門を担当していた柏木陽さん（ＮＰＯ法人演劇百貨店）の協力のもと、「地域の物語を演劇にする」という企画を行なっている。これは、大学生が百草団地の高齢者にインタビューをして、それをもとにシナリオをつくって演じるというもので、最終の発表会には、サロンのメンバーが見に来る。私も何度か見に行き、駒場にも来ていただいた丸山さんたちにもお会いしているが、みんな衰えも知らず、ますます元気にしておられる。

何より素晴らしいのは、ただたんに学生と高齢者が交流をしているだけではなく、当初のワークショップをきっかけにして、サロンが外に開かれていることだ。その結果、年配の人たちがより自発的・積極的に活動するようになり、大学まで足を運び、森さんや学生たちとコラボレーションしている。まさに森さんが目指した「ラーニングフルエイジング」、年をとってもいつまでも学び続けるということが、誰かに用意してもらった市民講座を受けるような受動的な形ではなく、自らいろんな人たちと関わりながら進めていくという能動的な形で実現している。そこには老いることの希望が見える。本人たちには、いろいろ心配事や不安はあるだろうが、若い世代が彼女たちに接し、あのように輝いている姿を見るのは、未来への贈り物となるにちがいない。

ラーニングフルエイジング〜地域社会における多世代交流と教育の役割（1）

2016年3月24日 投稿

3月20日(日)、「ラーニングフルエイジング――超高齢社会における学びの可能性」の第2回目のイベントとして、「地域社会における多世代交流と教育の役割」というテーマで講演会を開催した。

今回来ていただいたのは、宮崎のNPO法人グローカルアカデミーの代表の田阪真之介さんと、宮崎県立五ヶ瀬中等教育学校6年生(高校3年生に相当)の宮嵜麻由香さんである。田阪さんはもともとJICAの青年海外協力隊で中南米に行き、帰国してベネッセで勤務したのち、故郷の宮崎でNPOを立ち上げ、教育のグローバル化やその他の支援に奮闘しておられる。1年の4分の1は海外出張をしながら宮崎で働いていて、彼自身がグローカル(グローバルでありつつローカルでもある)を体現しているような人である。宮嵜さんは、昨年高千穂郷・椎葉山地域が世界農業遺産登録に申請したさい、プレゼンターの一人として大活躍し、認定に貢献した高校生である。

田阪さんと初めてお会いしたのは2013年の12月、まだ彼がベネッセに勤めておられたころで、私が阿蘇で哲学対話を一緒にした農家の大津愛梨さんから熊本空港で紹介されたときだった。それから1か月ほどたった年明けの1月末、大津さんが全国の農家女性のネットワークの会合を駒場で開き、そこに田阪さんは、東大のPEAK(Programs in English at Komaba：教養学部英語コース)の学生を研修で阿蘇に連れて行く企画の説明のために一緒に来ていた。そのあと3人で食事をして渋谷へ向かう道すがら、哲学対話のことを田阪さんにお話ししたところ、すぐに興味を示してくださった。その間わずか十数分。彼自身は哲学対話を体験したこともないまま、五ヶ瀬中等教育学校に話をして、学校のほうも田阪さんの勧めに応じてSGH(スーパーグローバルハイスクール）の申請書にＵＴＣＰと哲学対話を盛り込んだのである。

何という急展開だろうか。それで五ヶ瀬がＳＧＨに採択され、その年の9月から文科省にも公式に認められたカリキュラムの一部として、哲学対話の授業を行なうことになった。以来、私は院生数人をアシスタントとして連れて毎年五ヶ瀬に行っている。その間に田阪さんは、宮崎に戻ってグローカルアカデミーを立ち上げており、

五ヶ瀬中等教育学校

行くたびに現地でお会いし、彼自身も哲学対話に参加している。現地での授業は年1回だけだが、学校のほうではそれを普段でも活用し、今では折に触れいろんな話し合いの場面で、哲学対話を行なう文化が定着しつつあるという。

今回田阪さんと宮嵜さんをラーニングフルエイジングのプロジェクトでお呼びすることにしたのは、彼らがまさに教育を通して、地域とつながった多世代の交流をしているからだ。五ヶ瀬町というのは山間部の町で、他の多くのそうした地域と同様、高齢化と過疎化が進行するところでもあるが、20年前に公立の中高一貫校ができたことで、若い世代とのつながりが継続的にできているところでもある。言わば、教育によって地域起こしをしている稀有な場所である。そこで田阪さんの活動や、五ヶ瀬中等教育学校の取り組みから、地域で様々な世代が関わってお互いに学び合う場をどのようにつくれるのかということについて、多くの示唆が得られるのではないかと考えた次第である。

さて講演会は、まず田阪さんのほうから「地域を起点

に世界とつながる教育の活動報告」と題してお話しいただいた。彼の活動のモットーは、「宮崎を起点に世界とつながる「教育」と「事業」を創る」である。そしてグローバルであるために海外に出るのではなく（海外にも行くのだが）、むしろ海外から宮崎というローカルなところに来てもらおう、そのために外国人も地域の人も共に刺激を受け、学び合える関係を構築しようとしている。

田阪さんによると、地方では、地域と学校を結ぶコーディネーターが少ないそうだ。田阪さんはその役割を果たすべく、NPOを立ち上げたわけである。そういう意味で、地方のみならず、日本各地において、彼のような人材が求められていると言えよう。彼は、たとえば、地元の商店街のPRのために高校生向けにビジネスプランコンテストを開催している。そのさい大事なのはコンテストじたいではない。フィールドワークやヒヤリングを通して、地域の子どもたちが地域の課題に気づく、地元の人たちとのつながりをつくることにこそ意義がある。また、五ヶ瀬中等教育学校では、ケンブリッジやオックスフォードの大学生、東大のPEAK生のために南九州へのスタディツアーを企画し、五ヶ瀬の生徒たちとも交流の機会をつくっている。こうして彼は宮崎の山間部にいる若い人たちが世界とつながり、様々な最先端に触れられるように尽力している。

そのさい田阪さんが留意しているのは、普段出会わないが、テーマを共有できる人と交流すること、また海外から呼ぶ場合は、たんに英語ができる学生ではなく、日本のことを研究している学生、日本の地方に興味のある学生に来てもらうことだ。そうすることで、表面的な関係にとどまらない、互いに学び合う深い関係を結ぶことができるのである。

また、田阪さんが心がけているのは、顧客（主に高校生）が日頃出会わない人たちと対話する場をつくること、コーディネーターとして、地域や学校と外部（異質な他者）との接点をつくることで、コミュニティを開かれたものにすることである。そしてもう一つ大事な点として挙げられたのが、予定調和にしないという点である。これは、今までの枠組みを超えた発想がなければ、未来につながるような新しい試みは生まれないということである。

ラーニングフルエイジング
～地域社会における多世代交流と教育の役割（2）

2016年3月25日 投稿

宮嵜麻由香さんは、「私の住む地域の宝物探し」と題し、五ヶ瀬という地域にどんな価値があり、それに対して自分がどのように関わってきて、またこれからどのように関わるつもりか話してくれた。

その報告をする前に学校についてあらためて説明しておこう。五ヶ瀬中等教育学校は、1994年に全国初の公立中高一貫校として設立された。共学で1学年40名、全寮制の学校である。前期課程（中等部）と後期課程（高等部）に分かれ、後期はさらに2クラスに分けて授業を行なっている。2014年からSGHに指定され、2015年にはモデル校となって全国から見学者が来ているという。地域との交流は、焼き畑農法、シイタケ栽培、釜炒り茶など、地元の特産品づくりに関わったり、農作業やわらじづくりを行なったりしており、また地域の家庭にホームステイする機会もある。こうしたことが特別な行事ではなく、通常のカリキュラムとして組み込まれているのが特徴である。

宮嵜さんが講演でまず言ったのは、地元のお年寄りが大好きで、彼らのところへ行って話をするのが〝趣味〟だということ、そしてそこでたくさんの大事なことを学んだということだ。彼女は五ヶ瀬町を「おかえりなさい」のある町、「笑顔」あふれる町、「支え合う」町と呼ぶ。それは初対面の人にも親しく話しかけてくれる開放性と、地区ごとの結束が強く支え合っている連帯性を意味する。そうした地域との交流で彼女が学んだのは、一つには自然と共生する術。それは、自然を大切にしながら生活する営みであり、山と人の両方にとってためになる。そのような生き方を、人は、縄文時代から連綿と続けてきた。2つ目がコミュニケーション能力で、地元のお年寄りたちはとにかくたくさん話し、たくさん笑う。そうした中で語られる何気ない世間話が、彼らが共に生きていくうえできわめて重要だという。彼らから学んだ3つ目は、これからの日本に何が必要かである。それは、高齢者目線の未来の日本であり、それは若い人にとっては、新鮮で学ぶことがたくさんあって、そこから若者にとっての未来も見えてくるということだった。

こうした学びと共にある五ヶ瀬や高千穂地域の暮らしが、世界農業遺産の申請につながった。宮嵜さんは、2014年の国内候補地選考から関わり、2015年5月には、国連食糧農業機関(FAO)による現地調査のさいに発表を行ない、視察に来た調査員である総合地球環境学研究所の阿部健一さんに〝見初め〟られ、12月にローマでプレゼンをすることになった。英語が苦手だった宮嵜さんは、田阪さんの協力も得て特訓をし、当日はスピーチが終わったあと、会場にいた人たちからスタンディングオベーションで大絶賛されたそうだ。

最後に宮嵜さんは、若者の悩みとして、将来への不安、とりわけ仕事、そのために必要な力を挙げ、そこで必要なのは、大人の存在、地域の魅力、地元にある仕事だと訴えた。そして彼女自身は、自分の将来の構想として、「若者×お年寄りの教育プラン」を掲げ、それが「自然・未来・地域・想像(創造)を学ぶ教育」「若者とお年寄りが共に学ぶ環境」「学校と地域の連携」によって可能になるという展望を述べた。彼女が話し終わると、ここでも大きな拍手喝采が起こった。

講演後の質疑応答は、同様の問題意識をもっている人たちが多く来ていたようで、非常に活発であった。今日、都市でも集合住宅が高齢化、過疎化しているが、そうした状況において、都市と地方の違いはどこにあるのか、過疎化はしても地域での結びつきは強い五ヶ瀬のような地方で得られる知見は、地域の結びつきが弱い都市でどのように生かせるのか、といった質問が出た。

また、宮嵜さんの将来設計がしっかりしていることから、五ヶ瀬の生徒たちの進路にも関心が集まった。彼女によれば、五ヶ瀬の生徒たちは、自分で課題を見つけ、そのために何をするかを考え、そのために学んできているので、「○○大学へ行きたい」というありがちな進路選択ではなく、将来どんな仕事をしたいか、そのためにどこで学ぶのがいいか、という考え方をするのだという。

ここで思い出されるのは、東京大学教育学研究科の本田由紀さんが『教育の職業的意義』（ちくま新書、2009）で書いていることである。彼女は、今日までの日本の教育について、卒業後の職業に必要なことはほとんど教えず、子どもたちをまったく無防備なまま社会に放り出しているとして批判している。それに対して五ヶ瀬では、将来なすべき仕事を自らの課題と結びつけながら見つける力を育てており、その点でも注目されていい。しかもこうした教育が地域との間で行なわれているのは、都市での生き方にとって大きな示唆になるだろう。都市は、地方のような地域の結びつきは弱いが、住んでいる人の職業も境遇もきわめて多様で、行動圏が広いので、テーマを明確にすると、広い範囲で人の結びつきをつくることも可能である。そこから様々な立場や世代の人たちが共に学び、共に生きる方策を見つけることもできるのではないだろうか。

講演と質疑応答のあとは、いったん休憩を取り、当初は予定していなかったが、田阪さんと宮嵜さんの希望もあって哲学対話を行なった。今回は、テーマと講演会という形式だったせいか、哲学対話を知っている人はほとんどいなかったので、1時間ほど体験版として行なった。まず問い出しをしたところ、「都市における地域とは？」「この地域だから学べることは？」「若い人を対話に誘い込む方法は？」「対話するのはどんなときか？」「自分が住んでいるところでやっていきたいことは？」などの問いが出た。最終的には投票で選ばれた「若い人が将来役に立つ学びとは何か？」で30分ほど対話を行なった。講演のあとだけあって、最初からかなり突っ込んだ話し合いができ、こちらとしても来場者としても、大いに考える機会となった。

後日談

五ヶ瀬中等教育学校とのつながりは、2014年から今までずっと続いている。1年に少なくとも1回、時に2回行く。当初は哲学対話の講習だけだったが、やがて生徒たちが寮での話し合いにも対話を使うようになり、地域との話し合いでも使うようになった。そのため、私は五ヶ瀬でファシリテーションも教えるようになった。さらに最近は、対話を「話すこと」だけでなく「書くこと」と結びつけ、文章講座も行なっている。

また哲学対話は、宮崎県下の他の地域にも広がっている。隣町の高千穂町はもちろん、宮崎市内でも哲学対話のイベントを行なった。また五ヶ瀬の先生が教員研修会等で報告をしたり、他の学校に異動した先生が授業で実践したりしているため、宮崎県では哲学対話の認知度が他県に比べて格段に高いようだ。その一部は、ゲストでお呼びした田阪さんが戦略的に仕掛けたことでもある。地方の創生には、彼のような表には出ずに背後で動き、いろいろとアレンジしてネットワークをつくっていく人物が必要なのだ。

五ヶ瀬中等での対話

第３章　旅は道連れ

２０１３年４月に始まったPhilosophy for Everyone（哲学をすべての人に）は、様々な人たちと哲学対話の場をつくり、その可能性を探るプロジェクトだった。そこで私がもっとも関心をもったのは、共に考えることが人と人との独特の関わりを生み出すことだった。お互いに否定することなく率直に話し合うことで、それぞれが自らを振り返り、考えを深め、広げていく。そのことが同時に、年齢や性別、立場や学力など、通常は私たちを区別し、排除し合う要因を超えて、互いを尊重し合う対等な関係をつくる。対話という形で哲学を実践することが、人間関係を変え、コミュニティをつくる。これは従来の哲学にはない、画期的な特徴である。

総合地球環境学研究所のプロジェクトで、コミュニティづくりの中心に「哲学対話」を置いたのはそういうことだった。さらにこのプロジェクトでは、前章にも登場したデザイナーの服部滋樹さんと水内智英《ともひで》さんがメンバーになっていた（二人は第４章の最後に登場する）。二人とも、いわゆるデザインだけでなく、地域起こしやコミュニティづくりにも関わっていた。人がどのように動き、どのように関わるのか、それが地域のあり方をどのように変えるのか。そのさい身近な「当たり前」を意識化し、考えていること、やっていることの前提を問い直す。その点で哲学ととても近い。少なくとも、このころから私は、

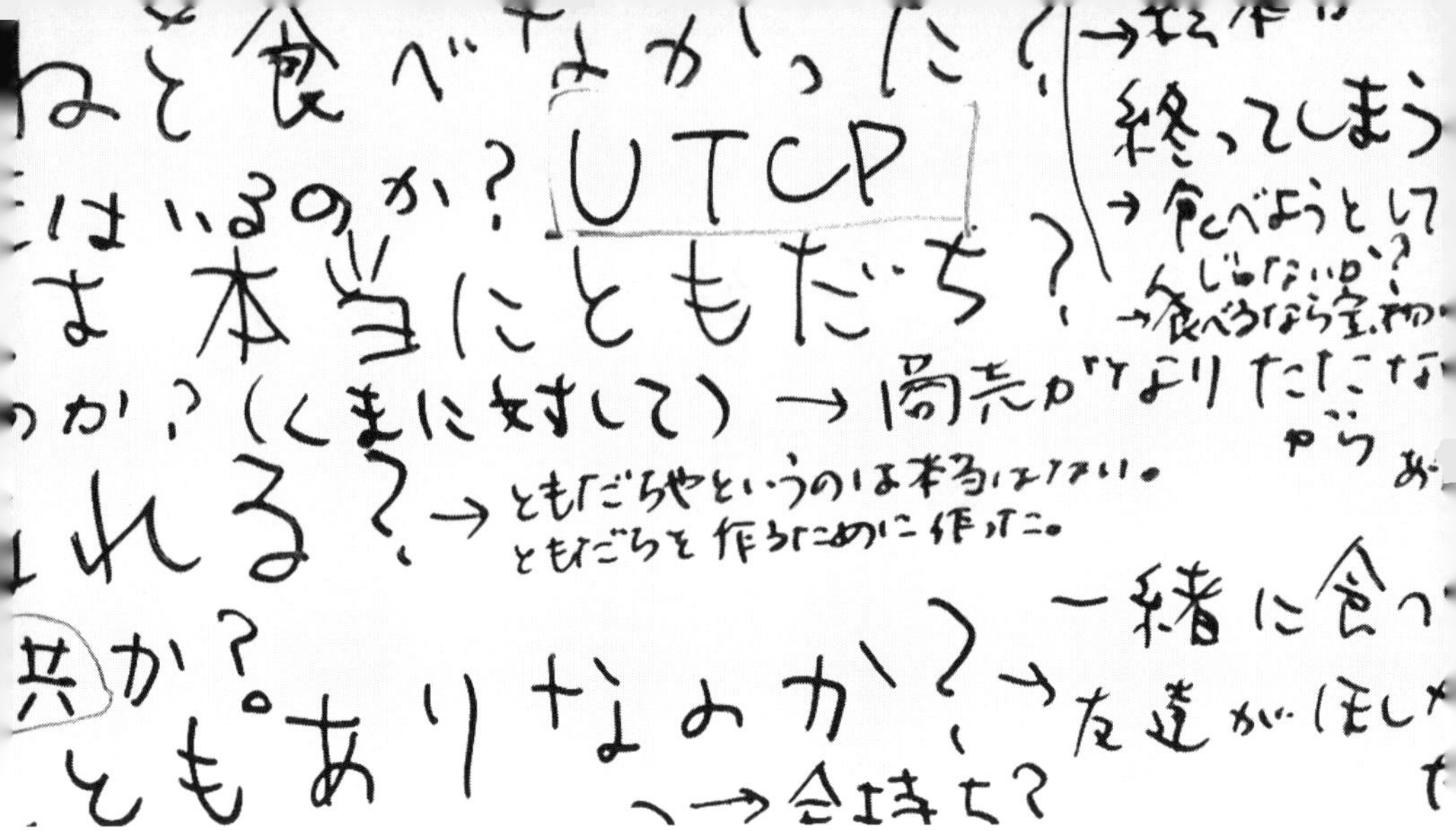

哲学の研究者よりもデザイナーのほうが、はるかに関心を共有でき、刺激も多く受けている。

もちろん違いもある。哲学は言葉という目に見えないものに関わっているのに対して、デザインは目に見え手で触れられる物に関わる。だから哲学は形あるものを生み出せないが、デザインにはそれができる。そのようにして現実に働きかけられる。そうした哲学にはない実践性が、とてもうらやましい。他方で、デザイナーの人からは、言葉にするのが苦手、言葉が欲しい、と言われる。たしかに何かをデザインするとき、いいコンセプトが見つかるかどうかは、どこへ向かい、最終的に何をつくるかにとって決定的である。そのコンセプトは言葉である。だから適切な言葉を見つけること、そこに明確な根拠を言葉で与えることが重要である。それは哲学にできること、哲学がすべきことである。

そうしてP4Eプロジェクトは、2016年に〈哲学×デザイン〉プロジェクトへと〝進化〟した。それに伴ってこの冒険は、ただ哲学対話のイベントを通していろんな人に出会う段階から、一緒に道行く人を探す旅になった。そして対話の位置づけも変わった。P4Eでは哲学対話がメインであったが、〈哲学×デザイン〉では、必ずしも対話はしなくなった。むしろその形を変え、いろんなやり方を試してみる。場合によっては、言葉を交わさないことがあってもいい。そうすることで「対話

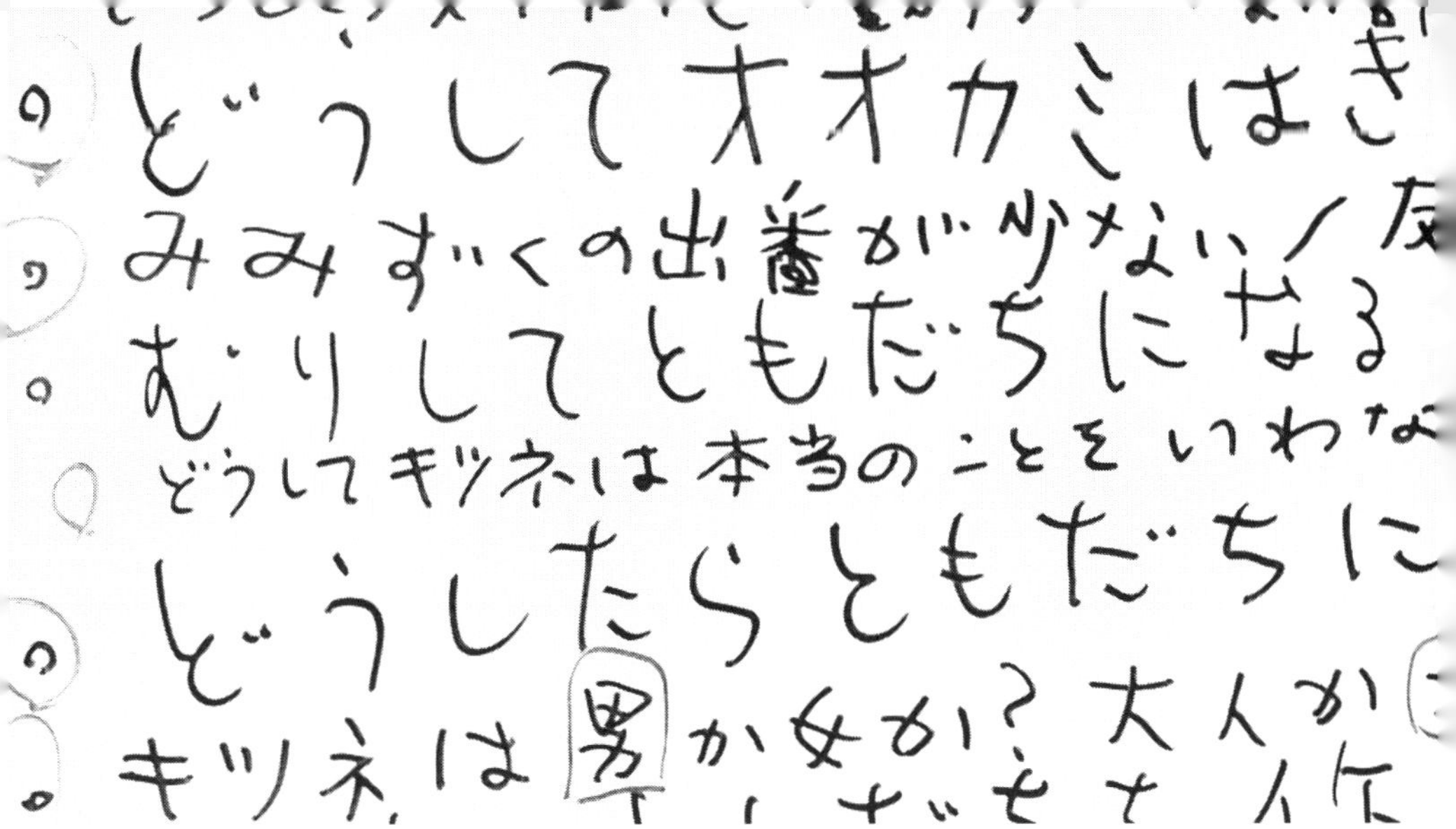
どうしてオオカミはき
みみずくの出番が少ない／友
むりしてともだちになる
どうしてキツネは本当のことをいわな
どうしたらともだちに
キツネは男か女か？大人か

マンションコミュニティでの対話の板書

的である」とはどういうことか知ろうとした。それが分かれば、対話は言葉による制約を超えることもできる！　そして哲学とデザインにできることは一気に広がる！

と言いながら、実を言うと、ブログ「邂逅の記録」は、２０１７年11月まで、１年半以上書いていない。今思うと残念であるが、その間は、ＵＴＣＰのスタッフにブログ報告をすべて任せていた。イベントがどんなものであったか興味のある人は、そちらをご覧いただきたい。私以外の人からプロジェクトがどのように見えていたか、より客観的な視点から捉えたものなので、私が読んでも新たな発見がある。とはいえ、私自身の「記録」に入る前に、イベントのタイトルと登壇者の名前だけでも記しておこう（敬称略。所属はいずれも２０２３年現在）。

・２０１６年４月30日　新年度キックオフシンポジウム「For Dialogue in Crisis（共生の転回）」、早川克美（デザイナー、京都芸術大学）
・２０１６年10月22日「哲学とデザインの邂逅」、水内智英（当時は名古屋芸術大学、現在は京都工芸繊維大学）
・２０１６年11月20日「宇宙と思想をデザインする」、高梨直紘《なおひろ》（天文学者、東京大学）、小阪淳（美術家）、片桐暁（コピーライター）、吉田幸司（当時は東大の学振ＰＤ、現在はCross Philosophies代表取締役）、堀越耀介《ようすけ》（当時は早稲田大学、現在

はＵＴＣＰ研究員）、今井祐里（当時上智大学、現在はセオ商事）
・２０１７年３月18日「Inside Out ～世界を変える視点」、ライラ・カセム（グラフィックデザイナー、現在ＵＴＣＰ研究員）、村木真紀（虹色ダイバーシティ代表）
・２０１７年７月30日「戦争の語り方」持田睦《まこと》（演出家）、佐藤香織（哲学研究者）
・２０１７年10月15日「哲学のビジネス化」、三宅陽一郎（ゲームクリエーター）、吉田幸司、堀越耀介、岡田基生《もとき》（当時上智大学、現在代官山蔦屋勤務）

ポッキーイベント
～空虚にして充実した時間

2017年11月17日 投稿

2017年11月11日、「ステキな問いの忘れ方」というイベントを行なった。何をするのか自分でも決めない、初めての試みだった。ポスターもタイトルと会場と開始時刻があるだけ。ポッキーの日にちなんで「ポッキー持参のこと（プリッツも可）」と書いてある。あとは、「参加者（いろいろ）」と「梶谷真司（哲学者）」の文字だけ。ゲストなし、中身なしの企画。

もともとこの日は、ライターの夏生《なつお》さえりさんとのイベントを行なう予定だったのだが、いい部屋がとれず、予定が流れてしまったのだ。かといってせっかくポッキーの日なのに何もできないのはもったいない。

さらにこのころ私は、「恋」と「問い」をかけてタイトルをつくるアイデアにどこかの時点でとりつかれていた。いいポスターができたらやろう！とフリーの写真素材を探すこと1時間。若い女性が机の上に突っ伏した印象的な写真が見つかった。ポスターはあっという間にできた。イベントのタイトルは1985年にリリースされた薬師丸ひろ子の曲「ステキな恋の忘れ方」のパロディである。井上陽水の作詞作曲。薬師丸のアルバムま

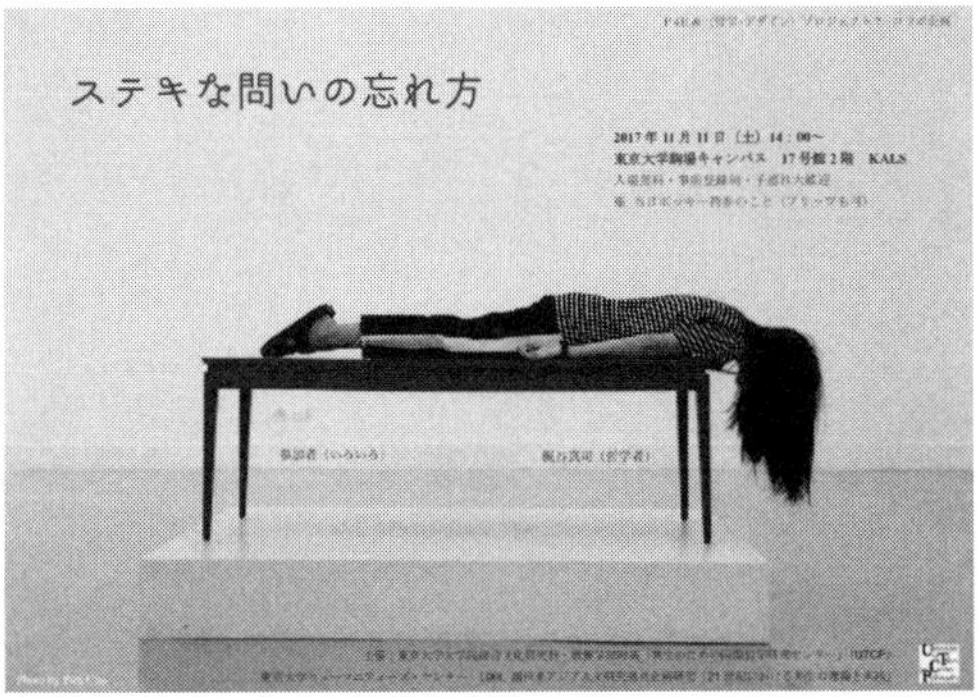

ポッキーイベントポスター

で買った。もうやるっきゃない。

でも、こんないい加減ないイベントに、いったいどういう人が何のために来るのか。〈哲学×デザイン〉プロジェクトでは、できるだけ趣旨が分かりにくい、当日何をするのか分かりにくいことをやるように心がけてきた。来た人が違和感を覚え、戸惑い、客であることに安住できない空間をつくる。だから、部屋の前後両方にスクリーンを下ろし、椅子も雑然と置き、前も後ろもなくす。ゲストスピーカーの席を明確に決めず、客の間に座ってもらう。参加者はどっちを向いて座ればいいかもよく分からない。受付けもやめた（申込制なのに！）。

来た人は、いきなり自分がどうしていいか分からなくなる。受付けはないのか、どこに座ればいいのか、どっちが前か、終了時間はいつか（イベントの案内文には開始時間しか書いていない）聞いてくる。何を聞かれても答えは「とくに決まっていません。好きにしてください」。

主催者が決める部分を減らし、参加者が決めなければならない部分を増やすと、参加者はより積極的に参加するようになる。最初の会場設営も最後の原状復帰も、当然のように参加者にやってもらう。そうすると、参加者はたんに参加するのではなく、主催者側に近づいてくる。最近、学術イベントですら〝おもてなし〟精神が蔓延し、参加者を客扱いする。それで来た人は、面白かったとかつまらなかった、素晴らしい気づかいだとか気がきかないなどと感想を言う。消費者気分だ。だがイベントというのは、主催者と参加者が一緒につくるもので、一方が提供し他方が享受するという関係ではない。まさに一部を担う（participate＝take part）のである。そうすれば、参加者はイベント（出来事）の見物人ではなく、関係者、当事者の一人になる。面白いかどうかは参加の仕方の問題であって、つまらないのは――哲学対話のときもそう言ってきたが――その人の責任で、参加の仕方が悪いのだ。私は主催者として、場を設けた時点で責任を果たしている。あとの責任は参加者が果たせばいい。あるいは、それができるようにこちらで配慮する。

ということで、今回は、ポスターにもゲストの代わりに「参加者（いろいろ）」と書いた。これは「来たらちゃんとやってね」というメッセージでもあった。ポッキー持参が条件なので（持っていない人は、どこかで買ってからまた来てもらうつもりだったが、全員持参してた。エライ！）、それを会場の外の談話コーナーで出してもらい、机の上に並べてもらった。会場で好きなところに座ってもらい、椅子が足りないので、出してもらう（足りなくなることは分かっていたが、あえて準備はしなかった）。全部で40人くらいだっただろうか。始まって前述のような、筋の通らない趣旨説明をし、薬師丸ひろ子の曲を聴いてもらう。それでこちらから問う。

「なんで、こんな中身が分からないイベントに来たんですか？」

答えはパッとしない――「何をやるのかなーと思って」（おいおい）、「ポスターが気に入って」（中身はいいのか！）、「梶谷さんのイベントに来たかったから」（いやいや、私だってもっと有意義なイベントを他にやってるつもりだが）、「お母さんについてきただけ」（子どもは正直だな）と、誰もが大した覚悟も目的もなく来ていた。大丈夫か、この人たちは。

グループ分けをしたあと、「中身のないイベントなのに来た責任はみなさんにあります。それぞれのグループで、このイベントのタイトル、ポッキーにからめて企画を考えてください」と丸投げ。20分ほどたって、それぞれにどういうプランを考えたか説明してもらい、ポッキーを食べる企画は会場横の談話コーナーで、それ以外は会場内で適当にやってもらった。会場内では「忘れること」をめぐって哲学対話、談話コーナーではいろんなポッキーを食べ比べながら談笑、もしくは（とくに子どもたちは）何十とあるポッキーの箱（中身入り）でタワーをつくったり、ドミノをして遊んだり。私はいろんなところをブラブラ。3つか4つに分かれてバラバラに違うことをやっているのだが、ゆるい一体感があった。いつもより子どもと大人が自然に絡んでいた。これはポッキー効果か。

アンケートはずいぶん前からとっていないので、参加者がどう思ったのかは分からない。知りたいとも思わない。これが哲学のイベントなのかどうかはどうでもいい。私が見ていて、なかなかない、いい場だったな、と思った。

それにPhilosophy for Everyone（P4E）と〈哲学×デザイン〉プロジェクトのコラボ企画としては、中身を空虚にすることで、かえって充実した時間にできた。一つの到達点に来たな。ポッキーイベント、来年もやろっと。

問いのアバンチュール
～新しい人たちとつながる試み

２０１７年12月５日 投稿

２０１７年12月３日（日）に「問いのアバンチュール」というイベントを行なった。11月11日のポッキーイベントに続く「恋」と「問い」をひっかけた企画の第2弾である。とはいえ、もとはと言えば、こちらがポッキーの日に行なうはずの本命のイベントだった。

今回はライターの夏生さえりさんに来ていただいて、二人で対談?おしゃべり?しようという企画。そのきっかけとなったのは、彼女が昨年書いたインタビュー記事である[1]。

これはＬＩＧというウェブ制作会社のブログで、さえりさんはこの会社のライターだった。ある日彼女からメールが来て、「私以外は私じゃないの」という某人気バンドのヒット曲にちなんで、このことについて教えてほしいという。しかし、そもそも私はこの曲を知らないし、「私」の問題（自己アイデンティティとか独我論とか）の専門家でもない。教えられることはないというか、何を教えていいか分からない。なので、「教えるというより、一緒に考えるという感じならいいですよ。あなたにもけっこう質問すると思いますけど」と返答した。さえりさんは戸惑っていたが、とりあえず来てもらうことになった。

挨拶がすんで、「先生。早速なんですが……、本当に私以外は私じゃないんでしょうか?」という最初の質問に

［1］「本当に「私以外私じゃないの」か？ 東大の哲学教授・梶谷真司先生に聞いてみた」（２０１６年２月10日）https://liginc.co.jp/241030

対して、私は「どう思う?」と返す。その後もずっとこの調子。取材に来たほうが逆に質問され、考え込むという謎のインタビュー。トータルで3時間くらいは話しただろうか。ウェブの記事では、すっきりと順調な問答になっているが、実際には横道にそれたり立ち止まったり、難渋した時間も多かった。でも終始楽しかったのを覚えている。ライターとして活躍している彼女にとっても、うまく記事にまとめるのは、相当に苦労したようだった。

さえりさんの文章がいいことと、彼女のツイッターのフォロワーが多いこともあって、この記事がネットにアップされた直後から異例に多くの人に読まれ、数時間でトレンド入りを果たした。ツイッターの書き込みには、意外なほど哲学への関心が強く現われていて、しかも彼らの大半が、おそらくこれまで私みたいな哲学者とのつながりがまったくなかった人たちのようだった。今回の企画は、あのときのさえりさんとの対話が偶然ではなかったことを示し、彼女の周りにいる人たちと哲学を通して出会おうという趣旨である。

どういうテーマで話すかは、あらかじめ決めておらず、さえりさんに話し合いたい問いをもってきて！とだけ伝えてあった。ただ、進め方については新しい試みを考えていた。さえりさんのイベントに来る人の多くは、「恥ずかしがり屋の若い女性」だということだったので、今回はツイッターのハッシュタグを使って、コメントや質問をその場で自由に書き込んでもらい、それを前後のスクリーンに映し出すようにした（#問いアバ）。これで手を挙げて発言するのが苦手な人でも参加できる。

30分前にはすでに会場に人が来始めた。今日は人数が多いことが予想されたので、上の階から椅子を移動するのに、例によって参加者に手伝ってもらった。みんな快く手伝ってくれる。これで始まる前から雰囲気がよくなる。

ハッシュタグを設定すると早速書き込みが――「設営なう」。

椅子を乱雑に並べてもらって、好きなところに座ってもらう。すると「座席がぐちゃぐちゃ配置で楽しそう」という書き込みが。部屋で起きていることに反応している参加者の思いがすぐに目に見えるのは面白い。

参加者100名超。いよいよスタート。さえりさんが用意していたのは、次のような問いだった。
「文章を書いていると『自分の文章が上手に書けない』という質問が来る。「自分の思いって何かあるんだけどうまく表現できない」って言われますが、私は言葉にしないと、ないのと一緒じゃないかと思っています。でも質問する彼女たちはあると思っている。本当にあるんですか?」

いい問いだ。誰もが似たような思い、もどかしさを感じたことがあるだろう。私自身は、文章が書けない人は、まずは書いていないのだと思っている。ちゃんとした文章になるかどうか気にせず、とにかく文字にしていくこと、それに慣れていけば、書けるようになっていく。あとは、目指しているところがずれているのではないかと思う。「ステキなエッセイが書けるようになりたい」と言っても、それはその人の文章ではないし、そんなものは目指すべきでもない。自分自身の言葉を見つけて書けるようにすればいい。

というようなやり取りから、思考と言語の関係をめぐって、参加している人も巻き込んで、いろんな意見が出た。ツイッターにもたくさんコメントや質問が書き込まれた。そのどれもが面白いものだった。とくに人間の感情を表わすのに、言葉は圧倒的に足りない、という話になったとき、「語彙力と感情のバランスはどうすればよいか?」「言語をもたない動物は感情をもたないのか?」といった問いが書き込まれた。すると非言語的コミュニケーションへと話題は移る。

さらに「外に出せない感情はどこにあるのか?」「言葉にまだなっていない思いはどこにあるのか?」「頭の中にある言葉と出てくる言葉の違いが生まれるのはなぜ?」「外に出せない思いを表現するために新しい言葉をつくるのか?」「言葉によって思いが伝えられないとき、はたしてそれは言葉なのか?」など、興味深い問いやコメントが次々にツイッターに表示される。私もさえりさんもそれに反応し、言及しながら、会場全体で話が進んでいく。

思いも考えも、結局言葉になったものがその時点での姿。自分の言葉、自分の思いにふさわしい言葉をどうやって見つけるか。語彙が豊かだったら、より自分の考えをうまく表現できるかと言えば、必ずしもそうではない。教養のある人、語彙の多い人の言葉は、むしろ嘘っぽい。素朴な言葉づかいでも、その人に合った言葉であれば、それが大切だ。

そこで話は次第に、哲学対話で発せられ交わされる言葉へと移っていく。哲学対話では、率直に言いたいことを言えるため、〝その人自身〟になれる。自分以上でも以下でもない、背伸びして大きく見せるのでも、卑屈に小さく見せるでもない、等身大の自分を表わす言葉に出会うのが哲学対話でもあろう。そういう意味で哲学は、思いを言葉にすることで自らを解放することでもある。

そういうわけで、休憩をとって後半は、哲学対話をすることになった。すでにいろんなことを考えたあとの問い出し。次々に面白いのが出てきた――「夢を見るのはいいこと?」「承認欲求は自己実現を超えるのか?」「何でも言葉にするのはいいこと?」「やりたいことがないとダメ?」「なんでみんなすぐ「考えすぎ」って言うの?」「常識でどこまで縛られるべき?」「人が言葉をなくしたら、どうやってコミュニケーションをとる?」「なんで恋愛しないといけないの?」「「ヘンな人」って思われたくない?」「なぜ物事に「意味」が必要なのか?」「なぜ大切な人を傷つけてしまうのか?」など。

2つのグループに分かれ、いずれも「やりたいことがないとダメ?」で対話をした。今日来ていた参加者の人たちには、周りから「考えすぎ」と言われる人が多かった。考えたくても、周りから許容されない苦しさ。そういう人たちにとって、思う存分考えていい場になったとすれば、それだけで十分意義があった。そして考えるために、自分の言葉を見つけ、相手に伝えようとすること。自分勝手ではなく、自分自身になるために。

今回は、さえりさんを通して、今まで関わりがなかった人たちに出会えた。参加者がツイッターに書き込んでくれた言葉は、どれも感度がいいものばかりだった。みんな実は哲学＝考えることの近くにいる人たちなんだ。おかげで私の世界も広がった。このイベント、毎年の恒例行事にしよう。

当日の Twitter

※当日のツイッター上の書き込みは、「#問いアバ」で検索すれば、今でも見ることができる。

※当日の模様を参加者の一人Kaze Windさんが「かぜさいと」というご自身のサイトで丁寧に報告してくださった。[2]

[2] タイトルは「夏生さえりさん×東大・梶谷先生の対談で冒険の扉が開いた件について #問いアバ」。http://windkaze.com/archives/20171120301.html

後日談

さえりさんは記事を書いて1か月ほどたって会社を退職し、フリーランスになった。本人からのちに、私へのインタビュー記事が一つのきっかけだったと聞いた。その後スペイン・バレンシアに行って、数か月過ごして帰国し活動を再開。2019年に結婚、2021年に子どもを出産。仕事で書くのはもちろん、こうした自分の体験、自分に起きた出来事も綴っている。彼女とのイベントは毎年の恒例行事にはなっていないが、2022年UTCPから出したブックレットには、子どもを産み育てることについてのエッセイを寄せてくださった。彼女の文章はあいかわらず感性の豊かさ、繊細さに満ちている。これからどんなエッセイを書いていくのか、とても楽しみにしている。と思っていたら、2022年、映画「MONDAYS　このタイムループ、上司に気づかせないと終わらない」で脚本家としても大ブレイク。何とマルチな人だろう。

Knowledge Forest ～本を通して知と人を結ぶ

2017年12月23日 投稿

2017年12月17日（日）、デザイナーの河本有香さんとのコラボで、「Knowledge Forest～知の森 つながる、ひろがる図書館」というイベントを行なった。河本さんは、以前〈哲学×デザイン〉プロジェクトのイベントでお呼びした名古屋芸術大学の水内智英さんの友人で、そのときに知り合った。夏に河本さんから東京でのKnowledge Forest の展示の案内をいただき、見に行ったのがきっかけで今回のイベントを企画するに至った。

Knowledge Forest は、もともと河本さんがロンドンの美術学校に留学中、卒業制作として行なった活動である。帰国後、彼女の故郷の富山の図書館で開催。市民参加型のインスタレーションで、ある種の地域起こしの活動の側面ももっている。葉っぱの形をした和紙に自分の好きな本のタイトルとアピール文を書き、それを上から垂れ下がっている紙紐に括りつけ、さらに自分が気に入った他の葉っぱと結束バンドで結びつける。そうやっていろんな人が自分の葉っぱと人の葉っぱをつないでいくことで、自然に〝森（forest）〟が育っていく。図書館という知の空間において、本という知の結晶を通して、人と人がつながる。しかも、そこで使われていた葉っぱは、地元の蛭谷（びるだん）和紙の職人の協力を得て、図書館で廃棄された本を和紙に混ぜてつくったものであり、「その土地で生い育つ樹」というコンセプトを大事にしている。それがどんなものかは、Facebook Page を見ると分かる。[3]

今回はこのイベントを東大の駒場キャンパスで行なうことになった。葉っぱ型の紙は市販の和紙を使ったが、キャンパスに落ちていた銀杏の葉っぱを印刷することで、駒場という土地とのつながりをつくった。

午前10時からの第1部「知の土づくり」では、インス

[3] Facebook Page https://www.facebook.com/knowledgeforest.chinomori/

Knowledge Forestの展示風景（一部）

タレーションの大枠をつくるのに、会場の天井にある穴に紙紐を通して、そこに葉を取りつけ、互いに結びつける（富山と違って一日しかないので、ある程度ダミーで森をつくらないといけない）。それなりに森っぽくなったので、ランチタイムをとって午後1時からは第2部「知の森づくり」で、実際に参加者が本の紹介を紙に書き、他のものとつないでいく。その後河本さんのほうからKnowledge Forestの活動について説明してもらった。

私自身京都の地球研で3年ほど地域起こしのプロジェクトをもっていた。そこで地域のいろんな人を巻き込んでいくのに、デザイン、とりわけインクルーシブデザインの手法がきわめて有効だという感触を得ていた。インクルーシブデザインでは、利用者と製作者を区別せず、初めから一緒に作業をしながら製品をつくる。それと同様に、地域でも誰かがやるべきことを構想し、後から住民がそれに協力するのではなく、初めから一緒に何をするか考え、活動を進めていく。河本さんの参加型インスタレーションも似たコンセプトをもっている。

さらにデザインは美的なもの（美しいもの、かっこいいもの）を通して物や人、空間や環境、コミュニティに関わる。伝統的に哲学では、この世界には「真」・「善」・「美」という3つの価値があると言い、通常は「真」がいちばん上位にあり、それに「善」と「美」が続く。ところが「真」は頭のいい人しか動かさないし、「善」は良い人しか動かさない。しかし「美」なら、子どもも含め、誰でも動かすことができる。なぜなら、たいていの人は美しいもの、かっこいいものが好きであり、自分もそうありたいと思っているからだ。だからいろんな人と結びつき、協働するためには、美的なものに訴えるのがいい（もちろんそこには、真や善を差し置いてイメージで人を誘導・扇動するリスクもある）。

Knowledge Forestが面白いのは、いろんな年齢、世代、性別、身分、経歴の人たちが書物という身近なものを通して、また（今回は違うがもともとは）図書館という誰でも出入りできる場所で、自らそこに関わることによって自然に互いにつながっていくことだ。そこには本、知、人、場など、いろんなつながりと広がりの可能性が秘められている。

そして続けて行なった哲学対話では、いろいろ出た問いの中から「つながることは本当にいいことか、どのようなつながりがいいのか」が選ばれ、それについて話し合った。似た者どうしがつながるのは心地いいが、それだけでは広がりがない。しかし異なる人とつながることの難しさもある。また、つながるのはいいが、それが負担になったり、簡単には離れられないことも多く、そのようなつながりはいいとは言えないのではないか。だとしたら、主体的につながり、離れる自由もあるのがいいのではないか。あるいはそれでは表面的にとどまり、深まりにくいかもしれない……等々。それ以外にも、ネットやSNSでのつながりの長所や欠点についても話が及んだ。

今回のイベントは、Knowledge Forestというインスタレーションに参加したことじたいも非常にユニークで面白い体験であったが、それを通して知と人のつながりの様々な可能性について考えることができたことにより大きな意義があった。今後別の場所で、別の形でさらに一緒に展開していければと思う。

後日談

河本さんとは、その後も何度か連絡をとり、そのたびにまたやりましょう！と社交辞令ではなく、かなり本気で話している。彼女もこの間に結婚、出産し、子育てに忙しいが、それはどちらかと言うと、新たなイベントを企画する理由になっている。そのうち実現したい。

まったく話は変わるが、彼女は新婚旅行でウユニ塩湖に行き、私の本『考えるとはどういうことか』（幻冬舎、2018）を手に、湖を背景に写真を撮ってくれた。ウユニ塩湖で写真を撮ってもらった哲学書というのは、たぶん世界史上初めてだろう。密かに自慢のネタである。（「プロローグ」の写真がそれ）

旅の寄港地
随想コラム3

7 Days Book Cover Challenge

7 days Book Cover Challengeとは、「読書文化の普及に貢献するためのチャレンジ」らしい。好きな本を1日1冊、7日間投稿し、長い説明はせずに本の表紙画像をアップしていくものである。2020年にコロナ禍の中でFacebookを中心に広がった企画で、毎日1人の友だちをタグ付けして招待し、チャレンジに参加してもらうという仕組みである。誰の発案か、どこから始まったのか分からないが、自分の読書遍歴を示す意味もあって私も参加した。

1st Day　2020年5月8日

ヘルマン・シュミッツ『哲学の体系』(1964-1980)

指導学生の一人からBook Cover Challengeに誘われた。私の『考えるとはどういうことか』を選んでくれていたので、断るわけにもいかず、応じることにした。普段学生とは自分の研究の話はしないので、彼女も私がどんなことを研究しているのか知らないのだが、この機会に私の頭の中をのぞきたいのだという。なので自分の研究を振り返るのも兼ねて、真面目にセレクトすることにした。

とはいえ、今までたくさん読んだ本の中で何を選ぶのか。人にぜひ読んでほしい本なのか、自分にとって大事な本なのか、大事な本って何なのか……。それで「ハマった本」というのを基準にすることにした。ここで「ハマった」とは2つのことを意味している。まずその本をきっかけにその著者ないしそれと類似する本を何冊ものめりこんで読んだということ、もう一つは今の私がそれなしにはありえないということ。

　その1冊目に選ぶのは、やはり私が専門とするヘルマン・シュミッツ（Hermann Schmitz：1928-2021）の主著 *System der Philosophie*（『哲学の体系』）である。全5巻10分冊、計5000ページを超える大著。

　ハイデガーにおける死の問題をテーマに修士論文を書いて博士課程に進学したのち、研究の方向性を見失って大学院をやめようと思っていたときに出会った。第1巻の最初の数十ページを読んでのめりこんだ。これで10年は哲学を続けられると思った。そしていまだに続けられているのは、この本が私の思想の土台となったからだ。

　この本を読むことは、「知性は光である」ということを体感するようなものだった。分かりやすく言うと、「哲学は分かっていいのだ」ということだ。それは読んでも分からないのが普通の哲学書では異例のことだった。シュミッツは、どんな難解なことでも、きわめて明晰な言語と論理で問題を解き明かしてくれた。毎日が光に満たされたあの頃のことは、今でも忘れない。それ以来、私はどんなことでも自分が分かるように考え、分かったことしか書かなくなった。そして2年後、博士論文を書き上げた。自分の伴侶以外に、人生において運命の出会いがあるとしたら、私にとってはこの本がそれだろう。

2nd Day　2020年5月9日

山田慶児『混沌の海へ――中国的思考の構造』（1975）

　実を言うと、私は高校時代に中国思想にハマり、大学入学当初は中国哲学を専攻するつもりだった。しかし同じクラスに嫌な奴がいて、そいつが中哲志望だと知り、あっさりやめてしまった。他方で私は、子どものころから科学が好きで、もともと大学で物理学を研究したかったため、学部では科学哲学の本をよく読んでいた。しかし、中国思想への想いはずっと心の奥底に残っていた。その私が山田慶児《けいじ》（1932-）の本を読んだのは、今思えば必然だったのかもしれない。そこでBook Cover Challengeの2冊目に、最初に読んだ彼の著作『混沌の海へ――中国的思考の構造』（筑摩書房1975年）を選ぶことにした。

　彼は中国科学技術史の専門家であるが、中国思想についても西洋の科学技術史についても精通している。そればかりかこの書の中では、そうした思想史的な観点から、中国の近現代の歴史、政治、革命、産業まで論じている。カバーするその領域の広さにも圧倒されるが、山田氏のすごさは、中国と西洋という異なる文化・思想伝統を統合する力量である。

彼はもともと理学部で物理学を専攻していたためか、思考のスタイルがきわめて論理的・体系的で、中国の古典を緻密に読みながら、それを自分の視点から目の覚めるような明晰さで解体・分析し、再構築する。その後私は、彼の著作の大半を読んだが、そのたびに彼の分析と論理構成の鮮やかさに感嘆した。科学好きの理系崩れ、中国思想から逃げた哲学専攻の私にとっては、自らの範としたい学問であった。

博士号を取得してから、私は過去を取り戻すかのように中国思想を研究しようと思った。ただし、博士論文で身体と感情をテーマにした流れで、哲学ではなく医学を選んだ。ちょうどそのタイミングで、山田先生の私的な研究会に参加する幸運に恵まれた。中国医学の古典を原書で読む会で、鍼灸や脈、本草、解剖学、診療記録、法医学と次々に異なるジャンルの本を2週間に一度、毎回数十ページ読んでいく。あらゆる意味で素養の足りない私は、いちばんの劣等生として4年にわたって鍛えていただいた。あのような苦しくも満ち足りた時間は後にも先にもない。

その後私は性懲りもなく、民俗学、文化人類学、江戸の育児書、養生書など、あちこち手を出して、自分でも何をやっているのか分からなくなっていた。そんな折、先生から『わたしはどんな学問をしてきたか』（編集グループＳＵＲＥ、２０１８）という本をご恵送いただいた。彼はそのなかで、「自分の学問の方法は〝ヒルベルトの方法〟だ」と言っておられた。その意味するところは、特殊個別の問題を扱いながら、それを解くことで新しい分野が開けるような研究をするということだった。この言葉のおかげで、私は自分の研究に迷うことがなくなった。どんなことでも哲学的に新しい問い方ができればいいし、それはつねに可能なのだという確信がもてたからである。

3nd Day　２０２０年５月10日

小松和彦『悪霊論――異界からのメッセージ』（1989）

私は幼いころから、自然科学と同じくらい、怪異や神秘の世界が好きだった。幽霊や超能力、ＵＦＯに夢中になり、異界への入り口を探して森の中をさまよった。小学生でノストラダムスの大予言の洗礼を受け、１９９９年で世界は終わると信じて生きていた。したがって自分の人生も33年で終わるはずだった。

その2年前、博士号を取得し、残り少ない時間をどう過ごすか思案していたが、すでに書いたように、大学入学当初の希望を取り戻すべく、まずは中国思想（とくに医学）の研究を始めた。さらに同じころ、もう一つの研究テーマに出会った。ある日、大学の書籍部をフラフラしていてふと目についたのが、この小松和彦の『悪霊論――異界からのメッセージ』（青土社、1989／筑摩書房、1997）である。

悪霊についての学術研究って何だろうと興味をもって読んでみると、これがメチャメチャ面白い。よくある怨霊が祟る話をフィールドワークの調査と社会学・文化人類学の手法を用いて分析し、そこから人間の社会と心性についての理論を組み立てるその鮮やかさに感嘆した。そしてその後『異人論』『憑霊信仰論』等、彼の著作を読み漁った。

あまりの面白さに、何とか哲学的に論じられないかと考えた。シュミッツに依拠して身体と感情をテーマに博士論文を書いた私にとって、怨霊や祟りというのは、共同体の生成との関連で身体と感情を考察できるのではないかという直観があった。それでさらに民間信仰や祭などの民俗について調べるようになった。そのなかでも『柳田國男全集』は、小松氏の著作とともに私の民俗学研究の柱となった本である（この2冊は私にとって切り離せないので、今回セットで紹介させていただく）。

思想や理論を語るとき、事実に基づかなければならない――私が二人から学んだのはこのことである。とくに柳田の著作は、圧倒的な量の具体的事実に関する知識に満ちている。そこから思想と概念を鍛え上げていく姿勢は、哲学者にとっても見習いたいと思った。

3年後、「集合心性と異他性――民俗世界の現象学」（小川侃編『雰囲気と集合心性』京都大学学術出版会、2001）という長編の論考を書き上げた。ここで私は、シュミッツの現象学に基づいて、雰囲気の異他性と語りによる分節化という観点から、怨霊、祟り、異人、民間信仰、祭について考察した。

それが研究としてどの程度まともなのかは、よく分からない。哲学のほうから見ても民俗学のほうから見ても、奇妙な研究だろう。だが、これをやったおかげで私は、民俗や慣習のような細かく雑多な事実でも哲学的に扱うことができるようになった。いや、むしろこれは「哲学の民俗学的転回」と言ったほうがいいのかもしれない。

それで終わったと思っていたのだが、続きがあった。

2012年、民俗学者の山泰幸《やまよしゆき》さ

んという関西学院大学の先生が、私の論文を読んで連絡をくださり、小松先生の異人論の研究会に誘ってくださった。そして私は小松先生本人の前で自分の研究について発表し、論集『異人論とは何か』（ミネルヴァ書房、２０１５）に寄稿させていただく幸運に恵まれた。

さらに山さんとは、お互い江戸の思想研究をしていること、哲学カフェをやっていること、地域起こしに関わっていることなど、いくつも共通点が見つかり、いまや同志のような付き合いをしている。こういう不思議な縁も、子どものころからの怪しいもの好きが引き寄せたのかもしれない。

4th Day 2020年5月11日

アーサー・クラインマン『文化のコンテクストにおける病者と治療者』（1980）

私は博士論文で、人間の存在において身体と感情がどのような意義をもつかについて考察した。そこで論じたのは、あくまで一般的な意味での身体であり感情である。けれども、私たちが経験することは、時代によっても文化によっても異なっている。だから、昔と今、洋の東西の違いによって、身体と感情のあり方も異なるのではないか。

博士号の取得後、中国医学の研究をしたのは、それをより具体的な文脈で考えたかったからである。ところが日本は中国ではない。中国文化の中で言えることが、日本で言えるとは限らない。「東洋」ということで一括できないかもしれない。でもどうやってそれを確かめればいいのか。

そこで私は、江戸時代の育児書や養生書を研究するようになった。このような民衆のための本であれば、中国的な理論とは違った日本的なものが読み取れるかもしれない。だがその日本的なものも、当時と今とではどのように違うのだろうか。

こうして私は錯綜した問題の藪の中をさまようようになった。その藪から抜け出るきっかけをつくってくれたのが、アーサー・クラインマン（Arthur Kleinman：１９４１－）の*Patients and Healers in the Context of Culture: An Exploration of the Borderland between Anthropology, Medicine, and Psychiatry*（文化のコンテクストにおける病者と治療者――人類学、医学、精神医学の境界領域の探究：邦訳は『臨床人類学――文化のなかの病者と治療者』弘文堂、1992／河出書房新社、2021）という医療人類学の書である。

クラインマンは、文化人類学者でありながら精神医学を修めており、精神科医として台湾で診療とフィールドワークを行なった。そこで伝統医療と近代医学の相互作用と、その中で生きる人々の考え方や振る舞い方を調査・研究した成果をまとめたのがこの著作である。

この本は私の専門である現象学を理論的基盤にしていることもあり、自分がたどってきた道の先に広大な視界が開けるような興奮を与えてくれた。さらに彼のもう一つの主著『病いの語り（*The Illness Narratives*）』（1988／邦訳1996）を読み、すっかり医療人類学に魅せられた。他にもマーガレット・ロック（Margaret Lock：1936－）の『都市文化と東洋医学（*East Asian Medicine in Urban Japan*）』（1980／邦訳1990）や『脳死と臓器移植の医療人類学（Twice Dead）』（2001／邦訳2004）など、次々に読んだ。

人間は、個々人がその時々に置かれている立場や状況によって、異なる知識に基づいて世界を理解し、異なる現実の層を生きている。そうした知識と現実の複雑な関係を具体的な事実にそくして明らかにする――今の私の研究に通じる道が見つかったのは、このときだったと思う。

5th Day　2020年5月12日

エマニュエル・トッド『世界の多様性』（1999）

時々分厚い本を読みたくなる。書店で見ると、「読めるもんなら読んでみろ」と挑発されているような気になる。ケンカを売られれば買う、そんな感じだ。

そのノリで学生のころ、ホフスタッターの『ゲーデル・エッシャー・バッハ』、ドゥルーズ＆ガタリの『アンチ・オイディプス』なんかを読んだ。そう言えば、1日目に挙げたシュミッツの『哲学の体系』に感じた魅力も、その破格の分厚さ（というか全部で10巻）にあったのかもしれない。

久しぶりにそんな気持ちになったのが、この一冊、エマニュエル・トッド（Emmanuel Todd）の『世界の多様性』（1999／邦訳2008）である。ここでトッドは、8つの家族形態から個々の社会や地域の価値観や政治体制、歴史的変化（とくに近代化）をほとんど決定論的に説明する。歴史や社会を特定の原理から捉えようとするのは、ヘーゲルとマルクスが代表であるが、現代においてそんなことができるとは、普通は誰も考えない。それでもトッドがそうするのは、自分の主張が思想ではなく、詳細な事実の調査から必然的に導かれた科学的な理論であり発見だからである。トッドのすごさは、その理論の壮大さだけではなく、個別の多様な事実や出来事を説明する説得力と緻密さにある。それで私はすっかりハマってしまい、『帝国以後』『世界像革命』『デモクラシー以後』などを読み漁った。

　トッドの書いていることが科学理論だと言えるのは、それが過去や現在の分析をするのみならず、〝予測〟をするからである。彼は1976年に弱冠25歳で公刊した最初の著作『最後の転落』で、種々の統計データからソ連が10年から30年以内に崩壊することを予言していた。また近年では、民主主義の進展とポピュリズムの台頭の関連を分析し、トランプ政権の誕生も見通していた。

　以来私にとってトッドは、社会や歴史を大局的に捉えつつ、微視的に理解するときの最良の参照軸になった。そして彼の理論がどれくらい当たっているのかあるいは外れているのか見るのは、今の私にとって刺激的な楽しみになっている。

　こうやって自分の読書歴を振り返ってみて気づいたのだが、私はたぶん、やっぱり科学好きなのだ。具体的な事実を説明する実証的な理論の力に深く感動する。シュミッツも山田慶兒も小松和彦も柳田国男も、そういうところに惹かれているのだと思う。自分の一貫性に感心する一方で、いろいろやってきたつもりだが、意外に単純だったことに気づいた。

　今年2022年の秋、トッドの講演会があってそこで直接彼の話を聞くことができた。今この『世界の多様性』の表紙をめくったページには、彼のサインがある。

6th Day　2020年5月13日

三島由紀夫『美しい星』(1962)

　もともとたいして文学を読まない私は、高校1年生のとき、三島由紀夫に魅了された。最初に読んだのが『音楽』という作品である。不感症の女性と精神分析医を中心に展開する物語で、緻密にして鋭利、典雅でありながら退廃を帯びたその文体に憧れた——こんな文章が書けるようになりたい。

　そして高校の3年間、私の文学経験

の大半は、三島によって占められた。彼の代表作を一つあげるとしたら、やはり『豊饒の海』だろう。書かれた時期から言っても、これが三島の集大成である。けれども個人的には、『音楽』のほか、『盗賊』や『獣の戯れ』『午後の曳航』『沈める滝』のような目立たない作品にこそ、彼のすごさを感じていた。

　大学に入り、他にもいろいろ読んでいるうちに、三島の作品からは徐々に疎遠になっていったが、文体に関しては、いつもどこかで彼を意識していた。しかし研究の道に進んでいき、自分の論文にふさわしい文体がどのようなものか試行錯誤が続いた。そんなときシュミッツに出会って、分かったことを分かるように書くようになり、文体やレトリックよりも、構成が大事だと思うようになった。そして思考がダイレクトに伝わるように、文章はできるかぎりシンプルで透明であるように心がけるようになった。

　コロナウイルスの影響で家にこもるようになったある日、妻とママ友の母娘と一緒に散歩に出かけ、40～50分ほど離れたところにあるブックオフに行った。私はとくに用事もなかったのだが、店内をフラフラと歩いていて、本棚にふと三島の本を見つけた。『美しい星』という読んだことのない作品だった。人間の姿をした宇宙人とUFOが登場する、三島には珍しいSF小説である。自宅にいる時間も長いし、久しぶりに彼の作品を読んでみたくなり、迷わず購入した。

　だが、読み終えたとき、彼の本はこれが最後だと思った。それはこの本が面白くなかったからではない。三島の文章は相変わらずまぶしく、物語の展開も相変わらずこちらの期待を裏切る見事なものだった。しかし、そこにもう憧れはなく、若かりし日への懐かしさだけがあった。三島はもう過去の人になったのだ――そう思って、自分の文体を求めてたどった道と今立っている地点に、確かな安堵を覚えた。

7th Day　2020年5月15日

山田ズーニー『伝わる！揺さぶる！文章を書く』(2001)

Book Cover Challenge の最終日に挙げる本は、最初に決めていた。それは山田ズーニーの『伝わる！揺さぶる！文章を書く』（PHP新書、2001）である。拙著『考えるとはどういうことか――0歳から100歳までの哲学入門』（幻冬舎）の「あとがき」でも書いたように、ここ十数年の間にこれほど大きな影響を受けた本は他にない。

たかが文章講座の本ではないか、と思うだろう。当時私は、私立の中堅校にいて、学生たちにレポートの書き方を教えつつも、実際に彼らに必要なのは自己PRや志望理由書など就職のための書類の書き方だと思って、何をどのように教えていいか模索していた。レポートが書けても就職の書類は書けない。でもどちらも書くという点では同じだから、根本は同じはずだと予感しながら、その〝根本〟が何か分からなかった。それに答えてくれたのが山田さんの本だ。

山田さんは「文章を書くには考える方法を知らなければならず、考えるためには問う方法を知らなければならない」ということを教えてくれた。問いがあって考え、それを言葉にする――それは文章を書くことであり、研究することであり、思考することであり、哲学そのものでもある。

高校生を集めて哲学サマーキャンプを初めてやったとき、高校生に対して、哲学を「問い、考え、語ること」とシンプルに説明できたのは、この本の影響である。それなしには、私が哲学対話に出会うことも、哲学を「問う・考える・語る・聞く」と定義することもなかった。当然、学校から農村、子育てサークルから企業まで、様々な場で哲学対話を実践することもなかった。

自分の本『考えるとはどういうことか』を書くとき、担当してくれた編集者の女性が、この山田さんの本の編集もしていたことを知り、偶然に驚喜した。そして彼女の計らいで、拙著の出版記念に山田さんとコラボイベントをしていただくことになった。山田さんはあとで、自身のブログでそのときのことを「生き別れになっていた肉親に逢えたようにうれしい」と綴ってくれた（「おとなの小論文教室。感じる・考える・伝わる！ Lesson 898 考えることで人は自由になり、多様性を受け入れる」）。

私のほうはと言えば、何か大きな恩を返せたような気がした。それは直接には山田さんに対してなのだろうが、それにとどまらず、自分がここまで来るのに出会い、受け取った計り知れないくらいたくさんのものに、少しだけだが応えられた気がしたのだ。

日常世界としてのルワンダ
２０１８年６月20日 投稿

２０１８年６月17日（日）14時から、「ルワンダへの恋、ルワンダからの問い」というイベントを行なった。ゲストとしてお呼びした加藤雅子さんは、もともとホテリアーで、その後マナー講座の講師をなさっていた。他方で無類のアフリカ好きだったこともあって、ルワンダに行って、その魅力に〝取り憑かれ〟、現地の人と一緒に暮している。

ルワンダと言うと、１９９４年に起きた大虐殺のイメージが強く、その関連のイベントになりがちだが、私自身は、そのようなルワンダのイベントがしたかったわけではなく、加藤さんという女性が惚れ込んだ国としてのルワンダに興味があった。それにルワンダ＝虐殺の国と見なすのも、ある意味偏見であり、失礼な話である。だから、テーマは虐殺や人道支援ではなく、あくまで日常生活にスポットを当てたかった。

今回はまた、加藤さんの知人で来られなかった人のためもあり、Facebookでライブ配信するという新たな試みも行なった（今でいう対面とオンラインのハイブリッドイベントである）。

加藤さん自身は、伝統文化、とくに伝統医療の調査を〝仕事〟（？）として行なっている。しかも自ら治療を受ける、文字通り〝体当たり〟の調査である。ルワンダの伝統医学では、世界にあるあらゆるものを使い、呪術的な治療も行なう。彼女も、足の傷が3か月治らなかったのをルワンダ屈指の伝統医に診てもらったとき、まずは治す気持ちができていないので、それをもてるように薬を処方される。そこで粘土の塊と炭2キロを渡され、さらに傷跡を槍で呪文を唱えながらつつかれた。粘土は医者の家からの帰りに拾った石で削って粉にして飲み、炭も2週間かけて全部で2キロ飲んだ。それで結局傷跡はきれいに治ったという。その話のあと、加藤さんは生活の中で不思議に思ったことをいくつか挙げた。

まず、子どもは、公共の場にかなり長い間連れられているのに、泣いたりぐずったりするのをほとんど見ないという。日本で泣いたりぐずったりする子どもをよく見るのと対照的で、「子どもが泣くってどういうこと?」というのが疑問だそうだ。

また、地域や仕事ごとに踊りがあって、それは幼児から老人までみんなが楽しんでやっている。こういう「全世代が楽しいものって、どんなものがあるの?」も、日本と比較して考えたくなる。

さらに、電話やメッセージがとくに用事がなくても頻繁に来る。それはただ Hi! とか How are you? だけで、それがいろんな人から一日に何度も来る。そこで「用事がないのに」と多くの日本人が思うだろうが、逆にそもそも「用事って何だろう?」と問いたくなる。

最初の2時間は、みんなが次々に加藤さんに質問したり、こうした問いについて自由に意見を言ったりしていた。また、こうした平和で平凡な日常の話の隙間から、時おり大虐殺の影が見えるときがあり、その点でもルワンダだからこそできる話も多かった。

その後休憩をとって哲学対話へ。初めての人もいたので、趣旨を説明して、今日の話を聞いて考えたい問いを出してもらった。すると次々にいろんな問いが出てくる――呪術は信仰か? 都市と地方の違いは? 望ましい生き方とは? 文化って何? 伝統って何? 国って何? 仕事って何? 社会の発展によって個人の生き方はどのように変わるのか?

結局「社会の発展によって個人の生き方はどのように変わるのか?」が選ばれ、対話を行なった。

世の中の変化によって、変わるものと変わらないものがあるのではないか?――そこから仕事、生き方、文化、伝統などに話が広がり、ルワンダを通して、近代化やこれからの社会について、どんなふうに変わるのか、何を大切にすべきなのかなど、話題は多岐にわたった。

加藤さんのように、特別に社会的・学問的な意識が強いわけではない、ある意味普通の人でありながら、ルワンダの社会に深く入っている人と一緒だからこそできたイベントであった。

後日談

加藤さんは当時、ネットで検索してもまったくヒットしない、それでいてイベントでの肩書は「ルワンダに取り憑かれている山羊座の女」という謎の人物であった（ちなみにこのときの私の肩書は「哲学に飽きた双子座の哲学者」だった）。しかしその後、彼女はイミゴンゴ（木の板に牛の糞と灰を混ぜてつくった塗料で幾何学模様を描いたもの）というルワンダの伝統工芸に出会い、日本に紹介することを決意。初の展示会を代々木上原で開いたとき、私も久しぶりに会いたくて会場の設営を手伝い、哲学対話のイベントも行なった。もちろんイミゴンゴも購入させていただいた。

彼女は今やCultural Capital Rwanda R&Dという会社を立ち上げ、通販サイトも開設、日本各地でイミゴンゴの展覧会、販売会を行なっており、この方面では知らない人はいない。ルワンダと日本を忙しく行き来している。

大虐殺と人道支援とは違うルワンダを知ってもらうイベントの趣旨は、人や国に分かりやすいレッテルを貼るという、ありがちな粗雑で時に侮辱的な行為に対する異議申し立てであった。それをどうやって乗り越えるのかという難題に対して、加藤さんの活動は、実に軽やかでしなやかな、それでいて相当にラディカルな試みである。本人はそんなつもりはないかもしれないが、〈哲学×デザイン〉的には、めちゃめちゃすごいと思っている。

自宅のイミゴンゴ

音楽と想起のコミュニティ

２０１８年10月18日 投稿

２０１８年10月9日（土）、アーティスト、文筆家、研究者、そして自称〝文化活動家〟というアサダワタルさんとのコラボイベントを行なった。

アサダさんとの出会いは2016年にさかのぼる。当時私は、夏から秋にかけて、「多様性と境界に関する対話と表現の研究所」×「東京迂回路研究」×「アーツカウンシル東京」のコラボ企画で、文章の書き方講座を担当していた。その最後の授業で、受講生たちのプレゼンテーションのコメンテーターとして、アサダさんに来ていただいた。

そのおり私は初めてアサダさんの著作『コミュニティ難民のススメ』を読ませていただいた。それで経歴もスキルも全然違うけど、根っこのところが自分とつながってるなあと感じた。アサダさんは、もともとドラマーとして音楽活動をするミュージシャンであった（今もそうだ）。しかしその後、音楽をきっかけにして人の集まる場をつくるコミュニティデザインのようなお仕事もなさってきた。そして被災地や地方の小学校、福祉施設などで音楽による様々な場づくりを行なっている。さらに2016年には、音楽と想起とコミュニティの関わりをテーマに博士号まで取得。その後は研究者としての側面ももち、もはや何者か分からない人になっている。

彼の活動が、最近私が関心をもっていることと重なる部分が多いのと、やはり自分自身、アサダさんが言うところの「コミュニティ難民」で、自分が何者なのかよく分からないので、とにかくこの人、気が合うなあということで、いっぺん何か一緒にやりたいと思っていた。事前に一回会って、お互いの活動のことでおしゃべりして意気投合。「駒場でなんかやって」という調子で、コラボイベントを企画。その後これと言った打ち合わせも下見もなく、「当日で何とかなるでしょ」という感じで、当日を迎えた。

さすがというべきか、当日は、遅刻やら機器の接続がうまくいかないやら、最初からトラブル続き。午後1時開始の予定が結局1時間くらい遅れて2時にスタート。それまでの時間、ストリートで音楽活動をしている学生がその場で歌ってくれて（歌わせた?）、他にも偶然漫才師がいてネタを披露してくれたり、さらには、自己紹介をみんなにやってもらったりと、遅れたおかげでかえって盛り上がったようだった。トラブルがいいハプニングになり、それがサプライズにつながり、開始時間には、場がうまい具合にできあがっていた。
アサダさんはこれまでの活動について、パワポを使って説明した。まず彼は、自分の活動の目的は「人々の個性と創造性がのびのびと生かされるコミュニティ・コミュニケーションを立ち上げること」だという。そしてその活動の軸になっているのが、彼の場合、音楽なのである。

そこでアサダさんは、自分がこれまでやってきた様々なイベントの紹介をした。借りっぱなしになって返していないCDを集めて、そのエピソードと共に展示するイベント「借りパクプレイリスト（KPPL）」。ここではCDという商品としてはまったく同じものが、人々の記憶を介して別のものになっているさまが現われる。みんな同じ曲を違ったふうに聞いているのだ。

ある意味でそれは当たり前のことだ。しかし音楽は何かを想起させ、人をつなぐ力がある。それをはっきり示しているのが、釜ヶ崎の商店街に街頭テレビを出して行なった「カマン！TV」である。近所の人が街頭テレビを見て、思い出の曲をリクエストし、それをYouTubeで流す音楽プログラム番組を週替わりでつくった。すると歌を介して、立場や世代を超えて記憶が喚起され、そこからおしゃべりが広がり、想い出や思いが共有され、コミュニティができていく。

また、企業のCSR（社会貢献）活動に協力し、高知の小学校で、家族への音楽インタビューをもとに、子どもたちでコピーバンドをつくり、コンサートを行なった。名付けて「歌と記憶のファクトリー」。ここでも音楽を介して、記憶が共有され、それがコンサートという形に結実するのだが、その過程で親や地域の人が子どもに演奏や歌を教えるという多世代・地域交流が生まれた。

北海道の小学校では、校歌のプロモーションビデオを子どもたちでつくるという活動も行なっている。他にも、被災地の避難地域の一つ下神白《しもかじろ》では、住民（多くが高齢者）にインタビューをし、想い出の曲やそれにまつわるエピソードを話してもらい、ラジオ番組をつくっている。この「ラジオ下神白」は、テーマでまとめてCDにしてプレゼントするという形で記憶を共有したという。

アサダさんはこうした説明の合間に、そのつど関連する質問をその場にいる参加者にした——「人から借りたまま返せなくなってしまった思い出の楽曲を1曲、教えてください」「子どものころ好きだった思い出の曲を1曲教えてください」というリクエストをして、参加者がそれを紙に書いて出す。それを書いた人を次々選んで、「ゲスト」としてアサダさんの横に来てもらい、インタビューを行なう。そして曲をYouTubeで流す、という具合に。イベントじたいがラジオ番組のように進行し、その場にいた私たちは、いつの間にか音楽を通して即興で結びついたコミュニティとなった。

そして最後の1時間は、フリーディスカッション。アサダさんへの質問もあれば、自分の体験談を話す人もいたりして、5時半まで、最初の準備も含めると4時間半にわたる充実のイベントであった。

最後にイベントの最中、その後に考えたことを綴っておこう（一部はディスカッションの内容）。最近は多世代交流や異文化交流、異なる立場の人たちが関わり合う場、コミュニティをつくるイベントや活動が多い。私の関心もそこにある。

だが、それはその場だけの、意図された（イベントであれば企画された）ものであってはならない。相互理解や寛容さ、親切心や優しさのような道徳的規範を要求するものでもいけない。もっと自然で、何気ないものでなければ、長続きしない。そうでなければ、本当の意味でいろんな人は参加できない。なぜなら、世の中は善人や親切な人だけでできているわけではないからだ。

アサダさんによれば、そのために必要なのは、記憶ないし想起だ。それは個人的であると同時に、語ることによって共有できるものでもある。さらにそれがきっかけとなって、個人と共同の両方で想起がさらに展開する。人はモラルやルール以前に、意味を共有する。そうやって自分の物語を、周りの人と一緒につくる。そうでなければ一緒にいられない。

それは普段の人間関係の中では難しい。親子は親と子の関係でしかない。先生と生徒の関係、上司と部下の関係、近所の人の関係、見知らぬ人どうしの関係、どれも通常のルールによって決められている。それは社会的なマナーであり、効率よく、スムーズにお互いが関わるための規範である。だがそれは同時に、お互いの関係を固定し、互いをそれぞれの立場に追いやり、その関係に入れない人たちを排除する。それは住み分けの論理ではあっても、共にいるための論理ではない。

　このような固定した規範を一時的にせよ崩すには、互いが普段では関わり合わないような場が必要だ。そこには予期しない、偶然的な要素がないといけない。予想できれば、いつもの規範がすぐに持ち込まれるからだ。

　そのためには普段は一緒にいない、いろんな人がいることも重要だ。「いろんな立場の人が共にいるためにいろんな人が必要だ」というのは、当たり前のような、論点先取のような話だ。しかし、通常の発想はそうではない。違う人が一緒になるために、前もって勉強する。それぞれがお互いの立場を学んで、「さあ、一緒にやりましょう!」となる。しかしそんなことはしなくてもいい。初めから一緒にやればいい。

　とはいえ、そもそもそれが難しい。だから、そういう差異が気にならないことをしなければいけない。音楽にはその力がある(もう一つは「食べ物」というのが私の持論だ)。芸術でもいいが、日常生活には少し縁遠い。誰でも何かしら知っているというほどでもない。その点で音楽は優れている。

　そこに予期しない、偶然的な要素を入れるのが「即興」である。コミュニティの場は、その場その場でまったく性格が違う。同じ手法を使ってもうまくいかない。ベースは何かあるのだが、それをその場に合わせて変えていく柔軟さが必要だ。アサダさんはそういうことが抜群にうまいし、そういう即興が生きてくるような場のつくり方を彼はしてきている。

　やはり私たちは似ている。で、彼からはいっぱい学ぶことがあった。今度彼の現場を見に行こっと。

後日談

　その後アサダさんとは、とくにコラボはしていないが、アサダさんと知り合いの人と会ったりコラ

ラジオDJのアサダさん

ボしたりすることが増えた。そういう意味で、彼のことはいつも身近に感じて、Facebook 等で彼の活動を楽しみにしている。

映画と対話の出会い

２０１９年１月５日 投稿

２０１８年12月23日に行なった〈哲学×デザイン〉プロジェクトは、映画監督の中里龍造さんとのコラボイベント。中里さんと知り合ったのは昨年の TED × UTokyo（東大の学生団体が主催するＴＥＤ）だった。

彼の映画づくりは、みんなで話し合いながら進めていくので、全然できあがらない――完成しない映画をつくる映画監督――結論の出ない対話をする自分と重なる。それだけで「中里さんとなんかやろう!」と、そのときすぐさま思った。それから1年が過ぎて、ある程度映画ができてきたタイミングで、イベントをやることになった。

中里さんによれば、「ぐるぐるまわる光の中で」は、不思議な成り立ちで生まれつつある物語。内容は「ある男女が、音楽ライブの撮影というフィクショナルな状況を通して出会い、互いに見たいものについて考える」というもの。

しかし中里さんは、監督が統括し、スタッフがその指示に従って動くようなヒエラルヒーの中で映画づくりをすることへの疑問を抱いていたという。スタッフが特定の役割分担をして、プロフェッショナルとして関わると、それぞれは自分の役割を果たすだけで、作品や制作全体を理解しなくなる。全員がそれぞれの立場から作品に向き合い、徹底的な話し合いを通して方針やアイデアを出しながら、全体が動いていけばいい。

ところがそうすると、映画の撮影は筋書き通りに進まず、すれ違いや摩擦のせいで時に混乱する。この映画じたいが、こうした制作のプロセスを表現したものである。映像には撮影スタッフも写っていて、メイキング映像のような面もある。どう呼んでいいのか分からない、おさまりの悪い映画。どんな居場所があるのか探している感じだ。

それでもそこには何とも言えないエネルギーが生まれた。このエネルギーは何なのか？　つくっている本人が、なんだかよく分からない。この「出来事」が何だったのか、ずっと考えている。すでに7年の歳月が流れ、映画はいまだ完成していない。

実を言うと、今回のイベントも、このような終わりの見えない制作プロセスの一部になっていた。だから会場は、まるで撮影現場さながらの本格的な音響機器とカメラに取り囲まれている。上映のために部屋の照明を消して、持ち込んだライトで薄暗く照らしている。何とも物々しい雰囲気に、来場者は部屋に入るなり緊張気味。

そこで私たちは、来場者に注意事項を伝える――「今回のイベントは、映画上映会ではなく、皆さんはたんなる観客ではありません。この制作プロセスを見ながら自分たち自身がそこに参加するような感じだと思ってください。皆さんが発する言葉、態度が最終的な映画の中身、出来を左右するかもしれません。そういう自覚と責任感をもって参加してください」。

そして映画を上映。70分ほど。私自身も初めて見た。いわゆる鑑賞用の映画としては、訳が分からない。どう受け取っていいか戸惑う。脚本に沿って演技をしているように見える部分、出演者へのインタビュー、スタッフが写るメイキングのような箇所、ドキュメンタリーのようでもある。どこまでがフィクションでどこからが現実なのかも分からない。

休憩をはさんで、とりあえず映画についての質疑応答。中里さんと大竹さんが映画づくりの意図や経緯を話す。しかしこれは鑑賞会ではないので、早々に切り上げ、映画の話から離れて、異なる人が一緒に何かをつくるということについて問い出しをしてもらった。

・一人一人の違いをどこまで許容すべきか？
・同じ理解をしたとは何をもって言えるのか？
・何かをつくるのに目的は必要？
・分からないものが分かるってどういうこと？
・バラバラと一つは対立概念か？

・何かを「つくる」としたら、それは意図を共有したことになるのか?
・完成するってどういうこと?

等々、全部で50以上の問いが出てきた。

そのあと、今度は参加者がこれらの問いをグループ分けし、そこに共通する主なテーマを浮き彫りにする。その中からさらに問いを立て、最終的に「バラバラなものが一つになるのに何が重要か?　バラバラなままではダメなのか?」について哲学対話を行なった。

映画にも出ていたバンドメンバーが、ライブの一体感について語り、他方で普段の生活の中で一つになるように求められる息苦しさを語る人もいた。人に干渉したくない、されたくないという思いと、人とつながりたいという相反する思いの間で私たちは生きている。バラバラであることは、一つになることと矛盾するわけではなく、その条件なのではないか。バラバラだからこそ一つになれるのではないか。

一つになるにしても、いい場合と悪い場合がある。一つになるには、誰かを排除しないといけないのではないか。バラバラでいいと言っても、家族や学校のクラスのように、それでは困る場合もある。何かを一緒にする、つくるときは、やはり何らかの仕方でまとまらないといけないが、その核になるのは、お金のこともあれば、誰かに対する怒りや恐れの場合もある。そういうのではなく、みんなが尊重され、自由や自発性を守りながら、一つになるにはどうすればいいのか。お互いの関係性、場のつくり方にどんな工夫が必要なのか――多くの問いと思い、考えが次々に出た。この対話が映画の完成にどのように生かされるか、楽しみにしたい(この映画が「完成する」ってどういうことか分からないけど)。

映画撮影さながらの中里さん

文字を通して自らと向き合う

２０１９年４月10日 投稿

２０１９年、２月17日と3月2日、書家の華雪《かせつ》さんによるワークショップを行なった。タイトルは、アートcare「「木」を書く〜字を書くことから見えてくる〝わたし〟」[4]。

華雪さんは、「一字書」という独自のジャンルで活動を続けてきた書家である。師匠や古典の書をお手本とするのではなく、一つの文字(多くは象形文字)を書く。ワークショップ両日ともに「木」という字を書いた。

自分が思ったように書く。大きさも形も、自分で考える。筆も、華雪さんが用意した多種多様な種類の中から自分が気に入ったものを選ぶ。水牛、リス、イノシシ、馬、孔雀、竹、華雪さんの髪など。紙の大きさも形も自分で決める。ある意味〝好き勝手〟であり、自由である。どのように書かないといけないかの指示や制限はない。正解もない。上手下手もない。

だが、気楽からは程遠い。「なぜそのように書いたのか」の説明を求められるからだ。筆を選ぶ、紙を選ぶ、線の太さ、配置、字の大きさ……すべてを自分で決める。そのすべてに理由がいる。「何となく」は許されない。たった一文字を書くために、どれほど自分と向き合わなければいけないのか。

筆の感触を確かめるために、何度も線を引く。直線、曲線、丸。そしてそれを文字にしていく。自分にとって「木」とは？　それを文字に書くとはどういうことか？　自分と「木」という文字はどのように関係しているのか？　いろんな形で書いてみて、徐々に自分の字を見つけていく。でもなぜ？　なぜこんな線を書くのか？　この「木」で何を表わそうとしているのか？　そもそもここで私は何をしているのか？　何をしに来たのか？

ワークショップには、15人ほどが参加していた。だか

[4] イベントの進行、様子については以下のリンク先を参照　https://www.souq-site.com/shop/g/gMkasetsu01/

参加者全員による作品

らきっと、参加した15人の全員が同じ空間で、みんなで一緒に、それでいて各々バラバラにこんなことを自らに問いかけていたのだろう。その不思議な一体感と孤独感。

　哲学対話を授業に取り入れているとある学校の年度末の振り返りで、「哲学対話ってどんな時間ですか?」という問いかけに生徒が寄せ書きをしていた。「いろんな人の意見が聞ける」「今までなかったことを考える」など、それらしいものがある中に、こんな言葉が書かれていた。

「孤独になれる時間」「自分と向き合う時間」――華雪さんのワークショップも似ている。

　普通、みんなと一緒でありながら孤独というのは、どこか疎外感が伴う。もしくは、一緒にいることと孤独であることは、端的に相容れない。だけど、この一字書の体験は、連帯感と孤独感が結ばれている稀有な状態だ。哲学対話は共有された言葉と思いを通して自分に向き合う。一字書は共有された一つの文字を通して自分に向き合う。そこは安心して孤独になれる場なのだろう。

　最後に大きな紙にそれぞれが自分の「木」を書く。それが豊かな森となる。ワークショップで起きたことがそのまま形になったようだった。

後日談

　このとき、2回開催されたワークショップのうち、1回目にうちのかみさんが、2回目に私は娘と参加した。言わば家族で華雪さんを体験したわけである。以来、夫婦で彼女の個展に何度か行き、彼女が制作した日めくりカレンダーを買った。かみさんは、華雪さんの書道教室に通うようになり（「行っても文字が上手にならない教室」と華雪さん本人が言っていた）、「心」の字の作品を書いていただき、寝室に飾っている。

華雪さんは、大阪の日雇い労働者の町、釜ヶ崎のコミュニティルームや、被災地の学校、フランスの障害児施設でも同じようなワークショップを行なっている。書く文字が漢字の中でも「木」のような象形文字なので、漢字を知っていても知らなくても参加できる。「書」という一見敷居が高そうな行為を、これほど多様な人たち、とりわけ社会の周縁にいる人たちに開いている。今度はワークショップだけでなく、じっくり話をしたい。

文を以て人を繋ぐ ～「キセキの高校」を振り返る

２０１９年７月５日 投稿

２０１９年5月13日～5月17日、日本経済新聞のウェブページに、「キセキの高校」という記事が5日連続で発表された（翌日には紙面でも短いヴァージョンが掲載）。日経のウェブページには、単発の記事では伝えられないものを「ストーリー」という連載記事にするコーナーがある。[5] 多くは社会問題や経済・政治を扱ったもので、国内外の著名人が登場する。

そこに大山高校という、普段はまったく注目されることのない、都立のいわゆる「底辺校」（最近は「教育困難校」と言われることも多いが、いずれにせよ適切な言い方だ

［5］ https://r.nikkei.com/stories 現在は「連載」というコーナーになっている

政治 ビジネス 金融 マーケット マネーのまなび テック 国際 スポーツ 社会・調査 地域

キセキの高校

キセキの高校

全5回

偏差値40。東京都立の高校の中でも最下層。そんな都立大山高校（板橋区）で、異変が起きている。この3年、上智など有名私大に加え、国公立大への合格者が相次いでいるのだ。生徒を変えたのは、詰め込み式の受験勉強でもなく、最先端のＩＴ授業でもない。哲学者が学校に持ち込んだ「哲学対話」という集いだ。その変貌は、奇跡の変身か。それとも、変化の軌跡か。

日経のオンライン記事

とは思わない）が、5回にわたって取り上げられた[6]。

ここで、そもそも私が大山高校に関わることになった経緯を述べておこう。2015年の秋、第4章で登場する「子どもの成長と環境を考える会」の代表、白井一郎さんが、大山高校校長の小山秀高氏を連れて私に会いに来た。白井さんからはそれまでも都内のいろんな高校への哲学対話導入を依頼されて協力してきた。今回はいわゆる困難校で、学級崩壊も起きているとのことだった。それを聞いて私は「それは生徒が面白くないものは面白くないと態度で示しているわけだから、素直な子が多いということですね」と言って、二つ返事で引き受けた。実際学校へ行ってみると、たしかに学級崩壊はしているが、生徒は授業中なのに私に手を振ってきたり話しかけてきたりして、とてもいい子たちだ。この学校は、生徒には何の問題もないと思った。そこで私と白井さんは翌年2016年、東京都の「学力向上推進校」に申請し、採択され指定を受けた。そして私が年4回の教員研修を行ない、この記事にあとで登場する堀越耀介さんが月2回の生徒向けの哲学対話を行なうことになった。

とはいえ、大山高校は、一般的に言えば、メディアに登場するような学校ではないし、まして日本経済新聞に取り上げられるなど前代未聞だった。しかも、他の記事よりはるかに多く読まれ、大きな反響を呼んだ。一つの

［6］ https://r.nikkei.com/stories/topic_DF_TH_19050800

高校について書かれた記事としては異例の扱いである。

全5回のタイトルはそれぞれ、#01 偏差値40から上智大 頑張れたのはなぜ、#02 本当にうちの生徒？ 対話が高校を変えた、#03 その校則って必要？ 「そもそも」を問う哲学者、#04 勉強って意味なくね？ 高校生の「なぜ」を引き出す、#05 大企業もハッとした哲学が教室を飛び出す——である。

そして6月30日、「文を以て人を繋ぐ」という、やや堅苦しいタイトルのイベントを開催した。もともとは「キセキの高校」という日本経済新聞社のウェブ版に5回にわたって掲載されたのを祝して、記事に登場した高校生も含め、関係者で集まって「打ち上げ」（懇親会）をしよう！ という話だった。しかしせっかく集まるなら、ただ飲み食いするだけじゃもったいないので、一般の人にも来てもらい、記事ができるまでの経緯、取材、編集、その後など、たっぷり時間もとって「振り返り」をしようということで公開イベントにしたのだった。ただし「文を以て人を繋ぐ」というタイトルは、目くらましにテキトーにつけたわけではない。今回の記事が何であったのかを私なりに考え、それを簡潔にまとめたもので、イベントの趣旨は、いろんな意味でまさにこれであった。

さて、まず今回のゲストとしてお呼びした高橋元氣《もとき》さんとの出会いについて書いておこう。事の発端は、高橋さんが拙著『考えるとはどういうことか——0歳から100歳までの哲学入門』（幻冬舎、2018）を読んで、哲学対話についてインタビューに来てくださったことだ。そのとき私は彼に大山高校のことを話し、「面白いから一度対話に参加してみるといいですよ」とお伝えした。ある日高橋さんがふと思い立って大山高校に電話をかけると、ちょうどその日に哲学対話があって参加することになったらしい。

高橋さんは、私の予想をはるかに超えて哲学対話と大山高校に魅せられた。対話に何度も参加し、取材を申し込むと、校長先生があっさり快諾。何度も哲学対話に出て高校生と語り合い、生徒や先生他、関係者10人以上にインタビューを行ない、挙句の果てに私がやっている教員研修にも参加した。そんなことをしているうちに、1回の記事では全然足りなくなり、会社で検討した結果、

「ストーリー」として5回の連載にすることになったという。

高橋さんの話で興味深かったのは、記者が取材をして記事として世に出るまでのプロセスである。高橋さんによると、一つの記事は、記者とカメラマン以外に、企画を審査する人、編集者、校正者、見いだしをつける人、その他大勢が関わってつくられており、記者の果たす役割は最大5割、「キセキの高校」では1割だったという。

当然、取材したことの大半は記事にならない。それは記者の判断というより、編集者の決断である。おそらく記者では、取材相手や自分で調べたことへの思いが強くてまとめられないこともあるのだろう。他方編集者は「読者が一気に読める」ようにするために、内容と言葉を大胆かつ冷静に取捨選択する。そして記事のタイトルはまた別の人がつける。そうやって多くの人の共同作業として記事が完成する。しかも記事には厳格な「締め切り」がある。だからどうしても盛り込めなかった声、聞けなかった話がたくさん残っている。そういう悔恨のうえに一つの記事が成立するのである。

会場に来ていた記事の「登場人物たち」は、自分と高橋さんが向き合っている場面、その周辺のことしか知らない。イベントで高橋さんの話を聞き、ようやく取材＝大山で起きていたことの全体像が見えてくる。高橋さんは、記事を書くことでモノとコトとヒトをつないだ。そしてこのイベントを通して、関係者がお互いの思いを共有できた。

そのあと高橋さんと高校生たちの希望もあって、「せっかくだから今日も対話をしたい！」ということで、後半はグループに分かれて哲学対話を行なった。テーマは一方が「勉強ができるってどういうこと？」、もう一方が「なぜ暗黙のルールがあって注意を受けるのか？」だった。

対話が終わったら、いよいよ打ち上げ。UTCPのオフィスでピザパーティーをした。関係者以外にも大勢が参加し、みんなで歓談した。高橋さんが奥さんと子どもさん3人を連れてこられたのが、私としてもうれしかった。おかげでイベントもパーティーも、とても和やかで賑やかになり、「振り返り」のイベントとして、とても満たされたものとなった。

後日談

高橋さんは今なお、大山高校で出会った生徒たちとコンタクトをとっている。そして2022年に出したUTCPブックレットに「キセキのその後」というエッセイを寄せてくれた。

私自身も彼との付き合いが続いている。私は2018年から、長野県の南相木村という人口1000人に満たない、高齢化率（65歳以上の人口）が50%を超える町で「おしゃべりコミュニティ」という対話イベントと食事会を兼ねた交流会を行なっているのだが、高橋さんは2019年に息子さんと一緒に参加してくれた。

さらに〈哲学×デザイン〉プロジェクトでは、2021年に初の出張オンラインイベント「娘であり、母であり、そして、私」を八丈島で開催し、加納穂子《ほこ》さんと寺尾紗穂さんにお越しいただいた。加納さんは90年代半ば、「沈没家族」という育児コミュニティをつくった人で、のちに八丈島に移住して今に至る。寺尾さんはシンガーソングライターでありながら、ルポルタージュやエッセイを書く文筆家である。当初、私は寺尾さんの歌を聴いたことがなかったのだが、イベント後、かみさんとライブに行って夫婦そろって大ファンに。そのことを高橋さんに伝えると、彼もすぐに虜になり、私よりも寺尾さんにのめりこんでいる。先日、下北沢で行なわれたライブには、お互い夫婦そろって聞きに行った。ほとんどプライベートで友だちと化している。

「ために」から「ともに」へ
～哲学対話とInclusive Design

2019年7月15日 投稿

2019年7月6日（日）、NPO法人Collableの山田小百合さんとのイベントを行なった。インクルーシブデザインを看板に掲げて活動をしている彼女とは、私が哲学対話を始めたころに知り合い、以来ずっといつかコラボしたいと思っていた。そのころから哲学対話とインクルーシブデザインは、どこか深いところでつながっているというぼんやりとした直観があった。その思いは今や確信となり、私は哲学対話のことを英語で inclusive philosophy と呼び、これを「共創哲学」と訳すことにしている。

そして昨年2018年から科学研究費で「デザインとの協同による共創哲学の理論と実践」というプロジェクトを立ち上げた。哲学対話は、そのつど一緒に問い、語り合い、共同で思考を創っていく——それは教える - 教わる、導く - 導かれるというような通常の哲学のような関係がなく、みんなが対等に思考のプロセスに関わる。その関わり方がインクルーシブデザインに似ている。

哲学対話は多様な人たちが共に語り、考える場であり、インクルーシブデザインは多様な人たちが共に活動し、何かを生み出す場である。考えることが哲学であるなら、やはり哲学対話は inclusive philosophy なのである。そこに共通する問いは、「どうすればいろんな人たちが共にいて、一緒に何かをできるのか?」である。この問題を考えるうえで、デザインの視点はきわめて有効である。

物事には必ず exclusion（排除）と inclusion（包摂）がある。どんなものも、特定の人にとっては inclusive（利用・参加しやすい）が、他の人には exclusive である（利用・参加しにくい）。人々はそれに気づかないが、デザインはそうした排除と包摂を明確にし、それに対処することができる。形や大きさ、配置やプロセスを工夫することで、排除を減らし、より多くの人が使えるようにする。そうしたデザイン的な発想からより、多くの人が無理なく関われる社会を築くことができるにちがいない。

当日は、私がこのようなことを説明し、そのあと山田さんに自分の活動について話していただいた。山田さんの原点は、知的障害をもった兄弟と一緒に育ったことである。彼女にとって、兄弟との生活は、少し変わったところはあっても、ごく自然なことだった。そこで山田さんは大学院で「障害のあるなしに関係なく、どうすれば子どもたちが一緒に学ぶことができるのか」という問題意識から、遊びの要素を生かしたワークショップの研究を行なうことになったという。Collable の立ち上げと活動は、その延長線上にある。

そこで彼女は参加者に一つの問いかけをした――「最初の友だちはどうやってできましたか」――これに対して、彼女は「たぶんこんな感じ」と、子どもが一緒に泥んこ遊びをしている絵を見せた。そう、とてもシンプルなことなのだ。私たちは、何かを一緒にする中で、共にいる術をおのずと身につけていく。障害者との関わりも同じではないか。

山田さんのワークショップでは、大勢の子どもが集まって遊んでみたら、隣に障害をもった子がいた、という感じになるようにするという。そうやって子どもたちは、障害の有無にかかわらず、一緒に遊ぶことを学ぶ。その間、ケンカのようなトラブルも起きる。そういう場合は、中断して、どうしたかったのか、どうすればいいのか、みんなで考える。山田さんによれば、それも「ともに」いて、一緒に生きていることを学ぶのに必要なプロセスである。

ここから分かるのは、インクルーシブではない世の中のありようである。子どもでも大人でも、障害者と健常者が一緒にいると、不便、不都合、衝突、差別、いじめ、いろいろな「問題」が起きる。そのとき多くの場合、とくに学校では、それを〝回避〟するという方策をとる。それが特別支援学校である。そうして障害をもった人ともたない人は、関わり合わなくなり、共にいることを学ぶ機会を失う。障害者の〝ために〟何かをするのではなく、彼らと〝ともに〟何かをするようにできないか。〝支援〟をするのではなく、〝一緒に生活する〟ことこそ大事なのではないか。そんな視点から山田さんはこうコメントした――「学校教育の間ずっと障害者と健常者を別々に分けておいて、社会に出てから急に障害者雇用と言っても難しいのが当然でしょう」。

思うに、これは必ずしも障害者と健常者の関係だけの話ではない。学校でも、勉強でついていけない子、授業を聞かない子、他の子よりもできるので退屈する子もいる。そうすると、能力別のクラスに分けたり、補習をやったり、補助教員をつけたりする。学校単位で、進学校、中堅校、底辺校に分かれる。さらにどこでも、学校に通えない子が出てくる。これは、同じ年齢の子が同じことを学ぶという制度によって起きることである。その制度を維持するために、ルールを決めて子どもたちを管理し、秩序を保とうとする。けれども、結局その制度にいろんな形で合わない子が出てくることには変わりない。

このような学校は、いろんな人が一緒にいられるインクルーシブな場ではない。実際にはむしろある基準を決めてそこに合う人と会わない人を選別するエクスクルーシブな場である。それはinclusion（包摂）ではなく、integration（統合）であって、似て非なるものである。インクルージョンは、むしろ基準のほうを変えることで、いろんな人が無理なく一緒にいられるようにする。学校の場合、たとえば、それぞれの子どもが学びたいことを学びたいペースで学べるようにする。あるいは、みんなで一つのことをやっていても、役割や関わり方は子どもによって違っていてもいいようにする。そうすれば、学力や意欲の差から生じる前述のような問題はほとんど生じなくなるし、問題が起きても、今度はそれに一緒に取り組めばいい。

そもそも、問題があっても、それを「問題だ！」と思うから〝問題〟になる。だが、問題があることじたいは〝問題〟ではなく、対処すればいいだけなのだ。むしろ問題があるからこそ、何かをする理由ができる。「ともに」生きる場というのは、「問題」も含めて、何かを一緒にすることを積み重ねることで実現するのだろう。これはインクルーシブであることにとって非常に重要な点である。

今回のイベントを通して、インクルーシブな場を具体的にどのようにつくるのか、「インクルーシブ」とは、どのような関係を言うのかについて、山田さんと私と参加者でいろいろと話せたのは、大変有意義であった。参

イベントの様子

加者との質疑応答の中では、インクルーシブな場をつくるために新しい技術を活用する可能性や、これからの超高齢社会において認知症の人を包摂する方法についても議論できた。

山田さんの活動は、やはり私がやってきた哲学対話と共通する点が多いことをあらためて確認した。それだけでなく、哲学対話のポテンシャルを共創哲学へ拡張するヒントを多くもらった。

語ることによる排除を乗り越える
～書く哲学対話の試み

２０１９年８月９日 投稿

２０１９年7月28日（日）、「哲学×言語～全人類が可能なコミュニケーションとは？」という、いささか大げさなタイトルのイベントを行なった。まずはその趣旨を説明しておこう。

共創哲学（inclusive philosophy）の基本的な問いの一つは、どこでどのような排除が起こり、どうすればそれを取り除き、より包摂的にできるのかである。前回の山田小百合さんとのコラボイベントで明確になったように、そこで重要なのは「どうすればいろんな人たちが一緒に何かをできるのか」を考え、実際にやってみることである。

今回のテーマは「言語」である。言語は、包摂と排除のもっとも一般的な要因である。言語は、人と人を結びつける一方で、分断をもたらす。バベルの塔の物語では、天に届かんとする塔を建設しようとした人間への罰として、神は人間から共通言語を奪った。その結果、人間はお互いに言葉が通じなくなって一緒に仕事もできなくなり、人間の野望は打ち砕かれた。

つまり、同じ言葉を話す人どうしは共にいることができ、異なる言葉を話す人どうしは、共にはいられないのだ。それは日本語と英語、中国語のような、いわゆる言語の違い――多くの場合国や民族の違い――だけのことではない。地方（方言）、年齢・世代、性別、学歴、職業などについても、言葉が同じであれば結びつきが強く、違っているとギャップや分断、排除が生じる。さらに耳が聞こえない、目が見えない、字が読めないなどの認知機能の違いによっても、分断や排除が起こる。

他方で、これまで哲学対話を実践してきて、「話す」ということの意義を深く理解するのと同時に、そこに対話の限界も感じてきた。そして「話す」というのは、対話にとって根本的ではないのではないか、もっと言えば、意味のやり取りは何らかの仕方で必要であっても、言葉（少なくとも明示的に表現される言葉）は必ずしも必要ではないかもしれないと思うようになった。

そこで今回は、障害者福祉をビジネスに結びつけている会社「ヘラルボニー」[7]の松田崇弥さんと、言語の異なる者どうしのコミュニケーションの場を提供する「異言語ラボ」[8]の菊永ふみさんをお呼びすることにした。

[7] ヘラルボニー　http://www.heralbony.com/
[8] 異言語ラボ　http://igengo.com/

二人との出会いは、5月12日に東京芸術大学で行なわれたTURNミーティングである。TURNとは、障害の有無、世代、性、国籍などの違いを超えた多様な人々の出会いによる相互作用を生み出すアートプロジェクトである。以前UTCPのイベントでコラボしたことのあるライラ・カセム（Laila Cassim）さんが、今年の4月にプロジェクトデザイナーに就任し、その縁で私もパネリストとして呼んでいただいた。そこにヘラルボニーの松田さんも登壇して、彼と普段から仕事をしている菊永さんとも知り合った。

そのときのテーマは「未来を切り開くコミュニケーションって!?」。ライラさんと松田さんと私と、TURNを統括する日比野克彦さんで、コミュニケーションや相互理解について、それぞれの立場から語り、ディスカッションをした。[9]

このイベントで松田さんと菊永さんがやっている「未

[9] TURNミーティングの報告　https://TURN-project.com/timeline/diary/5227

来言語プロジェクト」を知り、その「全人類が可能なコミュニケーション」という理念に共感し、今回のコラボ企画になった。

まず私が今回のイベントの経緯と趣旨を説明し、そのあと松田さんと菊永さんにご自身の活動について話していただいた。松田さんは、双子の兄弟と、自閉症のお兄さんと育った。障害がある人やその家族は、世間からは同情されたり、大変だと思われたりすることが多い。しかし松田さんにとって、お兄さんは、少し変わった人ではあっても、かわいそうなわけでも、大変なわけでもない。だから、知的障害は、見方によっては、強烈な個性、〝異彩〟になる。双子の兄弟は、それを社会に向けて解き放つことをミッションに掲げ、ヘラルボニーを設立した。

以来、日本各地の障害者施設と協働して、様々な会社やシーンにあったアート作品を提供したり、障害者の作品をモチーフにしたプロダクトをつくったり（MUKUという自社ブランド）、工事の仮囲いをギャラリーにして作品を展示したり（全日本仮囲いアートプロジェクト）する活動をしている。松田さんによれば、「知的障害のある方が描くアート作品には、予定調和・バイアスを破壊する力がある」。だからそのクオリティにこだわり、ブランディングし、きちんとビジネスとして成立させる。

もう一つの活動が、今回のテーマ「未来言語プロジェクト」である。理解できない外国語、耳の聞こえない人にとっての音声言語、目が見えない人にとっての文字言語といった言語による障壁をどのように超えることができるか――このように可能なかぎり誰にでも開かれたコミュケーションの可能性を探る。

このプロジェクトで松田さんがコラボしているのが、異言語ラボの菊永ふみさんである。彼女自身、耳が不自由で、話すことはできるが、聞くことに大きな困難を抱えている。当日は手話通訳の方に来ていただき、私たちとの間のコミュニケーションを手伝っていただいた。

しかし異言語ラボは、「異《ことなる》を楽しむ世界を創る」を理念とし、むしろこの不自由さを逆手にとって、「異なる言語・文化をもつ者どうしが協力し、伝え合い、認め合うことで、新たな世界が広がる瞬間を実感できる場を想像し、探求する」活動をしている。そして「異言語脱出ゲーム」

という一種の謎解きゲームのイベントを行なっている。これは、耳が聞こえる人と聞こえない人が一緒に、身振り手振り、文字などを用いて、謎を解きながら脱出するワークショップで、様々な学校や企業でも行なっている。

彼女の活動は、聴覚障害を軸にはしているが、このイベントを通して、参加者は自分の限界と共に新たな能力と自己のアイデンティティを知り、自分とは異なる他者を理解し、協力し、信頼することを学ぶという。

松田さんにしても菊永さんにしても、彼らにとって障害とは、けっしてたんなる困難ではなく、新たな、際立った〝可能性〟である。彼らの活動は、障害者福祉のポンテシャルを拡大するだけではない。それはアート、ビジネス、教育、ライフスタイルにも新たな領域を開いていく。

二人の活動紹介のあと、イベントの後半では、言葉を発しない、文字だけで行なう哲学対話を試みた。まずはテーマとなる問いを出してもらい、その中から3つを選んだ。

「話す言葉だけが言語か？」

「芸術作品のうまいとヘタはどう違うのか？」

「宇宙人・ネコ・ペンギンとコミュニケーションはとれるのか？」

「書く」対話

話しながら行なう通常の対話と違ったので、それで戸惑うグループもあったが、他方で、話すのが苦手な人にとっては、書くほうが気楽だったという意見もあった。また、ある程度まとまりのある対話をするのに、文字だけで対話するのは不自由を感じる人もいた。ホワイトボードの大きさの制約で、何でも書けるわけではなく、書くことを選ばねばならず、そこで悩んだ人もいた。

他方で、対話が同時並行でいろんな方向に展開し、みんなそのどれにも参加し、自由に行き来できる。しばらくたってかなり前に書かれたことに反応することもできる。字の代わりに絵を描く人もいた。全体として、言葉による対話よりも自由な感じがした。

耳が聞こえないことのハンディは、ほとんどなかったと思われる（ただし、菊永さんによると、聴覚障害者は、文字を書くのが苦手な人も多いとのことだった）。文字はたしかに障壁である。しかし、文字のみによることで、言葉を話すことからくる限界は、かなりの程度乗り越えられることが分かった。

松田さんや菊永さんとはいずれまたコラボする予定である。今度は別の障壁を超えるコミュニケーションの可能性を探りたい。

後日談

二人との2回目のコラボは、まだ実現していない。その間、ヘラルボニーは大躍進し、プロダクトの種類も活動の幅も広がり、日本各地で展示会を開いている。うちのかみさんも、渋谷のショップでトートバッグを買った。松田さんはちょっと遠い存在になってしまった気がする。でも、この間にどんな変化があったか、新たに気づいたこと、考えたことが何か、あらためて話を聞いてみたい。

異物を取り込み、音楽を開放する
～現代音楽と共創哲学の出会い

２０１９年12月7日 投稿

２０１９年10月26日(土)、「LANDSCAPE⇔SOUNDSCAPE 聞く・聴く・きく」という、タイトルからして分かりづらそうなイベントを行なった。ゲストは現代音楽の作曲家という、やはり分かりづらそうな人である。

今回お招きした小野龍一さんとは、8月に東京都美術館で行なわれたＴＵＲＮフェスのあとの懇親会で知り合った。そのとき、現代音楽について日本の現状や彼の考え、活動についてお話をうかがい、〈哲学×デザイン〉プロジェクトで私が目指していることと共通するものを感じ、今回の企画に至った。

小野龍一さんは、東京芸大の作曲科で現代音楽の作曲と音楽史を学び、とくにジョン・ケージの研究を行なった。その後、現代音楽も含め、従来の音楽の枠組み、その硬直した閉鎖性に疑問をもち、「音楽が生まれ、聴かれる場」をつくる活動をしてきた[10]。

ワークショップで小野さんはまず音楽史を振り返り、西洋における楽譜が音楽を記録・保存し、再現してきたことが、音楽に決められた型とルールを与え、それは音楽をコントロールすることにつながったと指摘した。現代音楽は、そうした枠組みを壊し、支配から逃れる試みだという。この変化について、グレゴリオ聖歌、シェーンベルク、松平頼暁《よりあき》、武満徹、ピエール・ブーレーズらの音楽をYouTubeで再生しながら説明した。

小野さんの活動も、この流れの中にあって、音楽を既成の概念から解放／開放することを目指している。音楽がどのようなもので、どのように構成され、どのように演奏されなければならないかという規範＝拘束から自らを解き放つとともに、音楽ならざるものを自らに取り込

現代音楽コラボポスター

［10］ 小野さんのＨＰ https://ryuitarian.jimdofree.com/

み、外部へと開いていくことである。

その集大成として、小野さんは「静かな家」という自分の作品を動画で紹介した[11]。

これは一つの民家の中で音と光、言葉と共に家の空間全体を体験する場である。それは通常の意味での音楽でも演奏会でもなく、家を丸ごと使ったインスタレーションのようであった。

小野さんの話が終わったあと、参加者には、音楽について疑問に思うこと、自分の考え等、ホワイトボードに何でも自由に書いてもらった。すると非常に多種多様な意見、疑問が出てきた――現代音楽には「美」を感じない／耳は音を排除できない／感情に作用する／年齢により音の聞こえ方が変わる／音楽は空間を体験すること／音楽は対話なのでは？／刹那のつながり／記憶の鍵／ノンバーバルなコミュニケーション／音楽にジャンルがあるって型にはまってる感じがするけど誰が分けるの？／日本伝統音楽≠日本人の音楽？／音楽を学ぶこと＝特定のジャンルの人になること？／鼻歌は覚えるものか自然なものか／再現芸術・コンセルヴァトワール以前以後、等々。

続けてお互いに向き合い、自分が書いたことについて全員に説明してもらい、現代音楽のみならず、音楽全般について自由に話し合った。東京芸大の学生や芸大出身の音楽家、音楽プロデューサー、雅楽師なども来ていて、これからの音楽のあり方についても話が及んだ。

最後は、作曲（？）のワークショップを行なった――参加者に1枚紙を渡し、そこに縦に4本線を書いてもらい、そのいずれか2本の線のうえに○を書く。4本の線はリズム、2つの○は音を鳴らすタイミングを表わす（音符のようなもの）。

小野さんがリズムを取り、参加者は自分が書いた〝楽譜〟に従って音を鳴らす。音は何でもいい。拍手、机をたたく音、自分の声、足踏みの音、それぞれが思い思いの音を出して〝演奏〟する。最初はバラバラだったのが、続けているうちに、だんだん音が合ってきてリズムを刻み、〝一つの〟音楽になる。

［11］ https://www.youtube.com/watch?v=gH97AYP3wT8

思ったとおりだ。音楽を通していろんな人が、音楽が好きな人も苦手な人も、楽器が弾ける人も弾けない人も、年齢も性別も関係なく、一緒にいられる場が開かれた。ここにもまた共創、インクルージョンの形がある。

後日談

小野さんとはその後も時々連絡をとっている。2020年の夏、コロナ禍のなか、彼は「不安のサウンドスケープ」という作品群をネット上に発表したとメッセージをくれた。ライブやコンサートができなくなった音楽家たちは、無観客で演奏するのを動画配信していたし、ほとんどの人はそれを喜び、応援していただろう。ところが小野さんはそれを「最も警戒すべきなのは政府や一部のカリスマによって叫ばれる「文化の力」なる前世紀的なスローガンに「無条件に」同調し、こうした興行に軽やかに乗じてしまうことにある」と一蹴する。そしてコロナ禍という異常時にしか発現しない「特異な状況」に応答するとして、無人の状態が続く各地のコンサートホールの〝音〟をひたすら録音する。それは演奏が始まる前の「期待の沈黙」ではなく、終わりの見えない「不安の沈黙」である。実際に再生してみると、それぞれの無人の空間には特有の音があり、その多様さに驚かされる。それは文字通りゲニウス・ロキ(場所の霊)の出現のようだった。

さて2022年の春、また小野さんから連絡があった。自宅の近所にあるなじみのカフェでライブを行なうという。「ピアノと珈琲によるデュオ・コンサート　In a Liquid-scape —— 珈琲の詩学」という名のイベントである。

カフェは線路とバス通りの交差する角にある。会場30分前に店に入ると、ガタンゴトンと走る電車の音、カンカンカンと鳴る踏切の音、バスが走る音、近所の生活音など、普通に考えれば雑音、騒音がたえず店の中に入ってくる。

小野さんは奥のほうで電子ピアノとパソコンをつないで、一人でセッティングをしている。1000円+ワンドリンクなので、コーヒーを注文するが、店主の女性が「今日はピアノとコーヒーのデュオなので、コーヒーはライブが始まってから飲んでいただきます」と軽やかに言う。なるほど。

そうこうするうちに、狭い店の中に40人くらい入って、床にも座るほどの盛況ぶり。7時になって小野さんが口を開く。「今日は彼女とのデュオです」と、店の女性を紹介する。そして、外から入ってくる電車や踏切やバスの音をパソコンに取り込み、それを演奏に重ねるという。

説明が終わって、いよいよ演奏というとき、店主が「すみませーん、誰が何のコーヒーを頼んだか、分からなくなったので、適当に回していただけますか」と、これまた軽やかに言う。いろんな味のこだわりのコーヒーを出しているお店だが、誰が何を飲むかは、始まった時点でどうでもよくなってしまった。それでも私のところには、早々にコーヒーが届く。注文したものかどうか不明だが、それを飲みながら演奏を聴いていて、これがコーヒーとピアノのデュオなのかと思った。が、そうではかった。小野さんの演奏中、店主の女性は、いつもどおりコーヒー豆を挽き、冷蔵庫を開け閉めし、食器棚からカップと皿を取り出す。そのときに出るいろんな音がピアノと混ざる。それがデュオだった。

その日に小野さんが演奏する曲目は、旋律がはっきりしているものもあって、わりと聞きやすかった。終盤にさしかかったとき、彼はピアノの音を出しながら、斜め後ろに置いたパソコンをいじって、録音した外の音とチューニングしているように見えた。いつ曲が始まるのかと待っていたら、突然「以上です」と演奏を終えた。えっ、今の音楽だったの？ と呆気にとられる。すると店主の女性が「すみませーん、まだコーヒーが行きわたらなくて」と、相変わらず軽やかに謝る。客の半数がコーヒーをまだ飲んでいない。なのにライブは終了。みんな拍手。アンコールもなく、

ピアノを演奏する小野さん

本当に終わり。それでもピアノとコーヒーのデュオ。いろんな意味で衝撃的。

小野さんの音楽は、音のインクルージョンである。あらゆる音を作品にしてしまう。注文したコーヒーが届かず、しかも飲んでない人が半分いても、それも含めてライブの一部になってしまう。出来事のインクルージョンである。懐が深すぎる。もっとも誰がこれを聞きに来るかと言うと、かなりエクスクルーシブではあろうが。

愛のために出会いの場をデザインする

2020年1月15日 投稿

婚活と哲学対話は絶対に相性がいい！という確信が、私にはかなり早い時期からあった。そして2013年、上天草市の町コン（クリスマス・カップリングパーティー）で哲学対話をして、私の確信は実証されたと言っていい（第2章「熊本での出張対話（4）いよいよ本番！（上天草編）」参照）。

またどこかでそういう機会がないかと思っていたところ、2017年、婚活会社マハローの社長、石原鉄兵さんと知り合い、さっそく婚活パーティーをもちかける。そこに彼の知り合いで元カリスマホストの井上敬一さんが加わった。そして今度は東京の歌舞伎町で婚活パーティーを開催することになった。[12]

このときも上天草と同様、まずは哲学対話によって参加者が親密になり、続くパーティーでもごく自然に盛り上がり、大成功の裡に終わった。そしてここでもやはり、勝手に二次会に行く人たちが続出した。

その後私は、〈哲学×デザイン〉プロジェクトの中で、様々な人が出会う場づくりの活動をしている人たち、デ

[12]「婚活サークル」×「伝説のカリスマホスト」×「東京大学教授」コラボイベント企画 究極の婚活イベント『恋の技法＆愛の哲学』 https://www.value-press.com/pressrelease/192841

ザイナーやアーティストらとコラボイベントを行ない、２０１８年からは「デザインとの協同による共創哲学の理論と実践」という科学研究費のプロジェクトも立ち上げた。そして今度はこの「場づくり」の文脈で、婚活を「愛をテーマとした場のデザイン」として位置づけようと考え、ふたたび石原さんと井上さんに声をかけた。〈婚活×哲学〉の活動を本格的に始めようと考えたのである。そこで２０１９年12月22日（日）、「いかにして愛のために出会いの場をデザインするか」というイベントを行なった。当日はまず、お二人にそれぞれの活動についてお話しいただいた。

石原さんが最初に指摘したのは、プロフィールで判断しても、相手がどういう人かは分からないし、それに基づいて条件や希望でマッチングしてもうまくいくはずがないということだった。それなのに婚活ではそのようなことばかりが行なわれている。

では、今日の結婚をめぐる状況がどうなっているかと言うと、かつては大半の人が見合いで結婚していたが、今ではそれがほとんどなくなっている。代わりに自由恋愛で結婚するのかと言うと、それがなかなか難しい。結婚願望は男性で8割、女性で9割の人がもっているにもかかわらず、6～7割の人に交際相手がいない。理由はほとんどが「出会いがない」ということだという。ではそういう人はどうしているのかと言うと、何らかの婚活サービスを利用したことがあるのはわずか23%。つまり、50%前後の人が結婚はしたいが何もしていないことになる。それはなぜなのか。

石原さんによれば、気軽に行ける出会いの場がないからである。婚活サービスは重すぎる。うまくいくかいかないかだけが問題になるので、覚悟を決めないといけないし、うまくいかないとダメージが大きい。お金もかかるから気楽にはできない。

かといって、日常生活の中では、誰が相手になりうるのか分からない。親しくなった相手が既婚者だったりすれば、その先は何もないか不倫に陥るだけだ。そこで石原さんは、独身者が学びの場で出会えるようにする。それがアローハという彼が始めたサービスだ。そこにはいろんな講習がある。参加者は何かを学びに来る。それだけで十分。そこで親しくなる人がいれば、それは純粋にプラスになる。しかも相手が独身で結婚願望があることははっきりしている。気楽に来て、安心して知り合える。何かを一緒にやれば、親しくなりやすい。そのあとは何もなくてもいいし、友だちになるだけでもいいし、恋愛に発展してもいい。いろんな可能性をもった出会いの場になる。

次に井上さんのプレゼン。まずPVから始まる。かつて10年以上にわたって「ザ・ノンフィクション」という番組の取材を受けたカリスマホストにして、関西一のホストクラブの経営者。その後は婚活塾を開き、ホスト時代に培ったコミュニケーション術を教えている。このように書くと、いかにも軽薄な感じがするが、彼のコミュニケーション術は、たんなるマニュアルではない。それは人間の理解と自己の変革である。

そうやって何千人も教えてきた経験を積んできた井上さんによれば、「モテない人」の特徴は2つに集約できるという。すなわち「他者に対して関心がないこと」と「自信がないこと」である。結局は自分がどのように見られるか、自分にとってどんな利益があるかしか考えない。また自信がないから相手に依存する、全部任せたり、いちいち細かいことを確認したりする。卑屈になったり、ネガティヴになったりする。どちらの人とも一緒にいたいとは思わないだろう。

他方で、どちらのタイプの人も珍しいわけではない。むしろ普通の人たちだ。自分がどのように見られるか気にしない人はいないし、自分の利益は誰にとっても大事だ。自分に自信がある人のほうが少ないだろう。だから井上さんの講座は、他者に関心をもつこと、自分に自信をもつことが目標であり、カウンセリングのような側面がある。自信をもって他者とつながることができれば、結婚できるかどうかは、結果にすぎない。

こうした井上さんの人間の本質に関する深い関心と理解は、けっして偶然ではない。実を言うと、彼は立命館大学の文学部哲学科を中退している。中退したのは、家の事情もあったようだが、むしろ彼は哲学を本ではなく、現実の中で経験を通して学びたかったという。彼が哲学対話に興味をもったのも、ごく自然の流れだったと言える。

石原さんが出会いの〝チャンス〟をつくり、井上さんが出会いを〝モノ〟にする方法を教える。哲学対話は、出会いを深いつながりへと導く。異なる人たちが共に生きるための関係を築くという目標——ここに私たちが協働する理由がある。

　さらにもう一つ、哲学対話と婚活には別のもっと大きな共通点がある——哲学対話を通して気づいたことは、私たちが学校でも家でも、自由にものが言えない、聞きたいことが聞けない、話を聞いてもらえないということである。これは自分が尊重されない、お互いを尊重しないということだ。そしてお互いを〝値踏み〟する。すなわち、何か外から与えられた基準や表面的な条件でお互いを測り、自分より上か下か、近いか遠いかを気にして関係をもとうとする。

　受験が典型的だ。自分が何をしたいか、自分にとって何が大事かは横に置いておいて、自分の成績に見合った偏差値の学校に行こうとする。偏差値で大学の良し悪しを判断し、相手の良し悪しもどれくらいの偏差値の学校に行っているかで判断する。

　これは婚活のマッチングと同じである。外面的な要素——年齢、年収、外見など——で判断し、〝合格〟か〝不合格〟かを決める。相手のことも自分自身のことも、結局のところ中身は見ていない。だから断られれば傷つくし、受け入れられても自分自身を受け止めてもらったわけではないから不安になる。そして相手のことも本当は興味がないのだ。

　婚活の問題は、教育の問題、物事への関わり方の問題と根っこは同じなのである。だから私にとって、哲学対話

伝説のホスト井上敬一

を学校で行なうのも、地域コミュニティで行なうのも、婚活で行なうのも、大した違いはない。「人が出会い、共に生きるとはどういうことか」をめぐる問いへの応答なのだ。

さて、このような二人のプレゼンと私のコメントを終えたあとは、参加者の人たちに結婚や婚活について疑問に思うことをホワイトボードに書いてもらった――「自分の感情や思いを素直に表現できるか？」「日本の結婚制度は何のためにあるのか？　それは本当に人を幸せにするのか？」「愛されるための本はたくさんあるが、愛する努力をするための本が少ないのはなぜか？」「人生の各段階でふさわしい相手は誰か？」「結婚とは何か？何のためにするのか？」「幸せを分かち合うには何をしなければならないか？」「一人でいるよりも二人でいるほうが本当に幸せなのか？」「結婚において愛はどのように共有されているのか？」「世の中にある様々な格差はどのように結婚に影響しているのか？」「男女によって結婚の意味はどのように違うのか？」。

このあと3つのグループに分かれて、テーマを決めて対話を行なった。どのグループも「結婚とは何か、何のためにするのか？」について話していた。哲学対話において、問いについてじっくり考え、お互いの意見を聞き、自らの考えを見つめ直すこと。それを通してお互いがつながることを参加者の多くが実感した。そして対話が婚活においても大いに役立つということを、私たちとしてもあらためて確認した。

今後は、いよいよ本格的に井上さん、石原さんと協働して「愛のための出会いの場」をつくるための研究・活動を進めていく予定である。

後日談

イベントのあと私は、井上さんから彼が代表を務める「一般社団法人　恋愛・結婚アカデミー協会」の顧問を依頼された。もちろん快諾。私にとってはとても名誉なことで、ありがたい肩書だ。

その後一度彼のセミナーに行き、また何かイベントをしようと話していたところに、コロナ禍が到来した。そこで私たちは、オンラインで「恋愛・結婚」をテーマに哲学対話を定期的に開催することにした。1回目は5月。今思えば、とても素早いアクションだった。以来、毎月第4月曜日、ずっと途切れることなく続けている。

石原さんもコロナ禍の中で新たなビジネスを模索している。会社の活動はいったん休止して、新たなマッチングアプリの開発に乗り出し、そこに私も協力している。マッチングアプリなど、すでにいくらでもあるが、石原さんによれば、どれも基本的にはスペックを見て相手を選ぶだけ。本当のことが書いてあるかも、独身かどうかも分からない。写真も加工してしていたり、きれいに／かっこよく見えるように写してあったりする。彼自身20以上のアプリを自ら試してみたところ、300人に声をかけ10人とマッチングし、やっと1人と会えるくらいだという。それで会ってみても、写真と全然違っていて付き合うには至らない。スペックに基づくマッチングは、お互いの選り好みや現実とのギャップで、ほとんどの場合うまくいかない。

それに対して石原さんは、コロナ時代の生活からヒントを得て、最初はマスクをした状態で実際にビデオ通話をし、一定時間経過すると、マスクを取って続けるかどうかを選択するという「マス活」なるアプリを開発。最初から相手と面と向かって話しながらお互いのことを段階的に知っていく仕組みである。しかもよりよい対話を促す「問い」のサポート付き。その他にもいろいろと工夫が凝らしてあるが、要するに哲学対話的エッセンスをちりばめたマッチングアプリなのである。うまくいくかどうかは未知数。しばらく見守るとしよう。

こんなふうに二人とコラボしつつ、〈哲学×婚活〉プロジェクトは引き続き進行中である。

障壁のある人生をどのように生きるのか？（1）

2020年1月20日 投稿

2020年初のイベントは、1月12日（日）に〝障壁〟をテーマに行なった。今回は元UTCPの研究員でもあり、現在神戸大学で教鞭をとる稲原美苗《みなえ》さんとの合同企画である。2019年度から5年間、私は稲原さんの科学研究費によるプロジェクトのメンバーである。このプロジェクトは、「哲学プラクティスと当事者研究を融合させることで、当事者と一般の人たち両方の考え方、価値観を変え、社会変革につながる理論と実践の研究を行なう」というもの。当事者研究なので、一般には障害をテーマとするのだが、今回、それよりももっと多くの人たちに関心をもってもらおうと、〝障壁〟をテーマにした。

障壁とは、障害のみならず、学歴や職業、国籍、性別、経済力、子育てなど、生活、とくに仕事や勉学をするうえで〝壁〟になりやすいものを指す。標準から外れると、それだけで排除されたり、無理を強いられたりする。誰もが抱えうる様々な〝障壁〟について一緒に考えられればという趣旨で、今回のイベントを開催した。

ゲストとして、2019年に『ママは身長100cm』（ハフポストブックス）を出版した、骨形成不全症で2児の母親でエッセイストの伊是名《いぜな》夏子さん、シングルマザーとして子連れで研究する大学院生の藤原雪《ゆき》さん、外国人として日本で暮らす脳性麻痺の哲学者マイケル・ペキット（Michael G. Peckitt）さんをお招きした。稲原さんも脳性麻痺の障害を抱えており、登壇者はみな、様々な障壁にぶつかりながら生活している人たちである。

申し込みの時点で100人を超え、当日は90人ほどが来場。いつもどおり子連れでも家族連れでも大歓迎！としていたが、実際子どもも10人ほど来ていて、イベントの間ずっと元気に遊びまわって、いい感じに〝うるさく〟してくれた。おかげで、学術イベントっぽくない、誰が参加しても気にしない、子どもが障壁にならない場になった。

最初に私が今回のイベントに至った経緯を説明し、その後ゲストスピーカーに自己紹介を兼ねて、「自分がぶつかってきた〝障壁〟がどのようなものだったか」についてお話しいただいた。

伊是名夏子さんは、沖縄生まれ。骨形成不全症という障害をもって生まれ、とにかく骨折しやすく、誕生以来、何度も骨折しては手術・入院をしているという。小学校と中学校は養護学校に通ったが、高校は地元の普通科、首里高校を希望。家族、先生、周囲のみんなに反対されたが、根気強く説得して入学。いろいろ理由はつけたが、本当は制服がかわいかったのと、好きな男子が進学するから！という、ごく普通の高校生と同じ理由だった。

バリアフリーではなかった高校での生活は、だからこそ周りと深くつながり、一緒に過ごせた3年間だったという。その経験から、伊是名さんは「みんな違ってみんないい」という標語に疑問を投げかける。そうして違いを強調すると、区別をしてお互い関わりにくくしてしまう。「やっぱり一緒がいい」というのも大事だ。実際、伊是名さんの同級生は、伊是名さんを障害者として意識せずに過ごしたという。

結婚というのは、彼女にとってさらに大きな壁だったそうだ。それまでは理解し応援してくれた人たちですら結婚には反対、もしくは反対する人に理解を示して彼女を諭してきた。それでも彼女はあきらめることなく結婚し、子どもも産み、育てている。何をするにも介助が必要で、できないことも多いが、海外に旅行も行くし留学もするし、学校で英語も教える。子どもとの関係も、ごく普通の仲のいい親子だ。介助者とも家族のような付き合いをしているという。

彼女のモットーは「がんばらないためにがんばる」だそうだ。傍から見ると（おそらく客観的にも）、彼女の生活には、想像できないほどいろんな困難、障壁がある。それにもかかわらず、というか、それだからこそ、彼女は必要な助けを我慢して一人でしようとせず、可能なかぎり助けてもらって、〝自然体〟で生きている。それが彼女の表情からも、一緒に来た家族からもうかがえた。

次は藤原雪さんが登壇。彼女は稲原さんのもとで大学院生として研究している。専門は社会福祉と現象学とジェンダー、テーマは自分自身にも関わる「妊娠を契機とした女性の生きられた経験」だという。彼女は学生時代に結婚して間もなく妊娠。その後、入籍はしたが離婚。シングルマザーとして子育てをしている。一般的には、学生が子どもを産むと、休学するか退学し、通学するにしても子どもを誰かに預けるだろう。藤原さんにとってそれも選択肢だったが、彼女はあえて子どもを連れて研究を続けることを選ぶ。院生室に子どもの遊び場をつくったり、託児ボランティアを募集し、面倒を見てもらったりしている。

周りの学生たちも普段は協力的だが、論文の締め切りなど、彼ら自身が忙しくなれば、当然ぎくしゃくしてくる。研究に集中したい学生にとってみれば、当然であろう。藤原さんもそれに配慮して、論文提出前の今の時期は、子どもを連れて行くのを控えている。指導教員の稲原さんも、他の学生への配慮とのバランスや同僚の先生との考え方のズレから、悩みながら藤原さんをサポートしてきたようだった。

続いてマイケル・ペキットさんが、日本における外国人としての経験と障害者としての経験のいい面とよくない面、嫌な面について話してくださった。彼によると、母国のイギリスでは、差別されることは少なかったが、公共の場で配慮され、特別に扱われるというまさにそのことによって「障害者」にされてしまうという。他方日本では、むしろ外国人であることのほうが目立ち、障害者として哀れみや同情の目で見られることは少ないという。

また日本でのよくない点は、たとえば電車の優先席で、

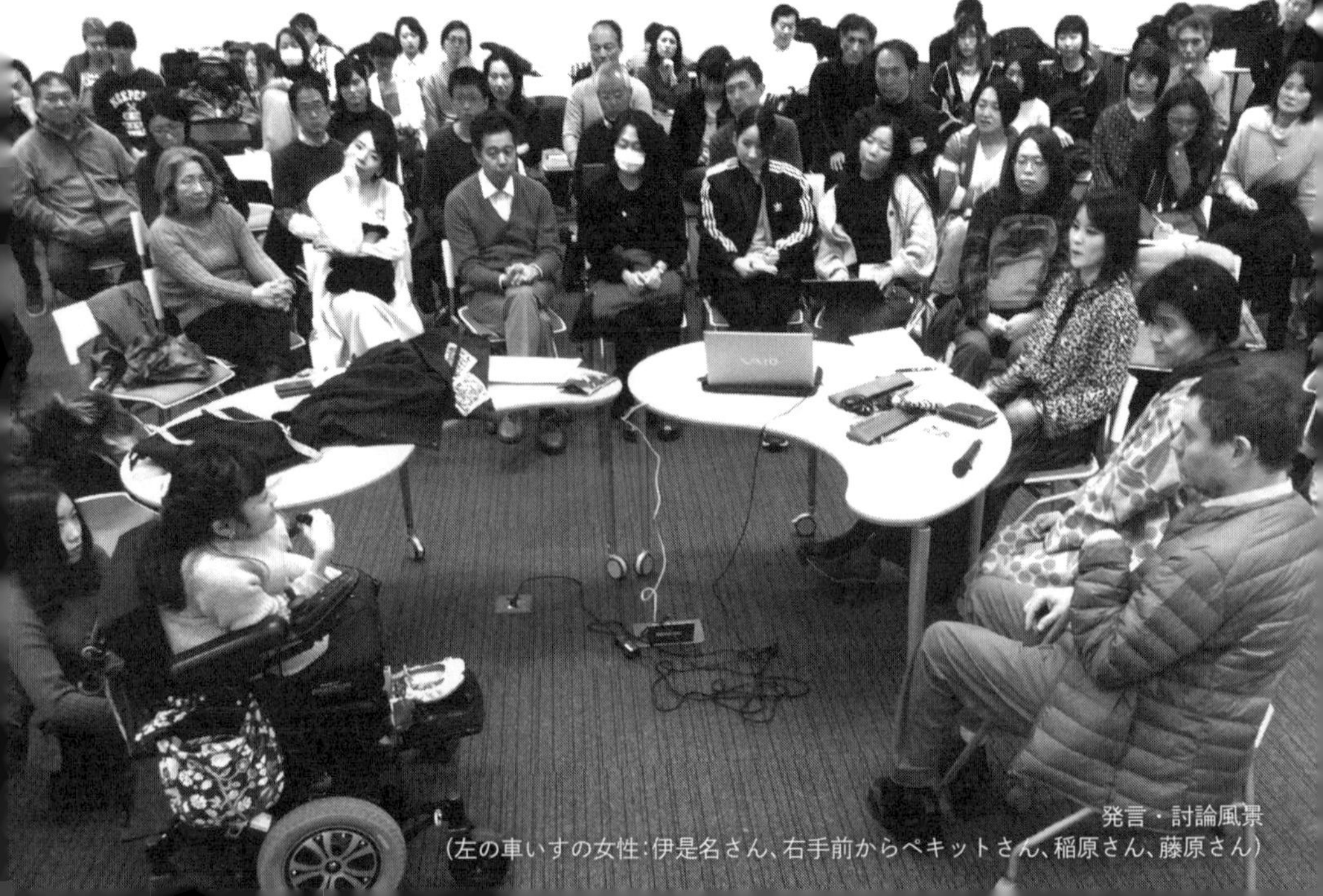

発言・討論風景
（左の車いすの女性：伊是名さん、右手前からペキットさん、稲原さん、藤原さん）

座らずに立っていることが礼儀だと思われているが、席への通路をブロックしていて、必要な人がそこにたどり着けない。またペキットさんから見ると、障害者に席を譲る人は、「かわいそうな人を助ける人」と見られる必要があるかのような印象をもつという。さらに日本で嫌なのは、「障害者だ」と名指して笑う人がいることだという。子どもが言うこともあるが、それで親も一緒に笑っていることがあるらしい。

彼の話からは、日本では、障害者や外国人に対して思いやりが示される一方で、無邪気なほどの露骨な差別があることが分かる。この日本人の二面性は、一見相手のためにしていることが、実は自分のためにしていることから来ているような気がした。自分がよく思われたいときにそうしているだけで、そうでなければ、簡単に相手への配慮が欠落するのではないか……。

最後に稲原さんが、自分がぶつかってきた壁について話した。それは幼少期、年子の妹に好きなお菓子を取られるという日常の些細なこともあれば、小学校の入学案内が来ないという制度的差別もあった。また小学校から中学校にかけて、壮絶ないじめにもあった。高校や大学への進学のさい、障害者であることを理由に入試を受けるチャンスすら与えられなかった。

オーストラリアに留学するさいも、語学留学ではビザが下りても、正規の学生ではなかなか認められず、大学院進学のときもビザ取得に時間がかかった。帰国して就職しようとしても受け入れられず、イギリスに留学を決意するも、ここでも滞在許可が下りず、強制送還一歩手前までいったという。ペキットさんと結婚したが、折悪く移民法が改定され、配偶者ビザがとれない。就職しようとして130か所も応募したが、やはりできなかった。

自分だけ帰国して就活をしてもなかなか難しかったが、応援してくれる人も現われ、講演や学会発表をするようになり、UTCPの研究員に採用された。10か月務めたあと、大阪大学に助教として採用されたが任期は3年。その間に応募した数は78件。面接に行って嫌がらせのような質問を受けたこともあった。絶望しかけたとき、神戸大学で職を得て今に至る。

稲原さんの場合は、障害者であることに加え、外国に留学したり、国際結婚したりすることで、障壁が何倍にも高くなり、幾重にも立ちはだかることになった。それは彼女が選んでしていることでもあるだろうが、それ以前に日本では、障害をもつ人が人並みのことをしようとするとその時点で拒絶されていることが根底にあるように思われる。そしてそれがその先で困難を倍加させるのではないか。

障壁のある人生をどのように生きるのか？（2）

2020年1月20日 投稿

4人にそれぞれの障壁についてお話しいただいたあと、まず登壇者どうしでお互いに聞きたいことを聞いてもらった。稲原さんからは、自分が直面した障壁は壊すのか、回避するのか、引き返すのか、どうすればいいと思うかという質問があった。

これに対して伊是名さんからは、周りの人に分かってもらえることはそうすればいいが（と言っても何回も説明しないといけないこともある）、そうでないときは、突破できることはしてしまう（結婚）。それでも彼女の場合、差別や障壁があっても、自分を受け入れ、助けてくれる人がつねに身近にいたことはとても大きかったという。

藤原さんは、試行錯誤しながら周りとの間で折り合いをつけていったが、受け入れてもらう努力をするのが大変なときは、あきらめて引き下がると答えた。彼女の場合は、女性で同じような立場の人はすでにたくさんいて、彼女たちは我慢したり断念したり、もっと別の工夫をしてきている。すると、藤原さんのようにこれまでとは違う形で壁を乗り越えようとすると、境遇の近い人からも理解が得にくく、彼女の個人的な〝わがまま〟のように見られてしまう。それは仕方がない面もあるが、折り合いをつけるのはやはりその場その場の判断になるようだった。

その後は、休憩をはさんで、参加者にここまでの話を聞いて疑問に思うことをホワイトボードに書いてもらい、そのなかで登壇者や参加者が気になったものについて、自由に意見を言ってもらった。

意見や疑問として挙げられたのは、たとえば、

・立場がなかったり弱かったり下だったりすると話しにくかったり聞いてもらえなかったりするが、それを何とかするにはどうすればいい？
・普通ってどういうこと？
・〝壁〟はないほうがよかったか、あるほうがいいか？
・障壁があるということを訴えるために、自分のことをどこまで他人に説明しないといけないか？
・自分と違った障害をもつ人に対して〝共感〟や〝仲間〟のような感情を芽生えるのか、それともまた違った感情か？
・親として障害をもつ子どものことを勝手に説明したり本人の意思を無視したりすることがあるが、親に対してどう思うか？
・社会の仕組み、人からの理不尽、受け入れられないものを受け入れるにはどうすればいいか？
・障害者が恋愛・結婚するときに大切なことは？
・わがままと合理的配慮の線引きはどうするか？　線引きする必要はあるか？
・少数者側の話を聞いてもらうようにしたいときは、どのように話せばいいか？
・ベビーカーで人を避けるたび「すみません、ありがとうございます」。一日何回すみませんと言っているか？
・夫が家事・育児をしてくれたら私は「ありがとう」と言うが、夫から「ありがとう」とは言われない。
・発言力の弱い人や声が小さい人を理解したり対話したりするのに、何が必要か？
・助けてあげるという気持ちはどうやって生まれるのか？

などなど、様々な疑問でホワイトボードはいっぱいになった。参加者がそれぞれにいろんな〝壁〟にぶつかっ

ているのがうかがえるものばかりだった。そのなかでも、周囲に理解を求めるとき、当事者がもっと訴えればいい面もあるが、もともと立場が弱い当事者が声を上げるのは難しい。では誰がどうすれば、周囲が変わるのか。当事者が理解や助けを求めやすい状況をつくるにはどうすればいいのかについて、様々な意見が出た。

アメリカで長く住んでいた人からは、アメリカでは学校で「人を助けるのはいいことだ」と教えていて、それが浸透しているという指摘があった。他方、日本でもそれは教えているのに、実生活ではそうならない。それは、日本では家庭でも学校でも、むしろ「人に迷惑をかけない」「一人でできる」のを重視していることから来ているのではないか。

伊是名さんによれば、人から助けてもらった経験がないと、助けることの大切さも分からないし、頭では分かっていても自然に行動はできない。だから、助けてもらう大切さも教え、そういう機会をつくらないといけないのではないか、とおっしゃっていた。「がんばらないためにがんばる」をモットーに、つねに何人もの介助者の力を借りて生活をしている、言わば「助けてもらうエキスパート」ならではの意見だった（その後懇親会で、伊是名さんの介助者として来ていた女性と話したら、自分もいろんな相談に乗ってもらったりしているので、自分が一方的に助けているわけではなく、自分も助けてもらっているから、あくまで関係は対等だとおっしゃっていた）。

他にも、設備の面でのバリアフリーを進めていくのも大事だが、それをすると、障害者や困難を抱えている人のことを、自分とは関係のないことだと思って、かえってバリアができてしまうこともある。だからむしろ重要なのは、「心のバリアフリー」ではないかという意見もあった。

ゲストスピーカーのみならず参加者も、それぞれにいろんな障壁に直面している。その多くは、同じような経験をしたことのある人でなければ、想像することすら難しい。「理解する」というのは、容易なことではない。そのための努力は続けなければならないが、ただし理解できなければ何もできないというものでもないはずだ。

個人的には、問題を抱えている人がいる場合、今の制度や価値観を理由にして却下するのではなく、まずは話を聞き、その問題を取り除くためにできることを考えるのが原則ではないかと思う。大きな制度的変更や財政的対応をしなくても、できることはたくさんある。世の中全体が変わらなくても、伊是名さんのように、そのつど必要な助けが得られれば、何とか壁も越えるか避けるかできる。もちろんそういうこともまた、人々の意識を変えるという大きな障壁にぶつかる。それでも「やれることからやればいい」という希望をもつことは大事ではないだろうか。

後日談

稲原さんの科研のプロジェクトはまだ継続中なので（２０２３年度まで）、私たちのコラボはまだ続いている。このあと間もなく、コロナ禍により移動ができなくなったため、このプロジェクトも停滞を余儀なくされた。それでも２０２１年度は、稲原さんも私も関わりのある定時制高校をテーマにオンラインシンポジウムを開催した。それについては次章で報告する。

稲原さんとは、こうしたプロジェクト以外でも時おり連絡をとっている。彼女はFacebookに投稿することを自分にとって必要不可欠なことだと言っていた。話すことにやや困難があるため、文字で発信するほうが彼女にとっては自由なのだ。そういうわけで私は彼女の投稿を毎日のように読んでいる。それで時々反応してコメントを入れたり、メッセージを送ったりする。彼女がＵＴＣＰの研究員であったときより、今のほうが活発にやり取りしているし、彼女の活動もよく分かる。関心が重なるところも多いので、今後もいろいろとコラボしていく予定である。

水俣で生きること、水俣へ行くこと

2022年8月19日 投稿

この水俣に関するエッセイは、同地に出張イベントで行ったさいに考えたことを綴ったものである。現地に行かなければ、分からなかったことも多く、ゲストをただ呼んで話を聞くだけではまったく不十分なのだということを痛感し、今後の活動のあり方を考え直すきっかけになった。

2022年6月25日から27日、出張イベントで水俣を訪れた。もともと2月に予定していたのが、コロナウイルスの感染拡大のため延期となっていた。ゲストにお呼びしたのは、永野三智《みち》さんと伊藤悠子《ゆうこ》さん。永野さんは、水俣病に苦しむ人たちの相談に乗り、関連資料を編纂・保存し、啓発活動を行なう相思社の職員である。伊藤さんは、大阪の西成で看護師として働きながら、子どもを虐待する母親のサポートをしてきた。二人をお迎えして「痛む人々のこえを聴く」と題し、苦しむ人をどのように受け止めればいいのかについて共に考えるイベントであった。

現地へは、企画した中里晋三君と私だけでなく、助教の山田理絵さんと研究員の宮田晃碩《あきひろ》君、事務職員の秋場智子さんも同行した。他にも、東アジア藝文書院（EAA）の張政遠《チョウセイエン》先生と学生の建部良平君も参加した。旅程とイベントの詳細については、研究員による報告に譲るとして、以下では私が滞在中とその後に思ったことを綴ることにする。

私たちの水俣訪問は、熊本空港を発つときににわかに降り出した大粒の豪雨で始まった。市内に入る前に、湯の鶴温泉という石牟礼道子にもゆかりのある温泉地で一休みを目論んでいた私たちにとっては、文字通り洗礼のようだった。どうなることかと思ったが、おかげでこの地の濃密な緑が潤い、生命の強靭さを感じることができた。

さて、地元の人も入浴に来る温泉に行く。風呂場に入り、浴槽に近づくと、先に入っていたおじいさんから

「どこから来たと？」と質問された。
「東京です」と答えると、
「水俣病かね？」とさらに聞かれた。
「はい、そうです」と答える。

東京から来る人間は、水俣病以外でこんなところには来ないだろう――地元の人が抱くステレオタイプのイメージがそのまま自分たちにもあてはまる。こちらの軽薄さを見透かされた気がした。水俣＝水俣病の町だから来た。それ以外の理由はなかった。だが、そんなことで来るのを地元の人が喜ぶはずはない。何と失礼なことをしているのか。別にこの老人は、怒っているわけでもバカにしているわけでもないだろう。むしろ穏やかに微笑んでいる。それだけにいっそう申し訳なさと気まずさを感じた。

　この複雑な感情は、水俣に滞在している間に、さらにこじれていく。

　市内に入って意外だったのは、地方都市にありがちな寂れた感じがあまりないということだ。思いのほか栄えていると言ってもいい。「意外」とか「思いのほか」という言葉がふいに出てきたのは、地方都市の中でも、水俣のようなネガティブなイメージの強い町は、なおさら人が離れ、すたれていくと、どこかで思っていたからだろう。それに、水俣から出ていき、水俣出身であることを隠して生きている人も多いと本でも読んだ。しかし水俣には住み続けている人も多く、町もそれなりに豊かな印象を受けた。

　おそらくその一因は、公害を引き起こした張本人であるチッソの存在感だろう。この企業は、以前と変わることなく町の中心部に〝君臨〟している。現在チッソじたいは国の管理下にあり、水俣病関連の補償と公的借入金の返済を専業としているらしいが、化学工業部門はＪＮＣ（Japan New Chisso）が引きつぎ、水俣工場の操業を続けている。

チッソの門

　町の中には、チッソを批判するようなプラカードや看板は見かけなかった。それどころか、チッソの門には「テロ警戒中」と書かれた看板が掲げられている。ここで言う「テロ」とは、被害者による抗議活動のことだろうか。だとしたら、いったいどこから目線でものを言っているのか。自分たちのことは棚に上げて、責任を感じるどころか、むしろ〝正義の味方〟だとでも言わんばかりだ。

さらに象徴的なのが、エコパークである。いわゆる「爆心地」となった工場の排水口から水俣湾に至る東京ドーム13個分の広大な公園である。バラ園、竹林園、道の駅があり、「まなびの丘」には、水俣病資料館、水俣病情報センター、熊本県情報センターといった、「環境先進都市水俣」を具現する施設がある。

漁業ができなくなった海をチッソが買い取り、水俣病の原因物質であるメチル水銀を含むヘドロや汚染された魚をドラム缶に詰めて、鋼板で覆って埋め立てて造った。1977年から1990年まで13年間かけて。耐用年数は50年と言われている。地震や老朽化によって有害物質が海中や地表に漏れ出す可能性があるが、熊本県も環境省もとくに対策が必要だとは考えていないらしい。つまり、エコパークは、その下に水俣病を引き起こした毒物とそれによって死んだ魚を〝時限爆弾〟のように抱えた施設なのである。

また、不知火海《しらぬいかい》を臨む海岸沿いの広場には、水俣病の慰霊碑がある。犠牲者の一部の名前が刻まれ、石碑には「不知火の海に在るすべての御霊よ　二度とこの悲劇は繰り返しません　安らかにお眠りください」とある。広島の原爆慰霊碑にある「安らかに眠ってください　過ちは繰り返しませぬから」を彷彿とさせる、責任の所在を曖昧にした言葉。その後ろにはお決まりのように、中高生がつくった千羽鶴が吊り下げられ、よりよい世界をつくる誓いの言葉が書かれている。

責任がチッソと国と県にあることは明白なのに、「みんなで反省しよう」ということにして、しまいには子どもにまでそれを押しつける。いったい誰が、どこから目線で、こんなことをしているのか。

恋人の聖地

さらにエコパークは、もっと積極的にポジティブなイメージを印象づける。慰霊碑から歩いていくと、大きなハート形のオブジェが見える。「恋人の聖地」の碑である。プレートには、ウエディングドレスデザイナーの桂由美の名前。NPO法人地域活性化支援センターが少子化対策と地域活性化を目的とした事業で、若者の恋愛と結婚を促すため、プロポーズにふさわしいロマンティックな観光スポットにしようという趣旨らしい。たしかに美しい景色の広がる海辺のロケーションには、恋人たちが歩き語らう姿がよく似合うだろう。

　悪い冗談でも見ているのだろうか。こうして過去の悲劇をドラム缶に詰めて文字通り覆い隠し、エコロジー、少子化対策、恋愛まで動員して負のイメージを払拭する。そのすべてがチッソと行政の整備した公園で行なわれ、町の観光名所、地域起こしの拠点となる。これもまたチッソと行政のおかげということなのだろうか。

　きれいに整備されたエコパークを歩き、どこまでも美しく、穏やかに凪ぐ不知火の海を眺めながら、その裏に透けて見える不条理を思うとき、目眩を覚えずにはいられない。やり場のない怒りが湧いてくる。

　だが、これ以外にどうすればよいと言うのか。水俣病の時代を経験した人たちは、病の犠牲になったかどうかにかかわらず、けっして癒されることのない傷を負っている。差別や偏見、沈黙や分断、抑圧や忍耐によって被害の一端を担ったという罪悪感が、すべての人を当事者にしているからである。

　けれども彼らがずっと十字架を背負い続ける必要はないだろう。まして今を生きる若者たちには、何の罪もない。ただ、水俣に生まれただけである。誰もが束の間であれ、水俣病から目をそらし、忘れて生きる権利がある。エコパークがそれに少しでも役立つなら、むしろ歓迎すべきことなのかもしれない。

　そもそも誰がどのように隠し、ごまかしても、水俣の人たちの目の前から、水俣病が消えることはない。町の中にいると、コンビニで、喫茶店で、路上で、歩行や発語に困難を抱える人を普通に見かける。水俣病は、いまだ日常の風景の一部なのだ。

　また、水俣湾に隣接する袋《ふくろ》湾では、被害の調査すら行なわれていないらしく、何の措置もとられていない。そこに住む人たちは、生業だった漁業を捨て、港のすぐ後ろに迫る山の斜面に柑橘類を植え、農業を始めた。そこで病を抱えながら生活し、自分たちのためだけに魚をとっている。

　港で会ったおじいさんは自分の人生を振り返りながら、障害を負っても特別支援ではない、普通の学校に通えてよかったと述懐した。そして「自分で捕って食べる魚に比べれば、市場の魚なんて食べたもんじゃない」と自慢げに語っていた。

　水俣で生きるというのは、たぶんこういうことなのだろう。当たり前のことだが、彼らは全部分かっていて、それを受け止めて生きているにちがいない。それが〝悟り〟にも似た諦念なのか、それすべてを受け入れる覚悟なのか、それともそこで暮らしてきたことで習い性となった心持ちなのか、私には分からない。

私のような部外者が不条理さに憤るなど、何と薄っぺらく、滑稽なことだろう。

滑稽と言えば、もう一つある。

湯の鶴温泉で地元のおじいさんから「何しに来たか」と質問されたことについて、永野さんに聞いた。

「石牟礼道子に興味があって来たって言えば、もう少し印象は良かったですか」。

永野さんはきっぱりと、「いえ、もっと悪いかもしれないですね」と答えた。そうか。地元の多くの人たちにとっては、石牟礼など、どんなに優れた文学的才能があったとしても、故郷の恥をさらして称賛された不謹慎な女にすぎないのかもしれない。彼女を褒めそやして水俣を分かったかのように語るのは、外部のインテリのおめでたい不遜さなのだろう。

だったら、私たちはどのような理由でここに来たらいいのだろうか。水俣病が水俣の歴史の欠くことのできない一部だとしても、水俣はたしかに水俣病の町ではない。人々が生きる町である。

だが、水俣で生きるとはどういうことなのか。何があっても一つの場所にとどまり、暮らし続けるとは、どういうことなのか。そこを訪れるとは、何をしに行くことなのか。

水俣に行って以来、いろんな疑問がぐちゃぐちゃに絡まって、胸の奥に引っかかっている。似たような問題が、いたるところにあるような気がする。それが何なのか、何度か水俣に来れば、答えの手がかりが見つかるのかもしれない。

不知火海

第4章　ヴァーチャルな世界へ

2022年3月、新型コロナウイルスが世界中に広がり、人の移動が止まった。欧米では都市でロックダウンが実行され、4月には日本でも緊急事態宣言が出され、直接会うことが難しくなり、町からは人影が消えた。こうして世界各国で、ほとんどの人が家にこもるという世界史的にも未曽有の事態が出現した。

そこで起きた様々な悲劇や苦悩については、ここでは書くまい。むしろ当たり前であった日常が一変することで、世界全体が〝哲学的〟になったことにフォーカスを当てたい。家にとどまることを余儀なくされても、インターネットが浸透した社会では、リアルな世界が収縮するのに反比例するように、ヴァーチャルな世界が拡大した。そのうえ以前は一部の人たちしか使っていなかったZoomのようなオンラインミーティングツールが一気に広まり、世界中で当たり前のように使われるようになった。その結果、リアルに会うことができなくなった代わりに、ヴァーチャルには地理的・身体的制約なしに世界中の誰とでもつながれるようになった。私としてもその新しい状況に応じるべく、さっそく5月、6月に連続して、コロナ禍における生活の変容について考えるイベントを行なった。

そのころオンライン上では、哲学対話をする人が爆発的に増えていた。理由はいろいろあるだろうが、もともと自分でも参

国際哲学オリンピックのオンラインミーティングおよび
オンラインで開催した高校生のための哲学サマーキャンプの画面キャプチャ

加したことのある人や興味をもっていた人は、オンラインなら手軽でお金もかからないので、自分でも開催し、他の人の対話にも参加していたようだ。まだ知らない人たちの間でも、家で暇を持て余している人や、誰かと話をしたい人にとって、哲学対話は手っ取り早く有意義な娯楽になっただろう。

私自身、以前は哲学対話の場を自分でつくることはあまりしなかったし、他の人の哲学カフェにもほとんど行かなかった。ところがなぜかコロナ禍になって、急に自分でも始め、他人の対話にも誘われて行くようになった。また知人の依頼で、哲学対話やファシリテーションのオンライン講座も行なった。そうやってオンラインで多くの、普段では接点がないような人たちとつながることができた。

この間に行なったイベントは、開催形態、登壇者、参加者、どの点をとっても、このようにしてできたネットワークなしには考えられない。そういう意味で、コロナ禍は私のプロジェクトに新たな局面をつけ加えたと言える。もう一つ、オンラインイベントは録画が可能である。そのため詳細な記録をとることができ、ブログはおのずと長いものになった。短くすることも考えたが、それも含めてヴァーチャルな世界の特性として、ほぼそのまま載せることにした。

コロナの中の日常
～誰もが思考と経験の当事者になる

2020年6月20日 投稿

2020年5月9日、UTCPのオンラインイベントとして第1回の公開哲学セミナーを行なった。100人を超える人が参加し、ユヴァル・ノア・ハラリ（Yuval Noah Harari）がFinancial Timesに寄稿した記事The World After Coronavirusを素材に（翻訳もネット上に公開されていた）、「コロナ危機と来るべき世界」について考えた。まず大学院生の宮田晃碩君と山野弘樹君の二人に記事の内容をまとめてもらい、問題提起をしてもらった。そのうえで参加者はブレイクアウトセッションでグループに分かれ、同じように問いを出してもらって、今この状況下で考えるべき問いを共有した。

このときは、世界や社会という〝大きな〟レベルの〝危機〟がテーマであった。他方、こうした大局的な変化は、そこに生きるすべての人を否応なく巻き込んでいくが、その影響は人や地域によって違っているし、個々の人はそれをどうすることもできない。私たちにできるのは、つねに、自分たちの生活の変化に向き合うことだけではないのか。そこではそれぞれの人が語る権利を等しくもっているのではないか。

かくして1か月後の6月13日、第2回目のイベントでは、もっと身近な個々人の日常の変化について考えることにした。素材としたのは、エッセイストで『家族無計画』の著者、紫原《しはら》明子さんが自らアンケート調査を行ない、その結果を受けて東洋経済Onlineに書いた2つのエッセイである。

「150人調査で見る「コロナ下の日本人」驚く変化～人間関係を見つめ、浮かび上がってきたもの」
https://https://toyokeizai.net/articles/-/347658

「自粛生活に「幸福を感じた人」が口々に語る理由～150人調査で見えてきた、意外な「要不要」」
https://toyokeizai.net/articles/-/350993

これを読むと、コロナがもたらしたのが〝危機〟という言葉でくくれるような単純なことではないことがよく分かる。私たちの日常に起きているのは、小さいかもしれないが、もっと多様で豊かな変化である。参加者には、この2つの記事を読んで来ていただき、コロナの中で自分の日常生活に起きた変化について、それぞれの体験を持ち寄り、共に考える機会にしようと思った。またそういう趣旨のイベントであるから、今回は新しい試みとして、参加者から〝登壇者〟を募集し、自身の経験、身近な出来事について報告してもらうことにした。当日は90人を超える参加者が集まり、北海道から沖縄、さらに海外はフランス、マレーシア、ルワンダから参加した人がいた。報告者は13人いて、うち高校生が6人もいた。

イベントではまず私が紫原さんの記事を画面共有し、ざっと内容を参加者と確認した。最初の記事は人間関係の変化についてである。夫婦については、コロナ離婚が懸念されるなか、逆にお互いの良いところをあらためて認識する機会になった夫婦もおり、〝コロナベビー〟を欲しがる声もあった。親子関係では、やはり子どもも親（とくに母親）のストレスがたまり、家族の中がギクシャクしている様子がうかがえた。高齢の親に対しては、コロナへの無頓着にいらだつ人がいる一方、こもりがちだった親がさらに引きこもり、閉塞感を募らせる回答もあった。友人関係は、意外なことに、普段頻繁に会っていた人と連絡をとらなくなる一方で、今まで交流がなかった人と交流するようになり、言わば人間関係の〝断捨離〟が起きていた。

2つ目の記事は仕事やライフスタイルの変化について。とりわけ都市圏だと思われるが、通勤の苦痛から解放され、生活に余裕が出て、幸福感が大いに増した人がかなりいたようだった。また失業していた人や、もともと引きこもりで働いていなかった人が、普段感じていた引け目や劣等感が薄くなり、気楽になったというケースもあった。仕事は、業種によって苦境に立たされた人もいれば、あまり変わらなかった人、好転した人いろいろである。人生を見直して元気になった人もいれば、突然今まで熱心にやっていたことに興味を失ってしまった人もいた。

記事をみんなで読んだあとは、休憩をはさんで、報告者から話をしてもらった。沖縄から参加した大学生は、学生生活と就職活動の変化の中で、多くの人が戸惑い、苦労している様子を話してくれた。趣味で音楽活動をしている愛知県の主婦の人は、自粛のおかげで家に居ながらにして普段では会えないミュージシャンとも交流できるようになったと言っていた。また北海道の浪人生の人は、家から遠い高校で寮生活をしていて家族と疎遠になっていたが、この機会に兄弟や親とも関係を深めることができたと喜んでいた。同様のことは、宮崎の山間部にある全寮制の学校の生徒たちも言っていた。また宮崎市内の高校の先生は、密を避けて行動すると、おのずと自然のなかへ戻っていくこと、また近年人口や機能の「集中と分散」が言われているが、地方ではすでにそうなっているのではないかと話していた。

他方、千葉在住で、緊急事態宣言中もずっと都心で仕事をしていた女性は、在宅勤務になった夫との間で家事分担が激変したことを報告した。また、大学院で勉強しながら講師としても働いている埼玉在住の女性は、通勤の苦痛をはじめ仕事に関わる様々な制約から解放されたこと、また実家に帰らなくてよくなった気楽さを語った。その後、パリ在住の女性とマレーシア在住の女性から、現地の様子を話していただいた。

参加者の報告が終わったあと、実はイベントに来てくださっていた紫原明子さんにコメントをいただいた。彼女にとってもまだまだ知らないエピソードがあったことを喜んでくださった。とりわけ大人があれこれ大変だのかわいそうだのと心配していた高校生たちが、自分たちの経験をポジティブに語ってくれたことが、参加者の多くにとって、とても新鮮で目を開かされるものだった。

つい最近、紫原さんは、ご自身が定期的に開いている「語り」の場、「もぐら会」のエッセイ集『あの人今、泣こうとしたのかな』（２０２０）を出したところで、私にも送ってくださっていた。その序文にこんな文章があった。

〝私はただ、私でいることを許されたいだけ〟

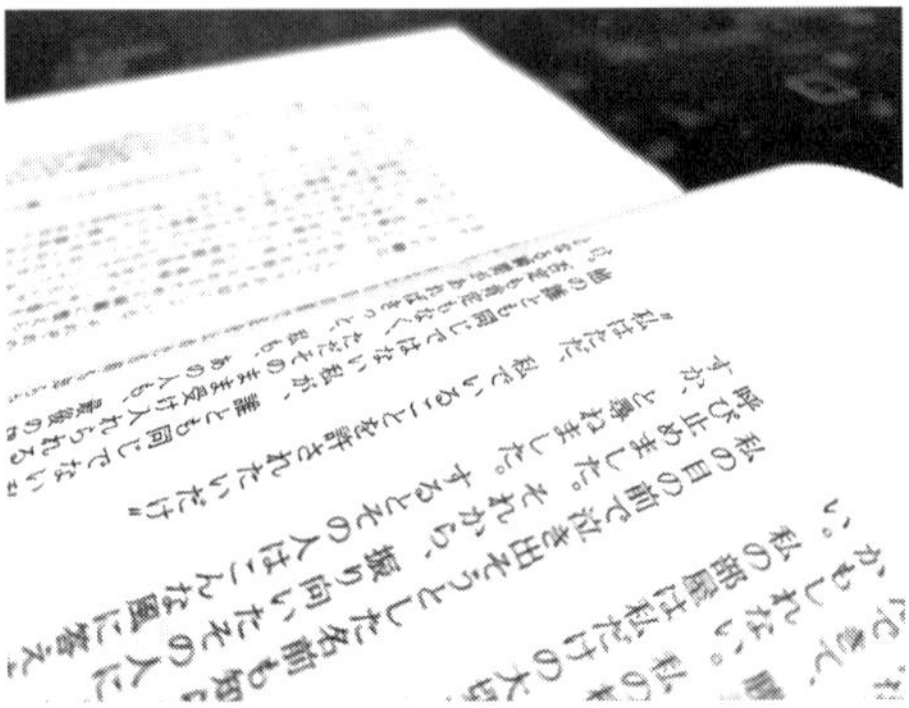

“私はただ、私でいることを許されたいだけ”

この冊子にはそんな「私の物語」が詰まっている。

思うにコロナは、私たちに、自分自身が何者なのかに向き合わせてくれた。それがどんな姿であったとしても、自分でいることを許された貴重な時間だったのではないか。

非常事態宣言が解除され、徐々に日常が戻ってくる。世界はどう変わるのか、変わらないのか、それは分からないし、どう変わってもいいのかもしれない。けれども、私であることを許される、周りの人によって、社会によって、そして自分自身によって許される、そのような世界になることを期待したい……そんな思いを残したイベントだった。

ただ自分自身でいられる場を求めて
～紫原明子さんとの対話

2020年12月5日 投稿

〝私はただ、私でいることを許されたいだけ〟

今回お招きしたエッセイストの紫原明子さんが定期的に開いている「語り」の場、「もぐら会」のエッセイ集『あの人今、泣こうとしたのかな』の序文に出てくる文章である。

今年の6月13日、コロナ関連のイベントの第2弾として「コロナの中の日常～生き方の変化と向き合う」を行なった。紫原さんが独自アンケートに基づいて書いたエッセイを読んで、参加者が自分の生活の変化について自由に語り、一緒に考えるという趣旨だ（前項「コロナの中の日常～誰もが思考と経験の当事者になる」を参照）。

そのさい、紫原さんからいただいていたエッセイにあった先の言葉を紹介した。以来、この言葉がずっと気になっていた。「ただ、私でいる」――簡単そうで何と難しいことか。私たちはいつも、自分以外の誰かや何かを気にして、それに合わせて生きている。生きていくためには必要なことだが、そうしているうちにいつの間にか自分が何者なのか、何を考え、何をしたいのか分からなくなってしまう。そしてどうやって自分に戻ったらいいのかも分からずに苦しむ。

「もぐら会」は、たぶんそんな人のための場なのだろう。直接紫原さんと話をしたい――そういう思いで、11月26日にあらためて紫原さんをゲストとしてお迎えして、対談をすることにした。会のメンバーの都合に合わせ、夜8時からのスタートであった。

「もぐら会」というのは、もともと月に1回（今では人数が増えたので月6回）、10人から20人ほどが集まって車座になり、一人ずつ順番に自分のことを話し、他の人はただ黙って聞くという「お話会」である。

まず自己紹介をして、その日の体調について話し、この1か月の間にあった出来事、その日にあったことなどを気がすむまで話す。とくにテーマは決めない。話し終えたら、その人が次の人を指名する。全員話し終わるまでそれが続く――モノローグの連続。あらかじめ話を用意してきても、前の人の話を聞いているうちに、準備していたのとは違う話をする人も多いという。そうしてもともとバラバラのはずだったモノローグが自然につながっていく。ただ話して聞いてもらうことで、一人一人の言葉がその場に積み重なり、みんなのものになる。

紫原さんの思いとしては、「誰にも触れてほしくないけど聞いてほしい」「私のものは私のものだけど、人と共有したい」ことを話す場にしたいとのこと。そうして

『あの人今泣こうとしたのかな』

お互いの話を聞いていると、それをきっかけに他の人の中でも、自分で蓋をしていたこと、忘れていたことが沸き起こり、今まで自覚していなかった自分に出会う。それを紫原さんは、（いろんな石がその人の中から採掘されるという意味で）「もぐらの鉱物採集」と呼んでいる。

ただ、どうしてもプライベートな話が多くなるので、それなりの配慮が必要である。だからもぐら会はメンバー制になっており、同じメンバーで回を重ねることで、お互いの安心感が増すようにしている。さらに紫原さんは、「あなたがここで話した言葉は、あなただけの言葉ではなくなってしまいます、それでもいいことを話してください」、そして聞いた話は「ここに置いていく、忘れることを大事にしましょう」と伝えているという。

他方でより気楽に参加できるように、「うまく話そうとしなくていい」とも言っている。描くても、その人が話したかったことは、聞いている人の心に残るからだそうだ。実際、もぐら会のメンバーの一人も、「何でもない話、他人を意識した話よりも意識しない話のほうがより深く響く」と似たようなことを言っていた。

また参加者はしばしば、「20人違う人たちがいることに気づいた」と言うそうだ。私たちは普段、世の中にいろんな人がいると頭では分かっていても、実際にどれくらい、どのように違うのか実感をもってはいないだろう。ところが参加者一人一人の話を聞いていると、それがどんなに何気ない、些細な話であっても――あるいは何気ない些細な話だからこそ――こんなにも人によって感じ方、考え方が違うのだということが分かるのだろう。その当り前のことに私たちは気づかない。紫原さんによれば、そうした気づきによって参加者の心が拡張され、参加者どうしが信頼感によってつながっていくのだという。

こうした体験は、哲学対話で起きていることときわめて近い。しかし決定的に違うのは、「問い」がないことと、モノローグだということだ。哲学対話は、共に考える場である。私たちは問いがあって初めて考える。だから哲学対話には問いが不可欠であり、しかもあくまでダイアローグである。他方、もぐら会はそうではない。なのに、対話と同じようなことが起きている。

これは不思議と言えば不思議だが、おそらく「ただ聞く」ということに重要なカギがあるのだろう。人の話をただ聞く。何も反応しない。表立って問うことを封じられたことで、聞くことが自分の中にどんどん問いを呼び覚ます。それが自分に向かい、今まで気づかなかったものがあらわになる。だから反応しなくても、あたかも対話のように相手とつながるのではないか。しかもただお互いに受け止めることで、冒頭の言葉のように、「ただ私であることが許される」場になる。

これはある意味、哲学対話よりもラディカルかもしれない。それでいてすごくシンプルだ。「問いが大事」などと言っている場合ではないかもしれない。次は問いのない哲学対話をやってみよう、と最後に思った。

もう一つ、紫原さんのラディカルなところを紹介しておこう。もぐら会は、何と資本主義に対抗するためにやっているらしい。それで通常のお話会とは別に、マルクスの『資本論』、ウェーバーの『プロテスタンティズムの倫理と資本主義の精神』、「贈与」に関する本の読書会もしたらしい。紫原さん、もぐら会は哲学よりもハードですよ。でもそれくらいしないと、私であることは許されないのかもしれませんね。

後日談

その後紫原さんを通じて、ダイアログ・イン・ザ・ダーク(Dialogue in the Dark)の志村季世恵《きよえ》さんと知り合い、紫原さんと「もぐら会」のメンバーと一緒にそこへ行った。ダイアログ・イン・ザ・ダークとは、完全な暗闇の中を視覚障害者のガイドに案内されて10人くらいで〝旅〟をするイベントである。ドイツのアンドレアス・ハイネッケ氏によって開発された目の見えない世界を全身で感じとるもので、「ソーシャルエンターテインメント」と呼ばれる。東京では、竹芝・浜松町近くのダイアログ・ダイバーシティミュージアム「対話の森」で体験できる。興味のある人もない人も、ぜひ行っていただきたい。

子育てと哲学対話
～哲学カフェを運営する3人の母親との対話

2021年1月6日 投稿

哲学対話の活動を始めた2012年以降、かなり早い時期から私は子育て中のお母さんたちと関わってきた。そして2018年に出版した『考えるとはどういうことか――0歳から100歳までの哲学入門』（幻冬舎、2018）で、次のように書いた。

「母親というのは、（とくに子育てに専念している場合）社会との接点が少なく、世間知らずであるように思われがちだが、哲学対話ではまったく違う印象を受ける。子どものことばかりでなく、社会のこと、将来のこと、自分の人生のこと、実にいろんなことを考えている。しかも地に足がしっかりついていて、抱えている問題も――些細に見えたとしても――とても切実である。問いが切実であればあるほど、対話は深いものになる。［…］母親というのは、存在じたいが哲学的であり、誰にとっても優れた対話のパートナーである。」

今でもそう思う。それどころか年を追うごとに、ますます確信を深めている。また久しぶりに彼女たちの話を聞きたい――そういう思いで、今回のイベント「子育てと哲学対話」を企画した。私が長年関わってきたお母さんの中でも、自ら哲学カフェを運営し、様々な活動をしていて、ずっと応援も尊敬もしてきた3人に来ていただいた。はなこ哲学カフェ「いどばたのいどほり」の尾崎絢子《あやこ》さんと、「ねりま子どもてつがく」（ねこてつ）の高口《こうぐち》陽子さん、「みんなのてつがくCLAFA」の安本志帆さんである。この3人との出会いがなければ、拙著の中で私が母親についてとくに強調して書くことはなかっただろう。

今回もZoomでの開催。12月19日（土）の午後2時に開始。申込者は100名を超え、参加者も多いときで80名を超えていた。コメントと質問、合わせて60件以上、3人の報告のあと、それに答えているうちに、18時まで4時間にわたって行なうことになった。

しかもその後、3人と私は、予定通りオンライン飲み会。それも話が盛り上がり、3時間半くらいやった（これは主催者の役得。本編以上に面白かった!・）。30分前の事前の打ち合わせを含めると8時間の長丁場となった（参加してくださった人も含めて、みなさん本当にお疲れ&ありがとうございました!・）。

イベントの本編では、まず彼女たちの活動について、哲学対話に出会った経緯、対話の場を自らつくった動機、続けてきた思い、苦労、今後などを語っていただいた。参加者には随時チャットに質問やコメントを入れていただき、一人終わるごとに登壇者に応答していただいた。

尾崎絢子さんの場合

尾崎さんはもともと保育士で、仕事のなかでもいろいろと疑問を抱えていたが、子育てをするようになってさらにたくさんの疑問がわいてきた。哲学対話に出会って、それを自分で考えていいんだ！と感銘を受け、子どもが一緒でもできる場を自分でつくろうと思ったという。

実際にやってみて、場のつくり方も対話の進行も分からないことだらけで、UTCPで私が主宰しているP4E（Philosophy for Everyone）の研究会に来るようになった。その後は、子育て仲間の哲学カフェにとどまらず、いろんな人とコラボしたり、行政から支援を受けて市民活動として対話の場をつくったり、駒場祭の哲学カフェに企画を出したりした。さらに、2017年の日本哲学会の哲学教育ワークショップでは提題者として登壇もした（研究者でもない子育て中の母親が哲学の学会に登壇したのは、世界史上初めてではないか!?）。

今ではさらに活動を広げ、他の育児サークルでファシリテーションをしたり、保育士の経歴を生かして保育園で哲学対話を行なったり、保育士の研修も行なっている。また公民館主催の女性セミナーのコーディネートをしたり、美術館や文学館等の公共施設で子ども向けの哲学対話を行なったりしている。

また教育関係では、様々な小学校、中学校、高校にファ

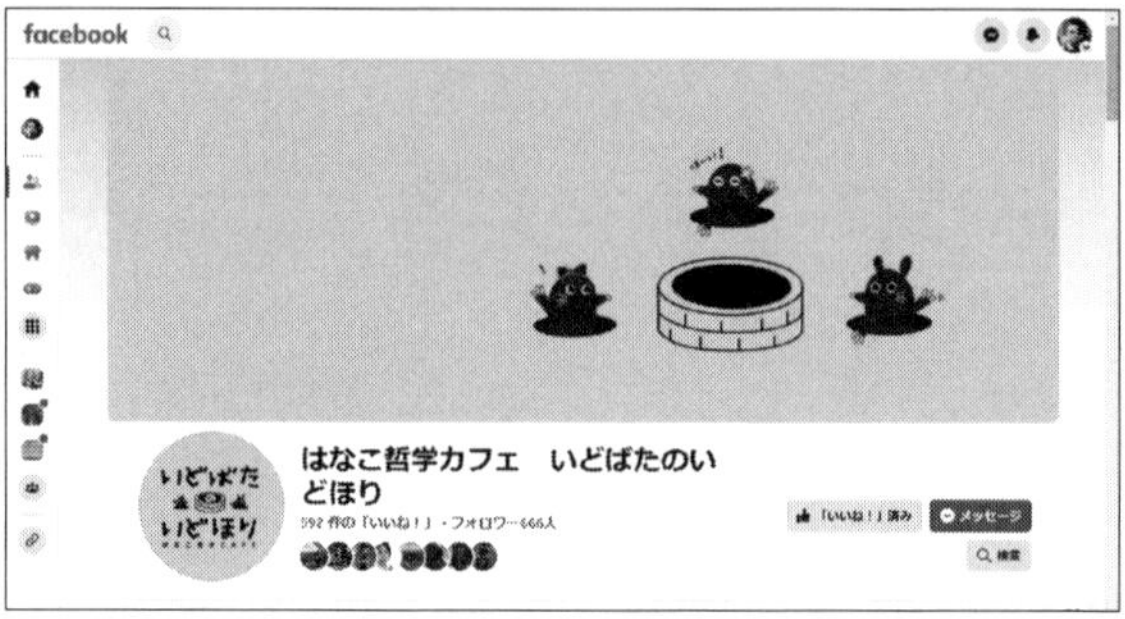

いどばたのいどほり

シリテーターや講師として協力しており、そうした活動が実績となり、来年度からは幼稚園や保育園などを運営する学校法人で専任講師も務めることになった。さらにこの間、多くの実践者や研究者ともつながり、子ども哲学への研究協力もしている。

保育現場に尾崎さんのような子育て中の人が入っていくことは、現場の先生にとっても子どもたちにとっても、大いに刺激になるにちがいない。

高口陽子さんの場合

高口さんは大学時代、哲学科で倫理学を専攻。ママ友との付き合いは苦手だったが、地域活動と子どもの教育には関心があった。哲学対話に出会ったのは、旦那さんがガンで亡くなる数か月前、もともと好きだった哲学の本を読んでいて哲学対話のことを知り、「これだ！」と思い、旦那さんが亡くなって5日後にはアーダコーダ（哲学対話を活動の中心にしているNPO法人）でファシリテーター養成講習を受けたという。

翌月には「ねりま子どもてつがく」（ねこてつ）を立ち上げ、1回目の対話イベントを行なう。そのときのテーマは「ひとはしんだらどうなるの？」で、自分の子どもも一緒だった。父親の死後にこんなテーマでさせていいのだろうかという思いもあったらしい。しかしむしろ哲学対話のおかげで、この大変な時期を乗り越えられたという。その後、もとはと言えば、子どものための場として哲学対話を始めたのだが、いざやってみると、子どもから教わることが多く、高口さんを含めて大人たちがハマっていった。

高口さんは、もともとが地域活動から出発しているため、今でも哲学対話にこだわらず、地元で親子企画や多世代交流に携わっている。また今では練馬区の区議会議員になっている(!)。声をかけられて立候補したが、子育てと政治は切っても切れない関係にあり、「地域で子育て」をかなえるため政治に関わることにしたそうだ。

しかしそこは、対話とは真逆の世界。どの政党の誰かによって、何を言っていいかが決まり、結局は数の論理で物事が決まる。高口さんはだからこそ、対話が必要なのだという。たしかに、政治というのはもっとも対話が必要でありながら、もっとも対話から遠いところかもしれない。それだけに高口さんの存在は貴重である。

ねこてつ

安本志帆さんの場合

安本さんは、もともと幼稚園教諭で、幼児教育を通して人間教育の観点から哲学対話を捉え、幼児から大人まで様々な人と哲学対話を行なっている。名古屋や犬山を拠点に、幼稚園や美術館で定期的に対話イベントを行ない、全国各地の小中高大学で外部講師として哲学対話のファシリテーターを務めるほか、異業種間の哲学対話の企画運営や当事者研究、哲学対話の個人セッション（哲学相談）も行なっている。昨年までは名古屋や犬山を拠点にしていたが、今年から福岡に引っ越し、さっそく活動を開始している。

安本さんの活動も多岐にわたるが、彼女の特徴は、ディベートの指導と当事者研究である。当事者研究とは、心や体に生きづらさを抱えた人たち（一般に○○障害者と呼ばれる人たち）が、（多くの場合、研究者と協力して）自ら研究をする活動である。

安本さんはご自身の息子さんが発達障害で、学校生活になじめないところがある。そこから発達障害以外にも、様々な障害、依存症の当事者のための対話の場をつくり、

CLAFA

特別支援教育にも携わっている。また福岡市では行政とも連携をとりつつ多様性（性的マイノリティ）教育にも尽力している。

　さらにユニークなのは、未来の体育を構想するプロジェクト理事、スポーツ庁人材育成ワークショップ講師を務めるなど、体育教育についても、「そもそも体育とは何か」を問い直し、スポーツが苦手な子にとっても楽しく有意義な体育の構想に関わっている。

　安本さんにとって重要なのは、多様な生き方を認め合い、社会的に弱い立場に置かれている人たち、生きづらさを抱えている人たちにも生きやすい社会であり、哲学対話はそのための強力な味方であり、有効な実践の場なのである。

　彼女たち3人に共通するのは、自分自身や自分の子ども、自分の住んでいる地域など、きわめて身近で切実な問題から出発しているということだ。彼女たちにとって哲学対話は、一言で言えば、自分と子どもの生きる世界をつくっていく場なのである。だから、たんに楽しい場でもなければ、子どもが考える姿を見る心温まる場でもない。哲学研究者がしばしば揶揄するようなお気楽な井戸端会議、素人談義などではまったくない。

　イベント後のオンライン飲み会で彼女たちは、自分たちの活動を振り返って口々に「血を吐くような思いだった」とか「血みどろになってやってきた」と言っていた。哲学対話は、彼女たちにとって命がけの〝主戦場〟だと言っていい。これほどの真剣勝負をしている研究者がどれほどいるだろうか（少なくとも私は違う）。彼女たちと話していると、いつも圧倒される。

　そこまでではなくても、哲学対話をやっているお母さんは、多かれ少なかれ、こういう他人事ではすまされない、自分事としての切実さに突き動かされている。しかもそれは、自分一人ではなく、必ず子どもや家族、地域や社会とつながっている。

寄せられたコメントや質問も、そのような関心からのものが多かった。その中でいくつかを取り上げ、彼女たちの答えも書いておこう。

○活動を通じて、子どもや自分にどのような変化があったのか？

尾崎さんは、もともと自分の子どもは、引っ込み思案だったが、自分から発言するようになり、友だちも増えたと言っていた。自分自身は、親子やその他の人間関係を、人と人との関係としてつくれるようになったという。

高口さんの子どもは、問うのが上手になり、また学校を批判的に見られるようになったらしい。何でも言って考えていい場があることを子ども自身が知っているのは、実際に哲学対話をやっているかどうかにかかわらず重要だと言っていた。

安本さんの子どもは、現在反抗期で、「なんで？」と聞くと、何でも哲学対話にするんじゃない！と言い返してくるが、苦労していて疑問にぶつかったときには、自分から「哲学対話をしたい」と言ってくるらしい。

○哲学対話のどういうところが哲学なのか？

尾崎さんは、自分は「哲学に守られている」と言う。なぜなら、問いがあるから問題を自分から切り離して、他の人と一緒に背負えるからだとのこと。

高口さんは、学校では問えないようなことを問えることが哲学であり、やっている人が哲学対話だと思っていたら哲学対話だと言えるのではないかとおっしゃっていた。

安本さんは、センシティブなことでも、その場で流さず問い続けること、そのことによって、言わば安全に傷つくことのできる場であるのが哲学対話であって、進行役が配慮しなければいけないのもそこだとのことだった。

3人とも言っていたことだが、哲学対話は、子どもだけがすればいいことではなく、親たち、大人たちもなじんでおくことが大切である。それによって大人も子どもも、どんな疑問でも許されて、思う存分考えられる場があることを知る。そのためには一回体験すればいいわけではなく、地道に続けていくことが重要である。そうして哲学対話が、問うことが、考えることが日常の一部となってほしい。

登壇した3人に限らず、哲学対話を実践する、あるいは興味をもつお母さんたちは、こうしたことをたんなる建前ではなく、肌感覚で理解している。彼女たちはあまり意識していないかもしれないが、それはすごいことなのだと私は思っている。

後日談

尾崎さんは最近、大学院に合格した。保育と哲学対話をつなげる研究をするそうだ。彼女にぴったりの、彼女にしかできない研究である。本人は、哲学対話を始めた当初、大学院に進学するとは夢にも思わなかったと言っていたが、彼女はとても思索的・探求的な人なので、私としては意外な気がしない。我が事のように自慢するネタが一つ増えた。

高口さんは、相変わらず区議会議員として気を吐いている。Facebookの区議会の様子や自身の活動等について動画配信をして、政治をみんなの手に返そうと奮闘している。

安本さんは、京都の母校で講師として迎えられている。東京に引っ越してくるとも言っていた。相変わらずパワフルに移動して活動している。

彼女たちを見ていると、いつも驚かされる。驚かされるのにもう慣れたので、今はただ楽しみなだけである。

哲学。をプロデュース！
〜新しい哲学の可能性を求めて

2021年1月22日投稿

「哲学を〇〇する」の〇〇には何が入るだろうか——研究する、教える、応用する、入門書を出す。これらは主に研究者が行なうことで、関わるのも哲学に関心のあるごく一部の人だろう。他方、近年では哲学を実践する、すなわち、子どもの哲学や哲学カフェ、哲学相談、哲学カウンセリング、哲学コンサルティングなどのプラクティスがあって、これらは必ずしも研究者がやることではなく、老若男女、広く一般の人たちが関わるものだ。

　しかしこれらのどれでもない〝プロデュースする〟というのがあるのではないか。哲学のコンテンツを楽しみやすい形、親しみやすい形、かっこいい形、面白い形にして人々に見せるプロデューサーのような役割。しかも文字通りに自分自身の哲学をproduce（生み出す）する――そんなユニークな人たちと哲学の新しい可能性を探りたい。

　2021年1月10日の午後2時から「哲学。をプロデュース！」というタイトルでイベントを行なった。今回もオンラインでの開催で、120名を超える人が国内外から参加した。来ていただいたゲストは、私が長年いろんな形で関わってきた人である。

3人のプロデュースした作品

　1人目は清水将吾さん。もとUTCPのメンバーで、最近『大いなる夜の物語』（ぷねうま舎、2020）という哲学ファンタジーの本を出版。もともと絵もステキで、私自身は彼がUTCPにいた当時、絵本作家になれると思っていたが、小説を書いても面白い。

　2人目は永井玲衣《れい》さんというエッセイスト。哲学プラクティスでも時々一緒になり、駒場祭でも企画を出していただいたことがある。でも何より私は彼女のエッセイの大ファンだ。「手のひらサイズの哲学」「水中の哲学者たち」「はい、哲学科研究室です」といったシリーズを書いている。どれもめちゃめちゃ面白い[1]。

　3人目は今井祐里さん。哲学雑誌「ニューQ」の編集や、哲学イベントの企画・運営、哲学ラジオ、哲学スナック、……と、哲学を〝ネタ〟にいろいろやっている。私自身、

［1］その後この3つのシリーズで書いていたエッセイは単行本『水中の哲学者たち』（晶文社、2021）に収められ、刊行された。

イベントと雑誌のインタビューでプロデュースされたことがある。彼女の企画は、とにかくなんでも面白い。

この3人の共通点は「面白いことをやっている」である。そして自分の好きな形で、哲学を生み出している。

当日はまずは順番に自分の活動、動機、思いを話してもらった。

小説家　清水将吾さん

清水さんは、イギリスで哲学の学位を取っている。今も研究者として活動しつつ、大学でも教え、子どもと哲学対話をし、そして小説を書く。彼は物語を書くようになった理由を2つ挙げた。一つは自作の絵本を持って子どものところへ行き、対話をしたい！という思い。もう一つは論理と物語の関係を考えたい、という思いだ。この2つの場所に新しい哲学の可能性を見いだそうとする。

子どものところに行くのは、彼らが哲学の始まりである「驚き」の近くにいるからだ。子どもと対話することで、その新鮮な感性に刺激される。そして日常生活のなか、歩いているときでも、何か食べているときでも、そういう新鮮な目で世界を見ようとする。それが彼の物語の着想につながるらしい。

だが子どもの哲学的資質は、もう一つの哲学の可能性を秘めている。それは、芸術で子どもの良さをそのまま伸ばすというフランツ・チゼック（Franz Cizek）に倣って、「子どもの哲学を子どもの哲学のままに育てていく」というものだ。

通常私たちが入門書などで哲学に出会って、その先に進もうとすると、大学・大学院に行って専門教育を受ける学術的な哲学の道に行くことをイメージする。けれども清水さんは、もう一つの道を考える。それが哲学対話や子どもの哲学から、哲学小説、哲学エッセイ、哲学雑誌などを通して、「みんなの哲学」に向かう道である。その哲学は、けっして学問としての哲学と比べてレベルが低いとか、それに対抗するものではなく、別のカタチの哲学なのだ。

そのさい重要なのが「論理」と「物語」の関係である。清水さんによれば、哲学とは、問いから始まり、言葉と言葉をつないでいく試みである。そこで論理は切り分けて積み上げる力、物語は包み込んでつなげる力。哲学対話はその両方が合わさった特異な場である。

　そう考える清水さんは、「小説」という形でどうやって哲学をプロデュースしているのか。彼は3つのポイントを挙げる。1つ目は新しい視点を探すこと、すなわち、ありふれたものでも未知のものに見えるような視点をもつこと。2つ目は意図して自分の中で何かをつくるのではなく、もっと自分を開いていろんなものを受容すること。そして3つ目は、自ら語るよりも物語が語られること、おのずと話ができてくる力を信じることである。

　清水さんは、あくまで自然体だ。世界に驚き、その問いに自らをゆだね、そこから出てくる言葉が紡がれるのを待つ。誰もがいきなり自分の疑問から始められる。それが「みんなの哲学」の自由さである。しかも一緒に考えてくれる誰かとの出会いがあり、そこからさらにまた新たに哲学が始まる。そこで生まれる言葉がただ消えていくのはもったいない。だから清水さんは「書く」のだ。

エッセイスト　永井玲衣さん

永井さんは、大学院で哲学を研究するかたわら、学校・企業・社寺・美術館・自治体などで哲学対話を行ない、予備校で思考力を育てる授業をし、大学でも哲学を教えている。そして、先に紹介したように、哲学エッセイを書いている。

　それにしても、なぜ哲学なのか？　永井さんにとって、子どものころから世界はめちゃくちゃで、どうしていいか分からなかったという。世界は謎に満ちている。だから彼女の夢は、寺山修司の言葉を借りて言えば、「偉大な質問者になりたい」だった。

　もともと文学好きの彼女は、まずは小説の中に答えを探していた。しかし哲学に出会って、自分で考えていい、自分で答えを見つけていいと分かった。そして大学で哲学科に入ったら、一緒に考えてくれる仲間がいた。それは永井さんにとって衝撃であり、大きな救いになったという。だから彼女は言う——哲学は、何もバカにしない。普段は気にも留めない些細なことでも、疑問に思い、存分に考えることが許される、と。

　そんな永井さんにとって哲学とは、表現することでもある。だから彼女は考えたことを書く。書くことでもっとよく世界を見えるようにする。それは言葉を磨くことで、世界に対する見方を研ぎ澄ますことであり、そうすることで、問いを自分から引き離して、みんなで考えられるようにするのである。

もう一つ、永井さんは、小さいころから何でも記録して残す癖があるという。彼女が書くのは、自分が体験した世界をフレッシュなまま保存しておくという意味合いもあるらしい。そのことが彼女のエッセイの書き方にも反映される。

哲学者の書くエッセイはしばしば問題を俯瞰し、高度な概念で現実を切り取って見せる。「ほら、哲学的にはこんなふうに捉えれられるんだよ」と。しかし永井さんは違う。世界の中に入り込んで、曖昧なもの、思考のもつれ、分かりづらさの中にとどまり、それをできるかぎりそのまま書く。それは思考が生まれる瞬間を記述することでもある。だから彼女のエッセイは、彼女がそのときその場所で感じたこと、考えたことをライブ中継するかのように生き生きしている。

永井さんによれば、哲学は特権的な学問への自尊と、社会と結びつかないことや表現することへの羞恥の両極端の間を揺れているという。しかし、そんなに構えずに、ただ問いと共に生き、それを自分のために、あなたのために言葉にする。そういう自由なものであっていいのではないか——それが彼女のエッセイという表現であるらしい。

編集者　今井祐里さん

今井さんも大学で哲学を専攻し、修士課程まで進んだ。在学中から学校や企業、地方自治体などで哲学対話のファシリテーターとして活動。「自由大学」という場で一般向けの哲学対話の講座を開いたり、社会人向けの哲学コミュニティを主催したりしてきた。現在は、株式会社セオ商事でサービスの企画、ウェブデザインに携わりつつ、同社が発刊する哲学カルチャーマガジン『ニューQ』の企画・取材・編集を担当する。その他、考えるための場づくりやワークショップを企画している。つまり、哲学でいろいろやっている。

今井さんが哲学を軸にしつつ、このような多岐にわたる仕事をしているのは、社長がもともと哲学好きだからで、今井さんは水を得た魚のように元気に活動している。この会社にはnewQという哲学的アプローチで提供するサービスがある――リサーチ、問いを立てるワークショップ、概念工学などの手法によって前提を問い直し、新しい価値の発見や意味の再考から社会実装まで行なうというもの。

彼女が目指しているのは、「まだ世界に存在しないけれど、これから存在しうる〝新しい何か〟を考えたい」とか、「プロジェクトにおいて、コンセプトをどのように形づくっていけばよいか分からない」とか、「アイデアワークやデザインワークに入る前に、リサーチを通じて洞察を深めたい」とか、まさに「考える」ことをサポートするサービスである。具体的には、ウェブデザイン、広告キャンペーンやワークショップの企画、編集や記事の制作、組織で考え続けられる環境の整備などで、哲学を社会に浸透させようとする意志を感じさせる。

このようにとにかく精力的に哲学を仕事にする今井さんが考えているのは、「哲学の仕方」と「哲学したこと」のデザインである。哲学の仕方のデザインとは、考えたいことを考えるためにどんな環境や仕掛けが必要かと、一緒に考えたい人にどのようにして参加してもらうかである。「哲学したこと」のデザインとは、探究したことを論文や学会発表以外にどのような形で知ってもらうか、また、言語とは違う身体的な「わかり」をどのようにしてもたらすのか、である。

こうした今井さんの多岐にわたる活動の根底には、彼女独特の哲学観がある――世界との摩擦、違和感が宝になること、その話題を一緒に話せる他者がいること、納得するまで何をどこまででも考えていいこと、そして、哲学をやっていて不幸になることはないという確信。

以前、今井さんと話していたとき、「私は哲学で食べていく、今そういう仕事がないならつくればいい」と言っていた。そのころから何と潔く迷いがない人かと思っていたが、その理由が分かった。他者と共に思いっきり考えれば、不幸にならないという、この世界への深い信頼感だ。

3人に共通するのは、問い考えることへの渇望、共に問い考える他者との出会いであろう。その渇望と出会いがあるかぎり、哲学の形は何であってもいい。物語になったり、エッセイになったり、企画になったりする。そこにはいろんな可能性が秘められている。彼女たちのように、私たちはもっと自由に哲学をプロデュースできるはずだ。みんなかっこいいなあ。

彼女たちの話に対して100を超えるコメントや質問が寄せられ、全体で4時間近くにわたるイベントとなった。刺激を受けた参加者の中から、また新しい哲学の形が生まれるかもしれない。

哲学対話とセックスは同じだ！～二村ヒトシさんとの対話

2021年3月8日 投稿

哲学対話は、他者と一緒に思考を創り上げていく。だから私はそれを「共創哲学（inclusive philosophy）」と呼んでいる。なぜ「共創的」という語にinclusiveを当てているのかと言うと、哲学対話では、世代も境遇も違う多様な人たちが、ごく自然にフラットに話をして〝仲良くなる〟ことができる、つまりとても排除（exclusion）が少なく、いろんな人が関われる場をつくれる（inclusion）からである。

私たちは共に生きるために大変な苦労をする。意見が喰い違い、自分を守り、相手を攻撃する。お互いに尊重できず、寛容にもなれず、争い拒否しあう。一緒にいようとすると、忍耐や妥協を余儀なくされる。対話が議論となり、いつしか口論になるなんて、よくあることだ。

哲学対話だと、つねにではないがかなりの確率で、苦もなく楽しく一緒にいられる。そこには「共に存在する」ことがどういうことなのか、いかにしてそれが可能なのかについてのエッセンスがあるのではないか——ここ数年、私の研究はこのような「共創」をテーマにしている。その結果、異なる人と一緒にいられる場、inclusiveな場をつくるための条件として重要なのは、以下のことだと考えるに至った。

1　何かを共有すること：この「何か」とは、物、人、関心（テーマ）、行為など、いろいろありうる。逆にたんに時間や場所、文化、慣習、言語を共有していても、一緒にはいられない（世の中を見れば分かる）。

2　目標や動機は違っていていい：何のためにそこにいるのか、そこから何を得るのか、何を目指すのかは、同じでなくていい。

3　一緒に違うことをする：共有する何かに対してどのように関わるのかは、同じでなくてもいい。

1は一緒にいられるための条件、2と3は多様性を積極的に取り入れるための条件だと言える。哲学対話は、おそらく「考える」という行為と「問い」という関心を共有することでそれができている。しかも、対話に何を求めるのか、そこから何を得るのかは人によって違っていいし、実際に対話しながら、それぞれにいろんなことを考えている。哲学対話は上の3つのすべての条件を満たしている。

では inclusive な場をつくるには、他にどんなものを共有すればいいのか。その候補の一つがセックス（性）というテーマであろう（他にもお金や食べ物が考えられる）。今回二村ヒトシさんをお呼びして対談しようと思ったのは、そういう理由からである。二村さんはAV監督として数々の個性的な性のシーンを映像に収め、また『すべてはモテるためである』（2012）や『なぜあなたは「愛してくれない人」を好きになるのか』（2014、ともにイースト・プレス）の著者として、恋愛をテーマに人と人が関わることがどういうことなのか考えてこられた。

二村さんとは、2019年6月に「哲学で文章はうまくなるのか？」というワークショップを紫原明子さんと行なったとき（「哲学。をプロデュー

二村さんの本

ス」のゲスト、今井祐里さんの企画)、参加者として来てくださったのが出会いだった。同じ年の11月、駒場祭の「こじらせ東大生の恋愛相談会」で、二村さんから哲学対話で参加者どうしが考える場にしたいと提案され、そこでまたご一緒させていただいた。さらにその後、性教育のイベントでもコラボすることになった。

その時点で二村さんは哲学対話に強い関心をもっておられたのだが、決定的だったのは、コロナ禍である。これによって哲学対話は対面でできなくなり、一部では絶望の声も聞こえたが、それを埋め合わせるように、オンライン上では哲学対話が爆発的に増えていった。そして二村さんはその状況下で、おそらく日本でもっとも哲学対話にハマった一人だった(4月から始めてすでに200回以上、一日3回やっていることもあったらしい)。そして私がオンラインで再開した「こまば哲学カフェ」の企画に真っ先に名乗りを上げて、5月には「セックスと性の〈なぜ?〉を考える」を看板に自ら哲学カフェを運営し始めた。

いったい二村さんは、なぜこれほど(ほとんど中毒と言っていいほど)哲学対話にのめりこんでいるのか。しかも彼の哲学カフェには、実にいろんな人たちが大勢集まってくる。それは二村さんの知名度や人気もあるだろうが、やはりテーマが「セックスと性」だからだろう。あたかもそれじたいが「磁場」のように人を引き寄せる。それはセックス(性)がそもそも何なのかという問いであり、セックスを「共創的(inclusive)」な観点から考えることにつながる。

というわけで、自分の研究テーマについて二村さんと一緒に考えたいと思い、この企画を立てた。2021年1月16日当日は、参加者が150人を超え、チャットト欄にコメント・質問が100件以上書き込まれた。

冒頭、前述のような企画を立てた経緯とイベントの趣旨とを説明し、続けて二村さんにご自身のこれまでのことをお話しいただいた。

二村さんは、大学時代に学生相談室に出入りしていて、そこでカウンセリングのためのエンカウンターグループに参加していたそうだ。それはカウンセラーが主導するのではなく、悩みのある人もない人も一緒に車座になって、ただ語り合い、話を聞く場で、そうすると苦しんでいる人がおのずと治癒していったという。今で言うオープンダイアローグに近いもので、二村さんは当時から哲学対話と同じようなことをしていたのである。

また学生時代に劇団もやっていて、そこでもストーリーの大枠は二村さんがつくり、セリフの細部は役者どうしのアドリブで対話的に構成していた。大学を中退してAV男優になり、その後AV監督をすることになったが、二村さんを有名にしたのは女性側が能動的にセックスをする「痴女ビデオ」というジャンルで、女優さん本人の恋愛体験や性癖を事前に面談で聞き、彼女が「やりたいセックス」と二村さんが「彼女にやってもらいたいセックス」をつきあわせて台本をつくることに相当時間をかけていたという。

二村さんは監督業を本格的に始める直前に、『すべてはモテるためである』という男性向けの著作も刊行している。初版当時は全然売れなかったが、別の出版社から再版されたとき上野千鶴子から評価されて注目され、続けて女性向けの恋愛本『なぜあなたは「愛してくれない人」を好きになるのか』も上梓した。どちらの本も、こうすれば女を落とせるとか、いい男と付き合えるという本ではなく、自分のことを振り返って徹底的に考えようという趣旨の本である。

二村さんはコロナでAVの撮影ができなくなって以来、オンラインで哲学対話をずっとやっている。もともとのきっかけは自著のイベントで名古屋に行ったときに安本志帆さん（「子育てと哲学対話」のゲストの一人）と知り合い、「性」をテーマにした哲学対話を子どもや親を含めて一緒にやったことだった。かねてから多くの人にとって欲望や性の悩みを真面目に話す場が絶対に必要だと思っていたが、哲学対話の形式であればそれが安全にできると感じ、駒場祭で相談会ではなく、みんなで哲学対話をしようと思ったらしい。そんな折のコロナ禍で、家にいる時間が増えて、中毒のように哲学対話にハマったとのことだった。

今回のイベントは、いつもやっているように、ゲストに自分の活動について話していただき、質疑応答するという形では行なわなかった。むしろ、私以上に哲学対話に熱心な二村さんと、私自身が疑問に思っていることについて一緒に考える場にしたかった。そこであらかじめ質問状を渡し、それに答えていく形で進めた。また二村さんのほうからも私に質問をいただいていた。

梶谷から二村さんへの問い

梶谷：哲学対話にハマる人はいますが、二村さんほどの人は珍しいですね。なぜそんなにのめりこんでいるんですか。

二村：哲学対話とセックスは同じだ！と言いたいよね。それどころかエンカウンターグループも、演劇もAVも、撮影ではないセックスも、やっていることは同じで、要するにどれも他者と一緒に考えてつくっていくことには変わりないですよ（このとき二村さんはなかばふざけて極端なもの言いをしたつもりだったようだが、「哲学対話＝セックス」というテーゼは、以下の話全体の核になる）。

梶谷：二村さんの周りには、実にいろんな人が集まっていて、とてもinclusiveな場になっているように見えますが、その理由はどこにあるんですか？　とくに二村さんの場合、恋愛やセックスという、多くの人が興味をもちながらフラットに話すのが難しいテーマが共有されていることが大きいと思いますが、そういうことが根底にあるんじゃないかな。

二村：職業柄普段から下ネタを話しているから、自分のところでは性や恋愛について話しづらいことでも安心して話せると思われているんじゃないですかね。また哲学対話では、ルールがあるおかげで、何を言っても否定されない、嘘をついてもフィクションでもいいよね。セックスというのは、本当は相手を全肯定するものであるはずなのに、なかなかそうならないんだよ。でも哲学対話では全肯定される。そこが共通しているんじゃないかな。

梶谷：哲学対話では、普通なら一緒にいられない人が一緒に話すことができます。そこから普段の生活の中で、どのような人がなぜ排除されているのかが浮き彫りになるんです。性格的には引っ込み思案の人、効率重視の人、従順な人、慎重な人、やたらと気を遣う人、能力的には優等生（分からないと言えず、疑問をもつのが苦手。学校の規範に合わせるのが上手な人）と劣等生（分からなさすぎて疑問がない）、社会的にもともと不利な立場にいる人（自分の意志意向を言うのに慣れていない）などですね。では恋愛やセックスでは、どういう人が排除されやすいと思いますか？

二村：橋本治が「子どもがセックスをしてはいけないのは、子どもはセックスを必要としないからで、大人がセックスをするのは子どもに返るためだ」というようなことを書いているんだよね。子どもは社会の秩序の外にあり、セックスはその状態に二人で戻る行為だということ。大人はもちろん子どもではない。二人で一緒に子どもに返るためには、自分をしっかりもちながら、同時に相手を信頼して心のガードを外さなければならないんだよ。それができない人、すなわち自分というものをもっておらず、相手に対してオープンになることもできない人が恋愛やセックスで問題を抱えやすいように思うね。

梶谷：次にセックスについてどのように語るのが〝適切〟なのか、どうすれば〝正面から〟語ることになるのかについて質問させてください。ここでいう「適切」とは、私たちが生活の中で実際に経験したり関わったりするリアリティにそくしているということです。また「正面から」というのは、それを変に回避したり隠蔽したりせずに、そのものを語るということです。世の中でなされているセックスの語り方というのは、いくつかあって、芸術として語ると、変に美化されるか挑発的になります。医学的に語ると、生殖や病気、リビドーやトラウマなど健康のための規範になるし、社会科学的に語るときは、差別や暴力、商品化、ジェンダーや権力との関連で別の問題の中に入れられてしまいます。逆に日常生活の下ネタや体験談だと、下品になったり暴露話や告白話になったりします。学校の「性教育」では、子どもをつくる話が中心で、責任とか命の大切さみたいな〝大きな話〟にされてしまいますよね。どれもセックスについて〝適切な〟感じもしないし、〝正面から〟語っている感じもしないんです。

他方、セックスのことを「肉体関係」と言いますが、たんなる肉体の関係だけではなく、人間関係、コミュニケーションの一つですよね。だから先に述べたような相手を肯定し尊重することが必要になるわけです。関係の主体の点で言えば、LGBTの問題でもあり、関係のあり方の点で言えば、快楽であったり子づくりであったり、愛であったり暴力であったりする。二村さんはセックスを恋愛との関連で捉えていて、この関連じたいはむしろ当たり前ですが、この観点からだと、個々人にそくした仕方で具体的・実践的に語れるのがすぐれた点だと思います。では、二村さん自身は、セックスについてどのような語り方が適切だと思っていますか?

二村：普通は他人に見せると恥ずかしい私の心の柔らかい部分を「あなたには見せますよ」というのがセックスであって、そこでは何が正しくて何が間違っているということは容易には言えないし、大半の人が自分が100%正しいとは思っていないと思うんだよ。だからセックスについて語る場は、正しいことをしゃべらないといけない場になっていないことが重要で、そのような場であれば、ごく普通の人が一般の規範から外れたことでもサラッと言えるんだよ。

性の対話を始めて間もないころ、フェミニストの女性で、公には〝正しい〟ことを言っていても、プライベートにはそれに反することをしている人がいたんだよね。けれどもだからと言って彼女が間違っているわけではないし、批判されるべきでもないと思うんだ。背徳感をもちつつ、被害者を出さずに、同意のうえで悪いことをしたっていいんだよ。というのも、私たちは成長過程で、とくに親によっていろんな形で否定されていて、素直なままではいられない。しかも、他のいろんなことと同じようにセックスについても、これをすればいい、こうしてはいけないというマニュアルが多いでしょ。その結果、相手自身を見るのではなく、ただ世の中で言われていることに自分を合わせているだけになっちゃう。そんなところでは自分のガードを外して相手と向き合えるはずもないんだよね。だからそこでは何が正しいかはいったん横に置いて、相手のことを聞いて受け止め、どのように関わるのがいいのか自分たちで考えることが必要なんだ。つまりセックスも対話的でないといけない。対話とセックスの違いがあるとすれば、言葉ではなく体で伝えあうということだよね。

梶谷：哲学対話をしていると、話し合いの仕方だけでなく、お互いの接し方、向き合い方を私たちはどこで学べばいいのかという気がしてきますね。恋愛やセックスについては、映画や小説、とくに女性は少女マンガから学んでいますが、それは二村さんの言葉で言えば「心の穴」と折り合いをつけて幸せになる、いわば健全なものではなく、不健全で不幸につながるものであることも多いわけですよね。でもその不健康さが小説やマンガの魅力でもある。だとしたら、私たちは、どこでどういうふうに恋愛＝心の穴との折り合いのつけ方を学べばいいんでしょうか？

二村：素直に生きようと思ったら、与えられたものを素直に食べていてはいけないよ。世の中じたいがおかしいんだから、それに反するようなものを読むことも必要なんだよ。みんなが生きたいように生きればいいわけではなく、社会の規範には従わないといけないけど、それは言わば〝昼〟の世界であって、すべてそれだけになるのは苦しいでしょ。私たちには〝夜〟の世界も必要で、どこかで間違ったことをしないといけない、どこかで抵抗しないといけない。それを小説や映画で学ぶんだよ。

梶谷：他方で二村さん自身、本で「モテるために必要なこと」を書いていて、たとえば、ちゃんと聴く努力はするけれど判断はしない、決めつけないで相手と同じ土俵に立つ、自分で考えて自分の言葉で語る、自分で自分を理解している（分からなくなっていることも含めて）、自分を開示し自分が変わることができるといったことは、どうやって身につければいいんですかね。

二村：「猫町倶楽部」という読書会サークルがあって、そこによく行くんだけど、この読書会では、本を読了することと、人の言うことを否定しないというルールがあって、そこでいろんな人が自由に本について語り合うんだ。うまく対話が噛み合うと、参加者はみるみる変わっていく。そうやって否定しない、相手を受け入れることを学ぶんだよ。それは対話でもセックスでも同じだと思うんだ。どうやって受け入れるかはハウツーだけど、受け入れることがどういうことか、人を愛することと受け入れることがどのように関わるのかは、どこかで自分で体験する必要があるよね。それは読書会や対話の場でやるといいと思うんだ。一般にセックスは、たんなる挿入であるとか、子づくりだと思われてきたけど、それはセックスのふりをした別のものだよ。相手を肯定していなくても、心を開かなくても、そう呼んできたんだよ。だがそう呼ばれてきたものが実はそうではなかったというのは、哲学対話でも似たことがあるんじゃないかな。

以上が二村さんへの問いかけとその答えである。この後は二村さんからの問いに対する私の答えをまとめておこう。

二村さんから梶谷への質問

二村：セックスは人を惹きつけもするけど、人を傷つけたり憎悪を生んだりもするよね。快楽のためにやっているのに、なぜそれが相手を傷つけたり自分が傷ついたりするんだろうか？

梶谷：快楽は独占や支配に結びつきやすく、相手を配慮しないことにつながりやすいと思うんです。これはセックスに限らず、人間関係一般に言えることで、人とのつながりじたいがお互いを惹きつけたり反発したりします。また人間は憎悪や苦しみに執着することもあります。もともとの人生に対する姿勢や人間関係のつくり方がそのままで、セックスだけが愛にあふれるものになることはありえないでしょう。結局はその人がどのような人間関係をもつかの問題だと思います。

二村：ハイデガーが「意志を志向するということは、自分は過去にとらわれずゼロから始められると考える、つまり過去を「考えない」ということで、つまり過去を憎むということだ」と言ってるらしいね。そこからヒントを得て、世の中にはセックスを憎む人が少なくないのは「セックスが白分というものを失うためにする、中動態の行為だから」なのかなと考えたんだけど、どう思う?

梶谷:このハイデガーの言葉を分かりやすく言えば、現代人は自分の意志で物事を始められると考えているけど、実際にはゼロから始めることはできず、いろんなことによってさせられる、どうしようもなくそうなってしまうということだと思います。つまり人間のやることは100%能動か、100%受動というわけではないんです。たとえば人間は自分で考えているようで、それ以前に何か思いつくとか、何らかの印象を受けることが必要なわけですが、それは自分の意志でやっているわけではありません。自分が能動的に考えているときでも、根底ではそうした受動的な部分があるわけです。そもそも何かを受け取るには、そのためのセンサーをもっていないといけません。受動的であるために、物事を受容するような態度を自らとっていないといけないんです。そういうふうに何重にも受動と能動が重なっているんです。二村さんの言う「心の穴」について言えば、その穴は誰かに開けられたのであって、私たちはそれに従って行動していて、その帰結には責任をとらないといけませんが、だからと言ってその人が全部悪いわけではないんです。

世の中では「正しいことをしないといけない」という規範、圧力があふれていますよね。間違いのない子育てをしたい、間違いのない恋愛をしたい、こうすればいい子になる、いい恋愛ができる、などなど。しかし、世の中は意志だけで成り立たないのと同じで、思いどおりにはなりません。心の穴はどんな育ち方をしても開いてしまいます。物分かりのいい親が育てても、物分かりがよくないといけないことが傷になるかもしれません。男とか女にこだわってはいけないと育てても、男とか女にこだわらないということにこだわりすぎて心の穴になることもあるでしょう。だから間違いのない、傷のない生き方をすることよりも、傷とどう向き合うか、傷つけるかもしれないということとどう向き合うか、その覚悟とおおらかさが必要だと思います。傷つけてはいけない、傷ついてはいけないと言っていると、何にもできなくなり、誰かが少し傷ついただけで、相手を非難して対立するしかなくなるでしょう。それは思考の怠慢であって、あれかこれか決められないところで耐えることが必要でしょう。ただしそのために、一人で何とかするのではなく、お互いに話をしたり聞いたりする場で、そうした中途半端な状態、寛容な状態の大切さ、心地よさを体験するのがいいと思います。

今回の二村さんとの対談を通して、対話とセックスの共通点が、けっしてたんなるアナロジーではなく、まさに深いところで、本質において通じ合っていることがよく分かった。そのことが、私が今まで「共創哲学」について考えてきたことをより明確に捉え直すことにもつながった。

二村さん、面倒な対話にお付き合いいただき、ありがとうございました。これ、やっぱり二村さんとでないと不可能でした。しかも、めちゃ、楽しかったです！

結婚の新しいカタチを求めて

2021年3月25日 投稿

２０２１年2月27日（土）、「新たな結婚のカタチを求めて」というイベントをオンラインで開催した。結婚関連のイベントとしては、２０１９年12月に行なわれた「いかにして愛のために出会いの場をデザインするか」に続いて2回目である。昨年11月、オンラインの哲学対話で私のことを知った柿木真人《かきのきまさと》さんから「結婚から恋愛を切り離すと何が残るのか」について意見を聞きたいと連絡があった。Zoomでお会いすると、恋愛を前提にしない結婚を支援するベンチャーを立ち上げたいという構想を語ってくれた。もともと婚活に取り組んでいた私にとってはなはだ面白い話で、二人だけで話しているのはもったいないので、いっそイベントにしましょうと私から提案した。

前回は結婚に限らず、人生を共にするパートナーと出会う場はどのようにつくればいいのかについて議論をしたが、今回は「結婚」をテーマとして、そのあり方と可能性について考えるという趣旨であった。そこで柿木さんと一緒に起業しようとしている鈴木大貴《だいき》さんと、彼が一緒にこの問題を考えたいと思っていた松尾知枝さんをお呼びして、今回の企画となった。当日は、松尾さん、柿木さん、鈴木さんにご自身の考えや活動について話していただき、そのあと全体でのディスカッションを行なった。

最初にお話しいただいた松尾知枝さんは、元ＪＡＬ国際線のキャビンアテンダントで、現在は婚活支援コンサルタントとして活躍している。まず自己紹介で、松尾さん自身が家庭の事情で10～18歳のあいだ児童養護施設にいたため、幸福な家庭のイメージがなく、結婚に不安を覚えていたこと、それでも現在は結婚して充実した生活を送っているとおっしゃった。このことは、あとで述べるように、彼女の結婚観や婚活支援の特徴を理解するうえで重要なので、ここでも記しておく。

続けて松尾さんは「なぜ結婚が難しくなったか」を説明した。まず社会的要因として挙げたのは、結婚に関する規範の変化である。もともとは誰でも結婚するのが当たり前で、しかも家のためであったのが、個人の人生の選択肢として、してもしなくてもよいとする考え方が一般的になった。

この点はよく指摘されることであるが、松尾さんはもう一点、「テクノロジーによる日常快適性の向上」を挙げた。具体的に言うと、Twitter や Instagram などのＳＮＳや YouTube や Netflix などのＩＴ技術によって、日常生活における快楽の追求が多様化し、恋愛の優先順位が低下したという。さらに、最近の様々なプロダクトは、ユーザーにできるだけ考えさせないような設計になっているため、恋愛のような頭も気も使うことに対する耐性が下がっているのではないかとのことだった。また他にも心理的要因として、多様すぎる選択肢から自力で相手を見つける難しさもあるのではないかとおっしゃった。

これらの指摘は、結婚が個人の選択になったことと同じくらい、場合によってはそれ以上に重要な問題かもしれない。というのも、結婚が個人の自由な選択になり、必ずしもする必要がないと考えつつも、実際にはいまだ9割の人が結婚を望んでいるとする統計もあるからだ。つまり、結婚する人が減っているのは、結婚しなくてもよいと考えているからというより、結婚したくてもしにくいからというのが実情であろう。「結婚はコスパが悪い」とする最近の結婚観も、このような社会的要因を考えると、むしろ納得しやすい。

さらに松尾さんは、結婚のあり方じたいの変化についてもお話になった。かつて標準世帯と言われた会社員の夫と専業主婦と子ども2人から成る家族は、現在4・6%しかなく、結婚したいけど子どもはほしくない、結婚しないけど子どもはほしい、同棲はするけど籍は入れたくない、一緒に住むかどうかなど、すでに多様な生き方、家族のあり方が出てきている。このような現状を踏まえ、松尾さんは結婚を再定義する必要性があるという。そのさいまずは「普通」という基準を疑ってみなければいけない。

そのうえで松尾さんが結婚の〝カスタマイズ〟を提案する――法律婚か事実婚か、子どもをつくるか否か、同居か別居か、協力と扶助をどれくらいの度合いにするか、愛情を求めるか求めないか、どこに暮らすかといったことをそれぞれに合わせて選択する。しかも、定期的にそれを話し合い、見直す「契約更新制」があってもいいのではないかという。

松尾さんはそのような結婚の核となるものを「贈与」としての関係に見いだす。結婚を「夫が働いて稼ぎ、妻が家事育児を担う」（あるいはどちらがどれくらい分担するか）というギブ・アンド・テイクの利害関係によって成立すると考えるのではなく、反対給付を前提としない自由な贈与として捉えられるのではないか、そしてそのような関係は、けっして制度的に固定できるものではなく、二人にとって心地よいものになるよう日々更新し、育てていくものであるという。

こうした柔軟な結婚観は、松尾さんが標準的家族を知らないで育ったからこそ可能なのだと思う。逆に典型的な〝幸福家族〟に育つと、それが強固なロールモデルとなって、それとは異なる形の結婚の可能性が考えにくいだろう。松尾さん本人が結婚を決めたのは、朝起きて彼のためにコーヒーをいれて起こしてあげたいと思い、そのシーンがイメージできたことだったそうである。それが彼女にとっての「自由な贈与」の具体的な姿なのだろう。何をもって贈与と考えるかは人によって様々であろうが、それを起点にして、あとは柔軟に考えるところにこれからの多様な結婚の形が見える。

次に登壇した柿木真人さんは、アーティストでノンモノガミー（一対一の関係に限定されない多重の関係を合意の上で志向する人）で、「新しい結婚の提案」というテーマで話をした。彼の言う「新しい結婚」とは、恋愛結婚とは異なる価値観を土台にする結婚である。それを説明するにあたり、彼は自分の性愛・恋愛に関するプロフィールから始めた。

幼稚園児から小学生のころは、漫画を読む中で「エッチな気持ちになること」＝「悪いこと」という価値観を形成する一方、児童文学からは、運命の人と出会う→手をつなぐ→キス→結婚→幸せな生活という思想を身につけたという。また小学生で自慰行為をして性に目覚め、穢らわしく罪深いものと感じるようになった。中学生からは「私たちは彼氏彼女である」という宣言をし、「お付き合い」をするという〝制度〟が「終わりへのカウントダウンを始めるための行為」のように思い、反発を感じたらしい。

転機となったのは、23歳のときにネットで知り合った年上女性との初体験だった。そのとき女性の忘我する表情に芸術作品を見るような気持ちを味わい、性行為＝神聖な美しさという価値観に反転。その後、婚外恋愛する女性たちと親しくするなかで、恋愛と結婚を切り離して捉える彼女たちの考え方を見聞きし、「運命の人と出会い、恋愛し、結婚して幸せになる」という人生観が揺らいだ。そしてノンモノガミー、ポリアモリー、リレーションシップアナーキー[2]といった概念を知り、自分が求め

[2] ノンモノガミーは、1対1ではなく、複数の相手をもつことを双方が許容する婚姻関係を指す。ポリアモリーは双方が複数の恋愛関係をもつもの。リレーションシップアナーキーは、一般的な社会規範にとらわれず、個別の関係を相互の同意によって自由に構築する関係を指す。

ている関係性のスタイルがいったい何なのか、そのころから意識して考えるようになったという。

柿木さんは、アーティストとして活動しつつ、当初は食文化史のなかで性愛規範を扱う作品をつくっていたが、28歳のころから「恋や性愛の規範」をメインテーマに据えるようになった。そして何が〝正しい〟性愛で何が〝正しくない〟性愛なのかを人々に浸透させるシステムこそが、結婚制度だと思うようになった。昨年、31歳のときにコロナ禍のなかで高校の同級生である鈴木大貴さんと再会し、20年後くらいにやろうと思っていた「結婚制度をアップデートする」プロジェクトをさっそく始めることにした。

柿木さんが言うように、恋愛関係を土台とする結婚が主流になったのは、日本では1960年代末からである。それが1990年代から結婚できない人と、結婚を維持できない人が増え始めた。つまり、恋愛結婚がマジョリティにとっての幸福な制度として機能していたのは20年間にすぎないのである。また今日、セックスレスや不倫等が問題になることからも分かるように、恋愛と結婚はすでに乖離して、恋愛感情を家族愛に移行させることが困難になっている。

こうした現状を踏まえ、柿木さんは、恋愛結婚を自明視し、〝常識〟とするのではなく、そうしたものから解放された別の選択肢を考え、結婚という制度を柔らかくしていきたいという。では具体的にどのような選択肢を考えているのかと言うと、個々人が望む生き方や家族の形を入り口にし、結婚に必要なことを確認しつつ、恋愛も性交渉も含めて、様々な要素を〝オプション〟として選んで、言わば二人の間で〝カスタマイズ〟していくというものである。

柿木さんは、松尾さんとは対照的に、性愛や結婚についてかなり保守的な価値観を強く内面化していたようだが、それがかえってのちに反動となっていろんな当たり前を疑い、選択肢にするようなスタンスへと転じた。このような考え方は、現行の結婚制度を大事にしたいと思う人にとっては、無秩序と不安定をもたらすものに見えて、警戒するかもしれない。しかしそうした制度や規範に違和感を覚え、適応できずにいる人にとっては、むしろ歓迎すべき解放になるのではないだろうか。

3人目のゲスト、鈴木人貴さんはウェブ業界で働くパンセクシュアル（特定の性別に限定されない全方向的な志向の人）であり、「新たな結婚のカタチを求める一例」と題して、さらに具体的な提案をしてくれた。

彼もまた性愛や結婚についての自己紹介から始めた。10歳ごろから、かわいくて賢くて明るい子であれば、性別にかかわらず自然に好意を抱き、女子と交際する一方で、男子にもアプローチしていたという。12歳から渡米して15歳で帰国したが、恋愛対象の傾向は変わらず、その後インターネット（SNS）を通して出会った女子大生と真剣に交際しつつ、男子にもアプローチしていた。

20歳になって恋人からの同棲を提案されるが、受け止められず交際が終了。そこから自分の性愛の対象を見極めるべく、人種・年齢・ジェンダーを問わず性愛体験をして、自分自身は男性だが多様な人を愛おしく感じる「パンセクシャル」だと自覚するに至ったという。

その一方で鈴木さんは、家族への憧れが強く、この世で唯一の理性を超えた関係であり、不確実な未来における絶対的な拠り所だと考えていた。そこで20代にして婚活を始め、様々な女性と会ったが、結婚相手をどのようにして決めるのか疑問をもち、恋愛感情やスペックのような条件は、長期的には不安定で、永続的な結婚とは相性が良くないと考えるようになった。

30歳ごろから「友情結婚」（性的関係をもたない者どうしの結婚）の紹介サイトを利用し、性愛と結婚を切り離した婚活を体験し、結婚相手の決め手は、求める結婚の生活像ではないかと考えるに至ったらしい。

以上のことを踏まえ、鈴木さんは「見合い結婚」「恋愛結婚」「新たな結婚」を、「土台となる要素」と「結婚の構成要素」から分析して説明した。

「見合い結婚」は、土台となる要素が家どうしの関係で、構成要素は入籍、共同生活、家族愛、性行為、子ども、家事、これらが家族のうちで完結している。

「恋愛結婚」の場合、土台となる要素は恋愛感情と性的関係であり、構成要素は入籍、家族愛、共同生活（別居、週末婚も含む）、子ども、家事であるが、子どもや家事も一部外部の支援を得ている。ただし恋愛感情と性的関係は、浮気や不倫のように家族の中で完結せず、外に出ていることもある。

鈴木さんが「新たな結婚」の一例として考えているのは、土台となる要素が家族愛、共同生活となっている点で恋愛結婚と異なる。そして性的関係は家族の外部で満たし、子どもについては夫婦間での人工授精でもうけたいと考えている。

鈴木さんの場合、性的志向についてはもともとオープンで自由であったと言えるが、それでいながら結婚を「この世で唯一の理性を超えた関係であり、不確実な未来における絶対的な拠り所」と考える、見ようによっては超保守的な立場をとっていて、その不思議なバランスが興味深い。

「新たな結婚」についての彼の提案、とくに結婚の安定のために性的関係と子どもを家庭の外に出すという発想は、突飛で非現実的に映るかもしれない。しかし結婚を構成要素に分解して、それぞれが結婚生活にとって必須かどうか、どれくらい外部に出せるかを、倫理的観点を入れずに検討するというのは、今一度冷静に結婚を考え直すのにいい思考法であろう。

3人の話の後は、ウェブ上に書き込まれたコメントや質問を取り上げながら、ディスカッションを行なった。この日に結婚の新たな形として提案されたものには、カスタマイズ、更新制、恋愛関係や性的関係の外部化、子どもの外部化など、反発を呼びそうなものもあった。実際、結婚をビジネスやサービスのように捉える見方に戸惑うコメントもあった。「最適な結婚相手」という考え方じたいに懐疑的な意見もあった。

しかし全体としては圧倒的にポジティブな反応が多かった。過激なようで素直な感受性だと受け取った人もいた。結婚がすでに制度疲労を起こし、現実に合わなくなっていると感じている人は、実はかなり多いのかもしれない。他方で、そもそも結婚にこだわらなくてもいいのではないかという意見もあった。もちろんそのような立場も分かるが、それはむしろ今までよく言われてきたことで、今回のイベントの趣旨はそこにはない。

結婚そのものを否定するのはむしろ簡単なことで、私はそれよりも、結婚の形態を柔軟にすることで、現在ある制度を生かす道を探るほうがより現実的で、より責任のある態度だと思う。結婚に限らず、制度が人を縛りつけるものなのか、人を守り自由にするものなのかによって、その社会が生きやすいかどうかが決まる。社会が制度によって維持されるかぎり、よりよい社会を構想することは、よりよい制度を考えることでもあるのだ。

イベントでは、3人の今後の活動のために、参加者から問いを集めた。その中には、

・快適だから結婚するのか？
・夫婦が納得しても、子どもの気持ちはどうなるのか？
・家族を愛することと、パートナーを愛することは別の「愛」なのか？
・結婚は幸せのためにすることか？
・結婚と愛がセットで語られるのはなぜか？
・結婚をカスタマイズすると、面倒くさくなるか、それとも楽になるのか？
・結婚は人生において重要か？
・そもそも自分が何を望んでいるのかどうすれば分かるのか？

といった今後さらに考えていかなければいけない問いがあった。

婚活支援サービスは、従来の結婚観がほぼ前提とされたまま、希望と条件のマッチングになっている。これからはそこにAIが入ってきたりするのだろう。しかし、それでは私たちは、既存の枠組みに自分を無理やり当てはめるだけで、そんなことを繰り返しても自分に合った結婚相手に出会うことはできないだろう。3人の婚活支援は、むしろ既存の枠組みをいったん解体して、個々人に合うように組み直していく試みである。そのために重要なのは、自分にとって結婚が何なのか、そもそも自分はどんな人生を望むのかに向き合うことだろう。そこには結婚を肯定しつつ根本的に変革する可能性が秘められているように思う。私もぜひ応援したい。

未来のコミュニティをつくる
～教育による地方創生の〝たくらみ〟

2021年9月13日 投稿

私が五ヶ瀬中等教育学校に関わり始めたのは2014年である。SGH(スーパーグローバルハイスクール)という国際的に活躍できる人材育成を行なう高校を文科省が指定して支援する制度に、応募の段階で哲学対話が組み込まれることになった。その〝黒幕〟が今回お呼びした一人、NPO法人グローカルアカデミーの田阪真之介さんだ。

田阪さんはSGHの申請のさいに五ヶ瀬中等をサポートしていて、哲学対話をぜひそこに取り入れたいということで、私は依頼を受けた。彼によれば、宮崎の学校教育は、生徒が先生の期待にしっかり応えているという意味でとてもうまくいっていることが多い。しかしそのような〝予定調和〟をいい意味で崩さないと、これからの時代は通用しない。そのために哲学対話は大きな可能性を秘めているのではないか、ということだった。この時点で田阪さんは哲学対話について私から簡単な説明を聞いていただけで、自分では体験していなかった。それでも五ヶ瀬中等教育学校の先生方を説得して、SGHのカリキュラムに組み込んだ。はたして申請が採択され、私と五ヶ瀬との付き合いも始まった。そのさい学校側で中心になってSGHを主導し、私が五ヶ瀬に行くさい窓口になり、哲学対話の活用の仕方を一緒に考えてくださった教員が上水陽一《かみみず》さんである。

他方2015年、高千穂郷・椎葉山地域が国連農業機関(Food and Agriculture Organization of the United Nations: FAO)から世界農業遺産(Globally Important Agricultural Heritage Systems: GIAHS)の認定を受ける。山間地域における稲作、畑作、畜産、茶などの複合的農業とそれにまつわる神楽などの伝統文化が総合的に評価された。その申請のさいに自治体職員として活躍し、その後も関連事業で中心的役割を果たしているのがもう一人の登壇者、田崎友教《とものり》さんだ。

また日本でのＧＩＡＨＳの審査委員として高千穂地域に関わったのが総合地球環境学研究所の阿部健一さんである。彼はそのさい五ヶ瀬中等教育学校も訪ね、ローマでのプレゼンターの一人として生徒の一人、宮嵜麻由香さんを指名。彼女は２０１６年の3月にＵＴＣＰのイベント、「ラーニングフルエイジング～超高齢社会における学びの可能性」講演会で、「地域社会における多世代交流と教育の役割」というテーマで田阪さんと登壇している（本書第2章参照）。

こうしてＳＧＨと世界農業遺産が私たち5人を結びつけた。私が8年ほど五ヶ瀬・高千穂に関わって学んだのは、地方創生にとってもっとも重要なのは、企業の誘致でも観光資源の開拓でも特産品や名物の開発でもなく、そこに住み続ける人を育てること、つまり教育だということである。しかし教育を軸に地方創生をしているところはあまり多くない。五ヶ瀬・高千穂は、そのきわめてすぐれた事例であろう。

ごく一部とはいえ、そこに哲学対話が貢献できたのは、私にとっては哲学対話のみならず哲学の可能性を大きく広げてくれた貴重な機会だった。今回8月7日に、その立役者である田阪さん、田崎さん、上水さんの3人を迎え、阿部さんと私が司会役となって、五ヶ瀬・高千穂での活動についてここで私たちなりにいったん総括し、教育と地方創生について一緒に考えることになった。

まず町役場の田崎友教さんから自治体の取り組みについてお話しいただいた。２０１７年に自治体の担当部署で構成される世界農業遺産高千穂郷・椎葉山地域活性化協議会（通称「ＧＩＡＨＳ協議会」）と宮崎大学と県立高千穂高校の三者からなる世界農業遺産連携協定が結ばれ、世界農業遺産を学校教育と地方創生に活用する枠組みができた。学校教育については、グローカルアカデミーの協力を得て、「ＧＩＡＨＳアカデミー」という地域と協働しつつ行なう学習プログラムがスタート。そのなかでも注目すべき活動は、高校生たちが地元の農家の人たちに取材し、それを「高千穂郷食べる通信」という情報誌で記事にして発信すること。もう一つは、アカデミーで学んだことを小中学校や住民が集まる場で出前授業を通して伝えることだった。参加した人数はすでに4000人を超えている。

私はこのアカデミーのキックオフのさいに呼ばれて哲学対話を行なったが、その後様々な機会に対話が行なわれている。また地元の小中学校、五ヶ瀬中等教育学校とも連携し、200人以上の生徒たちが集まって「GIAHS中学サミット」というイベントを開催し、そこには阿部さんと私も参加した。さらにアカデミーでは外部から国内外の学生も参加するスタディツアーを実施してきた。2020年にはコロナの影響で対面のイベントができなくなったが、オンラインでセミナーを行ない、町村や世代を超えてのべ300人が参加したという。

行政区を超えたヒト・モノ・カネ・ジョウホウの支援
地域を舞台に、小・中・高・大を繋ぐ「ハブ」的機能
五ヶ瀬の教育の取り組み（田崎さんの発表資料より）

このように世界農業遺産を土台として、高千穂高校、五ヶ瀬中等教育学校のほか、農業遺産に含まれる五町村の小中学校、宮崎大学、東京大学ほか国内外の大学、FAOや総合地球環境学研究所がつながり、様々な活動が可能になっている。このような教育を通じて自治体が目指しているのは、地元への当事者意識の醸成である。すなわち、進学や就職で一度は地域外に出ても、また戻ってきて地域の一員として地方創生に貢献する人材を育てようとしているのだという。

続いて今年の3月まで五ヶ瀬中等教育学校で10年間数学を教え、4月から宮崎県の教育庁に勤務している上水陽一さんに、五ヶ瀬でのSGHについて話していただいた。上水さん自身、五ヶ瀬高校（現在の中等教育学校の前身）の出身で、2012年に母校に戻ってまもなくSGHの運営の中心を担った。五ヶ瀬中等教育学校

五ヶ瀬中等の教育方針（上水さんの発表資料より）

は県立の中高一貫校で、県内全域から生徒が来ている。SGHはほとんどが都市部の学校で、このような地方の過疎地域の学校はきわめて例外的であり、その点でも注目されている。

　もともと五ヶ瀬では、今で言う総合的な探求の学習を昔から実践してきた。「野性味あふれる地球市民の育成」をモットーに、地域での様々な体験を重視した教育から始まり、それを課題研究と結びつけ、さらに社会と連携した探求へと発展させてきた。なかでも問う力の育成に力を入れていたため、SGHでも哲学対話を重視し、生徒どうしや地域の人たちとの対話の文化を育てるのに活用してきたという。

　ところで五ヶ瀬・高千穂の地域は、ローカリティがしっかりしていて、海外と交流するための資源も豊富にある。日本はとかく先端技術が注目されがちだが、実は農業に関しても伝統と技術がきわめてすぐれていて、世界農業遺産はヨーロッパ全体でも3カ国7地域なのに、日本は1国で11地域も認定されている。高千穂・椎葉山地域もその一つであり、GIAHSを土台とすることで、ローカルでありながら同時にグローバルな広がりも可能になる。その意味で五ヶ瀬中等教育学校は、SGHを進めていくうえで、きわめていい条件がそろっていると言えるし、田阪さんの協力もあって、海外との交流も盛んに行なうことができている。

　そして探求学習でもこうした開かれたローカリティを強く意識している。すなわち上水さんによれば、〝私たちしかできない〟感（当事者意識）、〝私たちがやるべき〟感（社会的意義）、〝私たちでもできる〟感（地域協働による探究活動）の３つの感覚を結びつけることこそが教育なのである。そして学校と地域とより広い社会いずれにとってもためになる、言わば〝三方良し〟が重要で、五ヶ瀬中等ではそのバランスがとてもいいと自負しているとのことだ。

また外部の組織との連携も盛んで、総務省の政策提案コンテストに参加したり、世界農業遺産と関連して地域協働セミナーやＧＩＡＨＳアカデミーの「食べる通信」の制作にも関わったりしてきた。２０２０年には総合地球環境学研究所の一般向けイベントであるオープンハウスにもオンラインで参加した。さらに昨年来のコロナ禍では、この逆境をむしろ好機と捉え、オンラインの長所を生かしたハイブリッド型の教育へとシフトしている。

最後に上水さんは、スライドでオセロのゲーム盤を見せながらこうおっしゃった――高千穂は日本の〝端〟にある。五ヶ瀬中等教育学校は、異端児的な変わり者の学校であり、先端的な学校でもあって、だからオセロのように端から社会を変えていくことができると思っている、と。

次に田阪さんは、簡単にご自身の立場、役割について説明した。彼は学校や行政がやりたい、やらなければいけないときにあいだに入って調整役となり、黒子として伴走していくのが自分の役割だという。田阪さん自身、高千穂出身でもなく、高千穂では言わば〝よそ者〟であるから、あくまで〝わき役〟として動くようにしているが、逆によそ者だからこそ、外から見た高千穂や五ヶ瀬の魅力を言語化、可視化するようにしてきた。そして外部から来た調整役として、どこか一つのところに肩入れするとうまくいかないので、誰の味方も１００％はしないように心がけてきたという。

そこで阿部さんから、つなげようとする積極的な意味合い、発想はどこから来るのかという質問があった。それに対して田阪さんは、むしろ課題が先にあって、それを解決するために、その手段の一つとして、人と人、組織と組織をつなげることが多いという。また個人的なモティベーションとして、一人で突破して解決するよりも、点と点をつないで目の前の課題を解決することにクリエイティヴィティを感じている。それぞれがそれぞれの立場、役割を大切にしつつ、お互いに率直に意見を言い、協力し支え合う絶妙な関係をつくることが面白いと思っているとのことだった。

また上水さんから当初からこうなることを予見していたのではないかと聞かれると、田阪さんは、五ヶ瀬中等教育学校はもともと探求的な学習をやってきていたので、そこにSGHが加われば、宮崎県で探求のトップランナーになり全国的に注目されるようになるだろう思っていたと答えていた。

休憩をはさんで、東大の学生に話してもらった。私は五ヶ瀬や高千穂に当初は個人的に関わっていたが、途中から多文化共生・統合人間学プログラム（Integrated Human Sciences Program for Cultural Diversity：IHS）という大学院プログラムの研修で学生たちを連れて行くようになった。そのなかでも高千穂の田原地区で行なった謎解きイベント「河内ナゾトキ町探検」は、最大の成果と言っていい。これは地元のNPO「田原未来プロジェクト」と協働で、グローカルアカデミーのメンバーでもある茨木いずみさんと、東大の大学院生の間で2019年に企画され実現した。東大からは演劇を専門とする田邊裕子《ひろこ》さんと哲学を専門とする宮田晃碩君が参加し、その後は地元の高校生が中心になって企画し、クラウドファンディングを活用して続けている。田邊さんと宮田君にとってもいろんな発見に満ちた経験だっただけでなく、このイベントを通して地元の人どうし、外から来た人の間で対話が生まれ、地域を新たな目で見るようになっていたことが印象的だったという。

参加者からの質問に答えたあとに、関西学院大学の教員で、阿部さんと私の友人でもある山泰幸《やまよしゆき》さんにも一言お願いした。とても大事なことで、私としても100%同意見なので、ここに記しておきたい。

「地方創生に内外いろんな人が関わるときにもっとも重要なのは、お互いがお互いを尊重していい関係を築くこと、分かりやすく言えば〝仲良くなる〟ことである。研究者が自分の研究テーマのためだけに関わると、それがすんだら行かなくなる。行政の事業として行なう場合も、それが終われば関係が切れてしまう。結局大事なのは人と人の関係である。お互いを尊重する気持ちがあって、会いたいから行く、そして楽しいことを一緒にやっていく。地方創生であれ、そのための教育であれ、いちばん大切なのはそういうシンプルなことなのだろう」。

学校が変わるとき
～内と外から見た教育改革の実践

2021年10月11日 投稿

哲学対話はもともと「子どものための哲学」の手法の一つであり、学校教育のなかで生まれ、発展してきた。したがって学校教育の改革にとってどのような役割を果たしうるのかは、哲学対話にとってもっとも重要な試金石の一つであろう。

私自身は、特定の学校に継続的に関わることはあまりしてこなかったが、他方でいろんな学校で対話を行なってきた。都立高校でそのコーディネートをしてくださったのが、今回お呼びした「子どもの成長と環境を考える会」の代表、白井一郎さんである。同団体の柴崎菜苗さんは、白井さんと一緒に長年広報を担当してきた方である。二人は外部から東京都を中心に数多くの学校の教育・運営を支援してきた。もう一人の登壇者、萩原聡先生は、白井さんとは長い付き合いで、いくつもの学校で改革を成し遂げてこられた名校長である。全国高等学校長協会の前会長であり、現在は名門都立西高の校長を務めている。萩原先生が東京都立江北《こうほく》高校におられたときに、私自身模擬授業をさせていただいた縁がある。

そこで今回、9月12日に3人を呼んで、学校改革を内と外の両側から考えることで、学校が変わるのに何が必要なのかについて考えることにした。

最初に萩原先生から「高校教育の改革は誰のため？」と題して、これまで歴任した学校で、どのようなことを心がけて改革に取り組んだか、今後どのような方向に進むべきだと考えているかお話しいただいた。

萩原先生はもともと数学の教師であり、現場で11年教えたあと、都や区で教育委員会等、行政に関わり、その後、片倉高校、昭和高校、江北高校、西高校という4つの学校で校長職を務めた。講演の中ではそれぞれの学校での取り組みについて、順次お話しくださったが、以下では改革のポイントを主に3つに絞ってまとめておく。

まず指摘しておきたいのは、萩原先生が「地域から受け入れられる学校」をつくるということを重視してこられた点である。とくに地域での評判がよくなくて、地元の生徒がほとんど来ない学校は、地域との関係をつくることが重要だという。最初に赴任した片倉高校では、学校運営連絡協議会委員に駅前のコンビニ店長にも入っていただき、講演をしていただいたりした。すると店長のほうも、テストでいい点数をとった片倉高校の生徒にサービスをしてくれたりしたという。また学校としても、夏祭りや新春餅つき大会のような地域行事に部活単位で手伝いをしたり、地域散策を通して地元への理解を深めたりしたとのことだった。

次に挙げられるのは、「教員と生徒と保護者の意識改革」のために様々な取り組みを組み合わせて行なったことである。たとえば昭和高校では、基礎学力のある生徒が入学していながら、「生徒を放牧している」と揶揄されるように、在学中に学力が伸びていなかった。そこで高校入試模試業者を講師に校内研修会を実施したり、外部委託による授業評価を導入したりすることで、教員に授業の改善を求めた。生徒に対しては家庭学習の徹底、生活指導、個別面談、進路指導、キャリア教育、大学での模擬授業、合格掲示板等により、学習意欲を喚起し、保護者も一緒に大学訪問をして家庭でのサポートを促したとのことである。

3つ目は、今日的な課題として、「より能動的な学習態度の育成」を重視しておられた。それは進学校の西高でもあてはまり、近年は受験時に手取り足取り指導を受けて入ってきているせいか、とくに教師への依存傾向が強く受動的な生徒が増えているという。そこでタブレットPCやオンライン英会話を活用して個々の生徒が自ら学ぶようにしている。また探究活動にも力を入れ、企業の協力を得たり、全国大会に出たりして、学年が進むにつれて、グループによる探究から個人による探究へと発展させていっている。

こうした多面的な努力によって、高校入試の偏差値が上がり、推薦入試の倍率も上がり、進学実績も上がる等の成果を上げた。しかし、残った課題も多いという。そこで萩原先生は、講演の最後にこれまでの取り組みを振り返り、今後の改革について述べた。

萩原先生がこれまで様々な地域で多様な生徒たちと関わってきて気づいたのは、どの生徒も自分の将来を思い描いてはいるが、そのために何をしなければならないか分かっていないようだということだった。そこで生徒に必要なこと、生徒が求めていることを実現できるように誰がどのようにサポートするのかが学校が変わるためのポイントとなるとおっしゃった。これには単純な処方箋はなく、教員はもちろん、保護者も外部の人も関わらなければいけない。また大学全入時代になり、様々な学力をもった生徒が進学していくにあたり、高大接続の難しさが増しており、そのさい高校側の努力のみならず、大学がどのように変化するかも重要だとおっしゃった。新学習指導要領とも関連して、教育の流れは「集団」から「個」、「同質性」から「多様性」へ転換しつつあり、学校による差が新たに出てくる可能性もあるとのことだった。

そのような状況のなか、校長として自校への熱い思いをもちながら、自校の強みや弱点をしっかり分析し、国や教育委員会の動向も踏まえて中長期的な方向性を定める必要があり、教職員をどのように巻き込んで、チームとして改善策を具現化していくかで手腕が問われる。そのさい学校の教育方針と合う形であれば、信頼できる助言者・相談者としての外部組織と積極的に協働していくべきだという。

萩原先生のお話をうかがって分かったのは、校長として内部から学校を変えていく場合、先生や生徒のみならず、地域や外部組織（行政、ＮＰＯ、大学）など、多岐にわたる関係が重要で、それぞれとうまく協働していかなければいけないということである。当たり前のことなのかもしれないが、このように多様なステークホルダーとの間でバランスをとることは、一方では学校改革のために必要だが、他方でその難しさから、かえって改革が進みにくくなることもあるだろう。その点、萩原先生は非常に具体的に細かい配慮と努力をなさっていることが印象的であった。また大学もそこに責任の一端を負っていることを自覚しなければならないと思った。

次は柴崎さんから「学校支援の活動」というテーマでお話しいただいた。

彼女自身は、もともと広告代理店でクリエイターとして勤務していて、転職先で白井さんと知り合い、彼が「子どもの成長と環境を考える会」を立ち上げるときに誘われ、以来活動を共にしている。スタッフは4人、他に社会人、大学の先生、教員志望の大学生らがボランティアで関わっている。

柴崎さんは会の活動を大きく「生徒募集」「教員育成」「進路支援」の3つに分けて説明した。まず生徒募集では、「さんだる相談会」という中学生の親子のための高校進学相談会に力を注いでいる。これは、それまでの改まった服装で参加する堅苦しいものではなく、サンダル履きで来られるくらい気楽な会にするという方針で行なっている。2007年から続く中学・高校の合同相談会で、公立・私立が参加する形で行なったのは当時としては初めての試みだったそうである。両方の説明を一度に聞けるので、保護者にも好評だった。教員の間のつながりから要望に応じて様々な場所で開催するようになり、現在では年15回ニッチな場所で行なっているという。

もう一つ、学校のブランディング、とくに学校案内の制作も手がけている。都立は私立に比べると予算が限られているので地味なものが多いが、前職でのスキルを活かして、シンプルでかっこいいものをつくっている。たとえば、モノクロの写真を全面的に使ったり、一般にはあまり光が当たらない文化系の部活にフォーカスを当てたり、生徒を前面に出して紙面構成をしたりしている。

またYouTubeに「さんだるちゃんねる」というシリーズを設けて、都立高校の紹介PVをつくっており、現時点60校ほどの動画をアップしている。気軽に見られるため、個人が視聴する以外に、学校やPTAなどでも見られているらしい。学生たちが競うようにつくっており、動画の数もレベルもどんどん上がっているとのことである。

次に教員研修は、先生たちの授業力が向上することで生徒の学力がアップすることを狙っており、専門家の講演、ワークショップなど、学校の要望に応じてふさわしい人とつなぐようにしているという。また教員志望の大学生にも関わってもらい、勉強会をしたり、教員研修や学校支援に参加してもらったりしている。そうした活動の一環として、２０１６年から哲学対話を研修に導入し、対話を通して学校や教育のあり方について共に考える機会をつくってきている。

さらに進路支援としては、大学の先生による出張授業や研究室訪問を２００８年以来続けている。私も２０１５年から協力し、高校に出向いたり駒場に来てもらったりして、高校生たちに哲学対話を体験してもらっている。また学校によっては、大学生の力を借りて放課後に定期的に哲学対話の時間を設け、その他に文章講座も開くなど、放課後の学習支援やＡＯ入試の対策講座を実施している。

その他の活動として、地域支援も行なっている。とくに埼玉県大宮の氷川神社で「大宮さんきゅう参道」は会として続けており、また南相木村では「おしゃべりコミュニティ」と称する地域イベントを私と共に企画し、哲学対話によって住民の交流の場を創っている。

こうした様々な活動を通して、いろんな人と出会い、いろんな学校の現状を知ることで、むしろ自分が学ぶことが多く、学校を支援しているというより、自分自身が楽しくてやっているとのことである。

次に白井さんが「学校と哲学」というタイトルで話してくださった。まず自分の経歴からなぜ学校支援をするようになったかの説明があった。白井さんは高校卒業後、イギリスのケンブリッジ大学に留学し、そこで幅広い年齢層の人がしっかりとした将来の目的をもって大学に通っていることに驚いたという。また学生と教員の比率が2対1で、自分が研究していることについてたえず「なぜ」を考えさせられた。ところが帰国して日本の大学に入ると、すでに結果が出ていることを確認するようなことばかりしていて、あらためて日本とイギリスのギャップに驚き、教育に関心をもつようになった。そこには両親の影響もある。お父さんが教育出版社に勤め、母方が教員家庭だったため大学を卒業して教育出版社に就職し、それ以来公教育一筋でやってきているとのことである。

そのときから白井さんは「そもそも学ぶとはどういうことなのか?」を問うようになったという。教育出版社では、塾事業・家庭教師事業・教科書解説番組の制作・模試事業・英語検定事業・学校支援事業など少子化に伴う事業拡大に携わっていた。2006年に高校生からの進路支援を依頼されたが、そこで学校では進路を子どもの希望にそくして考えるのではなく、難関国公立や有名私立といった大学の名前やレベルを基準にしていることに疑問を感じた。それで本格的に学校支援の活動をするために「子どもの成長と環境を考える会」を設立したという。

以来、そもそも何のために学ぶのか、そもそも何のために学校があるのかなど、学校や教育にまつわる「そもそも」を考えるようになる。そして「そもそも会議」というものをあちこちで開催し、社会人と高校生を交えていろんなテーマで一緒に考える場をつくっている。その一環として、リベラルアーツ教育、ファシリテーターの養成、教員研修など、多岐にわたる活動を行なった。そうするなかで「これは哲学なのではないか?」と思うようになったという。そのころから学校支援に対話を取り入れるようになり、東京大学の産学連携の情報で私の哲学対話の活動を見つけ、コンタクトをとったということだった。

柴崎さんのところで言及したが、私は2015年から出張授業を頼まれ、高校で哲学対話を行なうように

2016年
『哲学対話』を
本格的に導入
学校改革の施策
学校教育の哲学対話（白井さんの発表資料より）

なった。参加総数はすでに4000人を超えているそうだ。さらに2016年からは教員研修や教育支援に哲学対話を導入し、新入生のオリエンテーション、放課後の哲学カフェへと広げていった。哲学対話を体験した先生たちは、お互いのことを理解し、教育についてあらためて考え直す機会になり、学校によっては大きく変わったという。

こうした活動が話題になって新聞でも取り上げられるようになった。そして大山高校での取り組みが「キセキの高校」と題して日本経済新聞で一週間掲載され、大きな反響を呼ぶ（第3章「文を以て人を繋ぐ」を参照）。他にも探究学習の一環として哲学対話を導入した学校では、教え方や生徒との接し方が大きく変わるなど、顕著な成果が表われてきているそうである。

最後に白井さんは外部支援者として思うことをまとめてくださった。子どもの成長と環境を考える会は、独自のコンテンツをもっているわけではなく、それぞれの学校が必要とするものを提供できるようにいろんな人をつないでいて、それが強みとなっている。そうして様々な支援をしていて、先生も生徒もいかに問いをもって学び続けられるか、生徒だけでなく教員もいかに楽しみながら働けるか、公教育として多種・多様な人を受け入れ、画一的にならない教育がどうすれば提供できるかなど、外部支援者としてできることを考えているそうだ。そこで白井さんとしては、各学校の事情に合う形の支援をしつつ、哲学、「考える」ということを大切にしたいという。

以上のような3人の発表のあと、まず私からいくつか質問させていただいた。

私から見ると、学校にとって外部からの支援というのは、現場の先生からは必ずしも歓迎されないこともあると思うが、その点をどう見ているか、まず萩原先生にお聞きした。

萩原先生によれば、教員たちは学校案内づくりのように自分たちだけではできないことであれば歓迎するが、授業のやり方のようにこれまでの自分を否定されるようなことについては反発が強い。だから必要な支援が何かを見極め、それに支援をしてくれる団体とよく話し合い、先生にも説明することが重要だという。教員は保守的だが、生徒の変化を実感できれば、変わりやすいとおっしゃっていた。

また白井さんには、多くの学校を見ていて、どういう学校であれば支援しようと思うのかをお聞きした。白井さんいわく、教育委員会から委託されて行く場合や、校長先生が退職校長と相談して依頼が来る場合で、校長先生が危機感と熱意を強くもっていると、教員がしっかり取り組むので入りやすいとのことであった。ただし白井さんによると、管理職や担当の先生が異動した場合、改革が続かなくなり、もとに戻ってしまうという。どうすれば継続していけるのか、とくに異動が多い公立学校では難しい問題であろう。

それについて萩原先生は、校長だけが頑張ったり教員が校長にただ従っていたりするだけではなく、現場の先生に託していける形にできるかどうかがポイントだとおっしゃった。

参加者からのコメントや質問も多くいただいた。たとえば、定員を満たせない学校はどのようにすればいいのか、校長のマネジメント能力が不足している場合もあるが、どうすれば身につくのか、また地域のコミュニティの学校としてどのように運営していくべきかなど、学校の運営について切実な質問が寄せられた。またＰＴＡや保護者、同窓会との関係についても質問があった。

最後に私のほうから、学校がよくなるとはどういうことかについて、それぞれに意見をうかがった。萩原先生によれば、分かりやすい指標としては、高校入試の応募倍率が上がるとか進路実績が向上するということだろうが、実際には5年10年たたないと評価はできないだろう。ただし、いちばん大事なことは、生徒自身が望んだ将来が実現できるようになることであって、数値やランキングに振り回されてはいけないとおっしゃった。白井さんと柴崎さんもの意見もそれに近く、二人とも、生徒と先生が共に楽しく生き生きしている学校になることが大事だとおっしゃった。

3人のお話を聞いて、それぞれのスタンスや努力していることは違うが、いい学校についての捉え方が共通しているのは、この3人だからだと感じた。しかも「生徒も先生も楽しい学校」というのは、私自身が少し前に『教職研修』編集部が公刊した『ポスト・コロナの学校を描く』[3]に寄稿した文章のタイトルと、奇しくもほとんど同じである。これは偶然と言えば偶然かもしれないが、逆にこのような根本の価値観が一致しているから、今まで私も一緒にやってきているとも言えよう。

「生徒も先生も楽しい学校」というのは、一見シンプルで当たり前のように見えるかもしれないが、けっしてそんなことはない。今の学校は、生徒にとっても先生にとっても苦しい場所である。それは不登校やいじめ、教員の過剰な負担など、様々に指摘されている問題を見ても分かる。学校改革は、細かいところを見れば、難しいことが多いのかもしれない。しかしいったんこのシンプルな理念に立ち返って、余計なものをそぎ落とせば、やるべきことは見えてくるのではないかと思う。

そんなことを再確認するとともに、学校内部の校長先生と、外部支援の団体の人から、非常に具体的な話が聞けたことで、私自身またあらためて学校教育への関わり方を再考することができた。3人の登壇者とお越しいただいた参加者の皆さんに心より感謝する次第である。

[3] 梶谷真司「生徒も教員も楽しい授業へ——哲学対話から得られる主体的学びのヒント」、『教職研修』編集『ポスト・コロナの学校を描く〜子どもも教職員も楽しく豊かに学べる場をめざして』(教職研修総合特集701号)、教育開発研究所、2020年。

哲学対話とコミュニティづくり〜一緒に考えることでできるつながりとは？

2021年12月30日 投稿

哲学対話をすると「考える力」が育つのは、分かりやすい話かもしれないが、実際にはそれほど簡単ではない。時間もかかるし、目立った結果が出ないこともある。しかし「仲良くなる」というのは、ほとんど確実に出る成果である。したがって企業のチームビルディングや地域のコミュニティづくりのために活用されるようになってきている。それにしても、一つの問いについて一緒に考えるという行為が、なぜそのような力をもつのか。そこで生まれるコミュニティとは、どういうものなのか。

11月21日（日）、自分が住んでいる地域で、対話を通してコミュニティづくりを行なっている長野県立大学の馬場智一さんと神戸大学の稲原美苗さんをお呼びし、哲学対話のもつ、このもう一つの側面について考えるイベントを行なった。二人とも以前UTCPのメンバーで、そのときに哲学対話に出会い、のちにそれぞれで独自に発展させている。私自身、何年も前から二人の活動には興味をもって個別には話を聞いたり、実際に現地に訪ねて行ったりしていたので、一度3人で話をする機会をもちたいと思っていた。それが今回実現した。

馬場さんは、すでに東京在住中に多摩市で奥さんと一緒に哲学対話のイベントをやっていた（しかも私の自宅の近所！　私はやろうとも思わなかった）。故郷の長野に戻ってからは、さらに活動の範囲を広げ、自分が勤めている大学はもちろん、県内の小中高、児童センター、教員研修、シニア向けの講座、子育てサークル、地域コミュニティの哲学カフェなど、様々なところで実践している。場所も市民プラザや図書館、さらには野外などでも行なっている。

彼が哲学対話を行なう趣旨、動機にはいろいろなものがある。たとえば、学校教育の文脈では、新学習指導要領の「主体的・対話的で深い学び」、探求授業、道徳教育との関連で声がかかる。彼自身が教員であるという立場からは、眠気防止やいろんな問題を自分事として考えてもらう、問いを立てることで理解を深めるといったことがある。そうして自分の考えを言葉にできるようになってほしいし、それが生きる力にもなると考えているという。また他の学生の意見を知ることが友だちづくりのきっかけにもなり、それが孤立を防ぐことにもつながるという。

馬場さん個人としては、何より楽しいからやっているという。考えたことのない問いに出会えるし、仕事だけでは出会えない人と出会える。気分転換にもなるし、仕事でも家庭でもないサードプレイスとして、趣味の活動としてそのような場をもちたいし、しかもそれが老後の備え(!)にもなると考えているそうだ。

さらに一市民の立場としては、多くの人たちにとってのサードプレイスにもなるし、年齢や世代、職業、国籍などの壁を超える場にもなる。それは対話することによって、自分から、常識から、世間体から、一瞬離れて自由になるところでもある。

このように馬場さんは、哲学対話のもつ多様な側面を踏まえつつ、それぞれの場で柔軟に力点を変えながら、コミュニティをつくっているようである。そのさい彼がどのような場でも大切にしているのは、「まざる」とか「まぜる」ということである。大学の授業には、長野県シニア大学[4]OB、哲学カフェの常連さん、県教委主事、アーティスト、山岳ガイドの人に参加してもらい、小・中学では大学生やシニア大学OB、高校では学年が混ざるようにしている。また哲学カフェでは、もともといろんな人が来ているが、より多様な人が来るように声掛けを意識しており、高校生のグループに司会をしてもらったり、大学生のサークルと共催したりしている。

どのカフェでも無理に深めるのではなく、話しやすくいろんな意見が出るように配慮していて、そのために問いのカードを使ったりゲームのようなことをしたりするなど、いろんな工夫をしている。とくに馬場さんの活動で興味深かったのは、屋外で自然の中にある物を使って作品をつくるランドアートと組み合わせたり、美術館で芸術作品の鑑賞と対話を結びつけたりしている点である。さらには散歩しながら行なうウォーキング哲学対話をしたり、ロッククライミングをしたり、漫才をやったあとに対話をするなど、いろんなアクティヴィティとセットで行なっている。また、年齢ごとの質問に答えたり互いに質問したりしながら進んでいく「哲学対話人生すごろく」というゲームを、小学生用・教員用など参加者に応じていろんなヴァージョンを開発している（これは2021年にNHK長野放送局と共同企画でつくっ

［4］ 長野県シニア大学は、おおむね50歳以上の県内在住者ならだれでも通える2年生のコースで、地域に貢献する人材を育てている。

たもので、ニュースでも取り上げられた）。

馬場さんの活動は、このようにアイデアいっぱいで新しい試みを次々に行なっているが、その原点は意外にも伝統的な農村共同体にある。かつてのような生活基盤を共有しているコミュニティが少なくなるなかで、世の中には企業や団体のように特定の目的のもとに集まる組織や、趣味を共にする集まりのような準共同体がある。かたや哲学対話は、ルールと心構え、そして問いを共有するコミュニティと言えるだろう。それは、組織のように役割や地位が決まっているコミュニティではない。それぞれがその人自身として言葉を発することで、そこに現われる違いによって対話は深まっていく。このように差異に基づいて探究を共にするということが、哲学対話に独特の共同性をもたらしている。

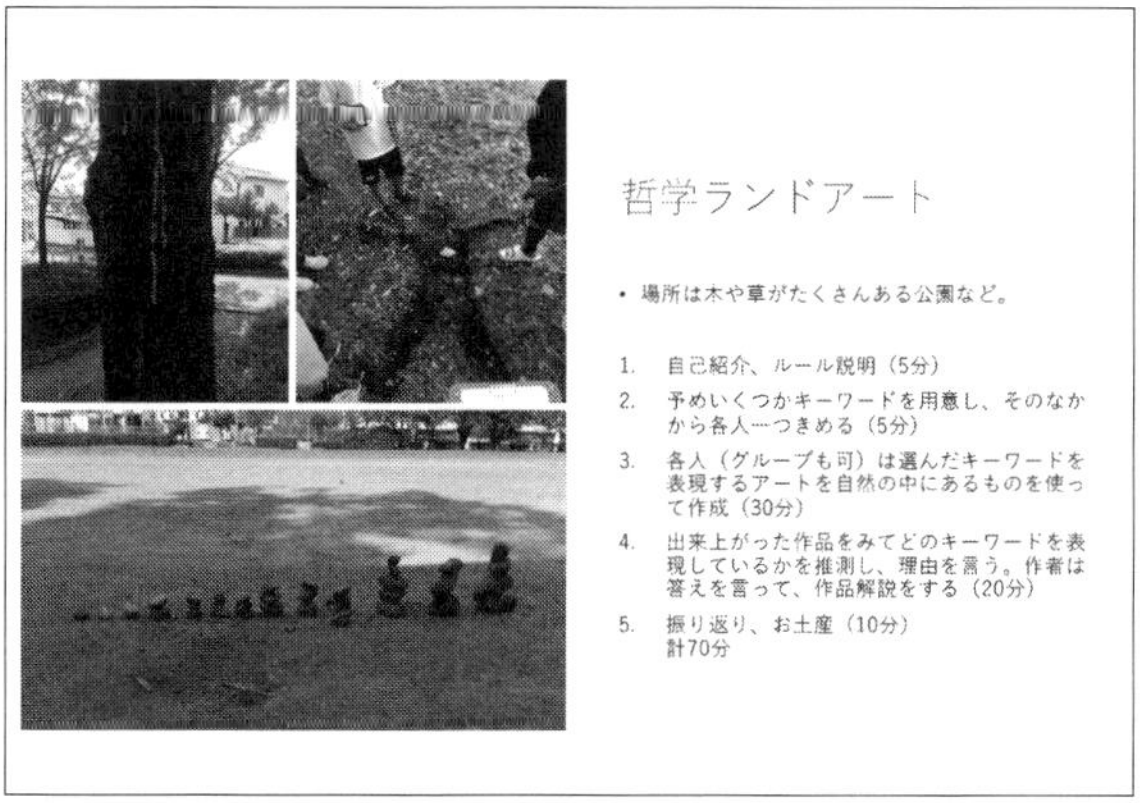

哲学ランドアート
• 場所は木や草がたくさんある公園など。
1. 自己紹介、ルール説明（5分）
2. 予めいくつかキーワードを用意し、そのなかから各人一つきめる（5分）
3. 各人（グループも可）は選んだキーワードを表現するアートを自然の中にあるものを使って作成（30分）
4. 出来上がった作品をみてどのキーワードを表現しているかを推測し、理由を言う。作者は答えを言って、作品解説をする（20分）
5. 振り返り、お土産（10分）
計70分

哲学ランドアート（馬場さんの発表資料より）

それぞれ異なる自分でありながら、同時に一緒にいられるというのは、個人であること、自分自身でいることを尊重する近代以降の趨勢を維持しつつ、そこで共同性が失われて孤立している今日の状況を乗り越える場となりうるかもしれない、というのが、馬場さんが考える哲学対話のコミュニティの特徴である。

私自身も馬場さんとまったく同意見である。これまで違った場所で違ったスタイルで対話を重ねながらも、同じ結論にたどり着いているというのは、哲学対話がいかに実証的かということを示しているように思う。

私から見て長野県の際立った特徴として、もともと教育関係者（とくに校長先生）が哲学に関心をもっているという土壌が挙げられる。馬場さんが哲学対話を紹介したところ各方面から反応があり、スムーズに受け入れられていったようだ。東京とは大違いである。また地元の高齢者にも熱狂的に受け入れられ、馬場さんが言う「老後の備え」というのがリアルに感じられる。私も一度参加させていただいた商店街にある哲学カフェは、地元の老若男女が大勢集まり、異様な熱気であった。こうして馬場さんが一人奮闘するのではなく、いろんな人たちと一緒に進化させていっているのは、馬場さんのキャラクターや努力があるとはいえ、〝長野流〟という感じがする。

次に稲原さんにご自身の活動を紹介していただいた。稲原さんの哲学対話の活動には、彼女自身の境遇が深く関わっている。稲原さんは脳性麻痺による障害があり、子どものころはいじめに遭い、居場所がなかったという。高校で恩師と呼べる素晴らしい先生たちに出会うが、大学からもっと自分らしくいられるところを求めてオーストラリアへ行き、大学で社会学を専攻。その後はイギリスへ行って、大学院で哲学を修めた。

帰国してUTCPで研究員として10か月ほど当事者研究に携わったあと、大阪大学の臨床哲学研究室に移り、3年間助教を務めた。そのときに哲学対話を始め、のちに神戸大学移って社会教育での対話実践やジェンダーやマイノリティの問題、コミュニティ支援に関わりつつ活動を続けている。

このような稲原さんの経歴は、彼女の活動をひときわ独自のものにしている。一つには、彼女自身が障害当事者として当事者研究に関わりつつ哲学対話を取り入れている点、もう一つは、おそらくそれゆえに、公的なプロジェクトのうちに哲学対話を位置づけ、研究と実践の両方に結びつけている点である。

大阪大学では、歯学部附属病院障害者治療部で「歯科医療現場における障害のある子どもとその親への包括的支援プログラムの開発」（研究代表者：村上旬平さん）というプロジェクトにおいて、歯科医院という場を通して、障害のある子どもをもつ親の「生きづらさ」を明確にし、どのような改善策が必要なのかを考える場をつくった。

神戸の子育てサークルでの対話（稲原さんの発表資料より）

そこで稲原さんは、障害当事者への歯科治療と並行して親の語りを聴き、その経験や感情を詳細に記述していく臨床哲学的アプローチと、一対一の対話を通じて心の変容を促す心理療法的アプローチを行なうことで、親の心理状態の理解と支援をはかろうとした。それは、親のサポートなしには生きることの難しい障害当事者の心身の健康状態、ＱＯＬの向上にも寄与すると考えられ、そこから障害のある子どもとその親への歯科医療現場における包括的支援のあり方を考え直すきっかけになったという。そのさい哲学対話カフェを繰り返し行なったところ、お母さんたちがそれまで一人で悩み、人目を気にしていたのが、みんな似たような問題を抱えていることに気づくことで、おのずとコミュニティができていったとのことである。

阪大ではさらに「障害者の親のＱＯＬを高めるための歯科治療における包括的家族支援プログラムの開発」プロジェクトを行ない、障害のある子を育てる親への包括的支援プログラム「親育ち学級」を企画・運営し、そこでレクチャーと哲学対話を組み合わせた活動を行なった。

神戸大学に移ってからは、ＷＡＣＣＡ（認定ＮＰＯ法人女性と子ども支援センターウィメンズネット・こうべが母体）というプロジェクトで対話活動をするようになった。このプロジェクトでは、貧困やＤＶで困難を抱える女性やシングルマザーと彼女たちの子どもたちの孤立感を解消し、安心や自信を回復して、人や社会への信頼感を取り戻して生活するための支援を続けている。このWACCAのスタッフやボランティアのための哲学対話を阪大の高橋綾さんと一緒に行なったところ、ここでも自主的に継続するコミュニティができていったという。

さらに大学院のゼミ生とは、大学のサテライト施設である「のびやかスペースあーち」の一室を使って、異世代間交流の場としての「哲学対話」の実践を続けている（2020年からコロナ禍のため、対面での対話イベントの開催は控えており、オンラインで活動しているという）。また「学ぶ楽しみ発見プログラム（KUPI: Kobe University Program for Inclusion）」では、知的障害のある若者が学ぶことの楽しさを感じ、自分や他者を理解しながら成長していけるモデルの開発を行なっている。そこでは対話だけにこだわらずに、絵文字や歌謡曲、Tシャツのデザインをするなど、様々なことを試みている。

こうした活動を通して見えてきた哲学対話の意義について、稲原さんは次のように語った。

まず「一緒に考える」というのは、対等の関係で参加者がみんな当事者になって対話をすることであり、モヤモヤしていた自分の考えが明確になり、そこから互いに共感できるものを見いだしていくことである。そのことが「コミュニティをつくる」ということにつながる。哲学対話では、そこに集う人々がありのままの自分になり、それぞれの経験から互いの考えや感情を率直に話すことができる。そこでは、障害当事者をはじめ、誰もがもっている言語化しにくい経験を一緒に言葉にして、世の中の「当たり前」をたえず問い直し、その呪縛から自らを解き放つことができる。そうして通常の組織や人間関係における役割や立場から解放された関係性ができ、自由なコミュニティができていく。

こうしたことは稲原さんが身をもって自らの変容として体験したことでもある。彼女にとって哲学対話とは、そのような小さなコミュニティをベースにして、「問答」を通して、共通の「問い」のもと、この世界を一緒に多角的に探究していくことである。

また彼女は当事者研究と哲学対話を結びつけるが、そのさい一般の人にも参加してもらうように心がけている。

当事者どうしの対話も重要だが、ここには、当事者でない人たちと対話をすることで、お互いの視野が広がり、意識が変わっていくということがあるからである。これは当事者が〝当事者〟としてだけでなく、一人の人として話ができる場になるという意味でも重要だという。

二人の発表のあとは、参加者からのコメントや質問を取り上げつつ、3人でディスカッションをした。

馬場さんは哲学対話を通して、悩みを聞くことが哲学になるという確信をもつようになり、哲学対話のほうから当事者研究を考えるようになったという。そこで稲原さんに対して、当事者研究から哲学対話に移っていくとき、どんなことを考えていたかという質問をした。

それに対して稲原さんは、かつて自分だけで悩んでどんどんネガティヴになっていたが、他の人と話すことで共感し合える関係ができたのは、当事者研究でよかったことだと答えた。とはいえ、そうやって自分の問題を深掘りする当事者研究では、時につらくなることもある。また当事者研究では、研究しなければいけないプレッシャーがあり、看護や社会福祉や精神医療に関わるため、医者や病院が苦手な自分としては、哲学対話のほうが気楽だという。また当事者研究は、ある特定の困難を有する当事者が参加するが、世の中には、いわゆる何かの当事者とは言えない人も多い。そういう意味では哲学対話は〝ボーダーレス〟で、いろんな人が関われるのが利点だとのことだった。

そのほかいろんな質問やコメントがあり、「哲学対話と飲み会の話」「当事者どうしの話し合いがどのように違うのか」「哲学対話に参加する人の関係性はどうすればフラットでオープンなものにできるか」「研究する哲学と哲学対話の哲学と、二人にとってどのような関係にあるのか」などについても話が及んだ。

今回のイベントを通して、哲学対話は様々なところでいろんな目的で使うことができ、当事者研究や教育のためだけではなく、芸術や音楽、演劇や漫才、食事や料理など、何とでも組み合わせられることが確認できた。だから様々なところでいろんな目的でコミュニティをつくるのに活用できる自由さがある。二人の話はそれぞれにそうした哲学対話の可能性を見せてくれた。

共にいること、共に生きること、共に創ること（1）

2022年4月18日 投稿

私にとって今回のイベントは、この5年間続けてきた〈哲学×デザイン〉プロジェクトの中締めの総括（?）のような位置づけである。というのも、このプロジェクトは、登壇者の鞍田崇君、服部滋樹さん、水内智英さんの3人との出会いによって始まり、一区切りつけるなら彼らと話をしたいと思ったからである。そこで東京にいる鞍田君とは直接話をしようと思い、知人にも声をかけて、対面とオンラインのハイブリッドで行なった。当日は、私たち以外に18人の人が会場に来てくださった。

冒頭、私のほうから〈哲学×デザイン〉プロジェクトの趣旨と立ち上げの経緯を話した。

○プロジェクト立ち上げの経緯

事の発端は、2012年の冬に、大学院時代の後輩の鞍田崇君が駒場に訪ねてきたことである。彼は当時、京都の総合地球環境学研究所（通称〝地球研〟）にいて、理系中心のプロジェクトが多いなか、人文系を軸としたプロジェクトを立ち上げたいと考えていた。私がその少し前から哲学対話の活動をしていたことを知り、声をかけてくれたのだった。

地球研には、外部の研究者を代表にして、内部の研究者と連携して進めていくというユニークな制度がある。そうやって内部だけで閉じずに外部と協力し、たえず新たな風を吹き込む仕組みである。そして私が外部の代表者となり、鞍田君が内部のパートナーとしてプロジェクトを申請したところ採択され、2013年から3年間続けることになった。

1年目はIS（Incubation Study）というスタートアップのプロジェクトで、テーマは「地域性と広域性の連関における環境問題〜実生活への定位と哲学対話による共同研究」であった。2年目の2014年はFS(Feasibility Study)というステップアップしたプロジェクト「ローカル・スタンダードによる地域社会再生の実践と風土論の再構築」となった。2015年にはFR(Full Research)という正式な5年のプロジェクトに申請したが、不十分だとしてもう一年FSを続けることになり、タイトルは少し変えて「ローカル・スタンダードとは何か――地域社会変革のためのインクルーシヴ・アプローチの理論と実践」とした。4年目にもう一度FRに申請したが、やはり採択されず、地球研でのプロジェクトはこれで終了した。

全体として目立った成果は出せなかったかもしれないが、そこで3年間議論し、考えたことから得たものは大きかった。そのうちとくに重要なポイントを挙げておこう。

①今日、環境問題に限らず社会問題の多くは、原因と結果の間隔が離れすぎていて、自分がしていることが遠くでどのような影響を及ぼしているか意識できない。それゆえ、近くで起きていることと遠くで起きていることをどのように結びつけ、「自分事」として捉えられるようになるのかを考えなければならない(地域性と広域性の連関の問題)。そのためのキーワードになったのが、2年目のタイトルに出てきた「ローカル・スタンダード」(新たにメンバーになった服部滋樹さんが、打ち合わせのときに発した言葉)である。これはローカルでありながら、より広い範囲で通用する普遍的な価値をもったものという意味で、これを地域で見いだし、広い範囲で共有することが重要であり、それによって近くと遠くを結びつけられるのではないか。

②都市と地方、先進国と途上国のような「中心」と「周縁」の関係は、中心に発言権と決定権が集中し、中心の利益のために周縁が犠牲にされる。環境問題の背景には、そうした経済的・政治的格差があって、結局は周縁に住む人の生活全体が脅かされる。環境問題は、要するに人権問題なのである。こうした中

心と周縁の関係を是正し、両者のバランスをとるためには、周縁の共同体がそれに対抗しうるだけの発言権と決定権を獲得し、イニシアティヴを発揮できるようにしなければならない。

物事を自分事として捉えることができれば、それに対して自ら積極的に関わり、自ら発言し、決定しようとする。自分のことを人に決めてもらったり、押しつけられたりするのではなく、自分のイニシアティヴでできるようになるだろう。だが言うは易し。どうすればそんなことができるのか。

そのヒントが哲学対話にある。哲学対話では、自らが問い、考え、語り、聞くことで、物事を自分事として捉えられる。哲学対話に参加して、偏差値が40を切る学校から国立大学や難関私立に進学した高校生や、地域活動から始めて区議会議員にまでなったお母さんがいる。また、いろんな人たちがお互いを尊重し、受け止め合う関係ができやすい。だから、学校ではクラスづくりに役立ち、いじめがなくなったりする。職場では人間関係がよくなり、コミュニケーションが活発になる。地域コミュニティでは、いろんな世代や職業、立場の人たちが交流しやすいコミュニティができる。共に問い、考え、語り、聞くことで、個々人が、あるいはコミュニティが積極的、自発的に動くようになる。

③もう一つのヒントがデザイン、とくにインクルーシブデザインにあった。私自身、ユニバーサルデザインは知っていたが、インクルーシブデザインは知らなかった。どちらも障害者のような一般には社会の周縁に置かれている人のためのデザインである。しかしユニバーサルデザインは、従来と同様、アウトプットである製品のデザインである。その製品が障害者を含む多様な人にとって使いやすいということである。他方、インクルーシブデザインは、ユーザーに多様な人を想定しているだけでなく、生産する過程に障害者を含めた製品のユーザーが関わる。つまりそれは、アウトプットよりもそこに至るプロセスに重点を置いたデザインなのである。ユニバーサルデザインがDesign for Allと言われるのに対して、

インクルーシブデザインがDesign with Allと言われる所以である。

インクルーシブデザインが物を一緒につくっているのと同じように、哲学対話は思考を一緒につくっていると言っていい。そしてどちらも、普段は周縁に置かれがちな立場の弱い人でも一緒にいられ、積極的に関わることができるという点で、本質的に共通したものをもっている。だから「共にいること、共に生きること、共に創ること」のために、哲学とデザインが協働する大きな可能性があるのだ。

○哲学と芸術の対比から考えること

プロジェクトを進めていく中で、私は哲学と芸術の違いを考えるようになった。この2つの分野は、80年代くらいまでは、いずれも生活に不必要なもので、物好きが趣味でやるものだった。世の中の役に立たないばかりか、役に立たないからこそいいのだとうそぶいていた。そうして社会的な価値観から自由になろうと、芸術家は新奇な表現を、哲学者は斬新な思想を求めた。どちらも目指したのは個性の発露であって、実際にそれでやっていけるのは一握りであったとしても、目指す先、あこがれの対象はそこにあった。

けれども、社会的に見ればごく一部であったにせよ、こうした芸術や哲学の興隆もまた、実際には社会全体の経済的繁栄に支えられていたように思われる。90年代に入りバブルが崩壊し、不景気が世の中を覆うと、その華々しさは急速に陰り、様相は一変した。芸術も哲学も、〝望みどおり〟無用のものとなったのである。

もっとも、どちらもそのまますたれたわけではない。私が思うに、芸術のほうは社会の中の様々なシーンで、いろんな人たち、とくに企業と一緒に物をつくるようになっていった。90年代以降、家電製品、家具、日用品、衣料品のような身近なものに安価で洗練されたものが増え、多様化し、生活空間全体が審美的な意味で豊かになった(オシャレになった)ように思う。また地域起こしにアートが関わり、あるいは企画や広報、とりわけインターネットでの発信などに関わるようになった。そこに共通しているのは「デザイン」である。芸術は、一人で個性を発揮するのではなく、デザインという分野で社会のいろんな人たちと協働し、積極的に貢献する道を選んだのだ。

他方、哲学のほうでも社会にコミットする動きが出てきた。環境倫理、生命倫理、医療倫理など、応用倫理学の分野が90年代以降、急速に拡大したのは、芸術同様、無用の存在になりかねない危機感から社会の役に立とうとした哲学なりの反応だったのだろう。ところが哲学は社会の要請に応えつつ、「応用倫理」という自分自身のための〝固有の〟領域を新たにつくり、対象からは距離をとって外から批判的に関わった。このように自分の立場を確保してそこから批判するスタンスは、90年代以前とさほど変わらない。様々な人たちと協働して何かを一緒に生み出すことはなかった（大阪大学の臨床哲学は例外である）。

それはそれで一つの態度であろうが、その結果、医療やビジネスの現場からは、批判ばかりをする哲学は敬遠されるようになった。けれども、批判という仕方ではなく、一緒に関わり、一緒に創っていくことで、より問題が起きないように物事を進めていくという選択肢もあるはずだ。芸術は社会に関わって責任をとり、哲学は責任を回避したように私には映った。芸術のような関わり方もできるのではないか。社会の中で活動する様々な人たちと一緒に、時に泥をかぶる覚悟があってもいい。芸術は何か具体的に形ある物を生み出す。哲学は言葉と概念を生み出すことで、物事を形づくる理念と方向性を与えることができる。社会をよりよいものにするには、今までとは違うものの見方、発想が必要になる。既存の物事を支える条件や枠組みを明らかにして、それを変えようとするとき、広義の哲学が必要になる。そこに美的な感性が求められるとき、広義のデザインが求められる。哲学とデザインは、もっと近づくべきだ。

ただし、哲学の中には社会にコミットするまったく別の動きもあった。哲学教育をはじめとする、哲学プラクティスである。海外では70年代から広がっていたが、日本では2000年以降、とくに2010年以降に急速に広まった。教育以外にも、哲学カフェ、哲学カウンセリング、哲学コンサルティングなど、多様な展開をしている。そこでは共通して「対話」、すなわち共に考えることが活動の中心となっている。

私が最初にこの対話型の哲学に出会ったのは、2012年に東大とハワイ大学の共同セミナーでハワイに行ったときである。現地の高校と小学校で、「子どものための哲学（Philosophy for Children：P4C）」に参加する幸運に恵まれた。そのときの衝撃、体の芯が興奮し震えるような感覚は、今でも忘れない。帰国後、私は哲学対話のイベントを様々なテーマとスタイルで行なった。そこで出会うのは、いわゆる哲学のイベントに来るのとは、まったく違う種類の人たちだった。通常の哲学のイベントには、中高年の男性が多く、若い人でも哲学好きで気難しい人が多い。しかし哲学対話の参加者は、年齢層も高校生から高齢者までと幅広く、性別で言うと女性が多いのも特徴であった。哲学書など読んだことのない人、それまで哲学とは無縁だった人たちが多い。そうした人たちが熱心に話し、考える姿は、どこかに哲学的次元を秘めた思慮深さと、人生に必要でありながら稀有な充足感があった（第1章の「P４C（Philosophy for Children）のインパクト」、第2章の「ワークショップ「哲学をすべての人に」報告（1）（2）」を参照）。

しかもそれは、いわゆる哲学のように、限られた一部の人にのみ許されたものではなかった。一般に話すのも考えるのも苦手だという、ごく普通の人たちが参加できる場だった。そして子どもも大人も、男性も女性も、都会の人も地方の人も違いはない。障害をもっていても健常者でも、学力が高くても低くても関係ない。個人的な差はあっても、社会的にどのようなカテゴリーに属するかにかかわらず、誰でも話し、考える力がある。世の中には愚かな人などいないのではないかと思うほど、誰もが自分の言葉と洞察をもっている。

またちょうどそのころ、新学習指導要領によって学校教育に探究の時間が導入され、「主体的・対話的で深い学び」が重視されることになった。そこで哲学対話に期待と関心が寄せられるのは分かりやすい話であろう。しかし、少なくとも一見意外なのは、哲学対話をすると、参加者が〝仲良くなる〟ということだった。バックグラウンドも境遇も違う様々な人が、一緒に遊ぶのでもなく、飲んだり食べたりするのでもなく、一つの問いについて一緒に考える。それでなぜか仲良くなり、人間関係がよくなるのだった。哲学対話をしても、考える力や話す力がつねに身につくわけではないが、ほぼ確実に仲良くなる。哲学対話のそういう〝効果〟が口コミで広がり、学校以外にも過疎の村のコミュニティづくりや企業のチームビルディングの研修に呼ばれるようになった（さらに婚活にも使える！　最近は婚活アプリの開発にも協力した！）。

世の中では少し前から、グローバル化や多文化共生、ダイバーシティ＆インクルージョンの名のもとに、「人のことを尊重しましょう」「お互いに理解し合いましょう」「人の話をしっかり聞きましょう」「分かりやすく話しましょう」「じっくり考えましょう」といったことが言われる。最近では「対話が大事だ！」「対話をしましょう！」とあちこちで聞くようになった。しかし、何をすればそうしたことになるのか、どうすればそのようなことができるのかよく分からない。そもそも人を〝尊重する〟とは、何をすることなのか。どうすればそれができるのか。相手を〝理解する〟、相手の話を〝聞く〟、〝分かりやすく話す〟とは、どういうことなのか。どうすればそれができるのか。〝対話〟とは何なのか、どうすればできるのかは、やはり分からないままだ。

このようにごく基本的なことで、いろいろと分からないことがあることじたい、あまり意識されていないように思われる。だから誰も教えてくれない。教えなければいけないとも思っていない。にもかかわらず、訳が分からないままやみくもにやるから、「難しい！」「できない！」となり、「日本人はダメだ！」「若者はダメだ！」と失望したり批判したりして、結局あきらめたりする。哲学者なら、相互理解の難しさや不可能性を唱え、だからこそ対話へのたえざる努力の必要性を訴えるのだろうか。

バカげている。

一つの問いについてお互いに話し、聞くことで一緒に考える。ただそれだけと言えばそれだけのことなのだが、人を尊重するとか、お互いに理解するとか、分かりやすく話すとか、じっくり考えるとか聞くといったことは、ことさらに意図しなくても、哲学対話では自然にできてしまう。ほとんど〝起こる〟と言ってもいい。そこには特別な訓練も資質も必要ない。年齢も学力も関係ない。

誰もが文字通り体感し、体得する。少なくともそういう希望がもてる。

いったい何が違うのか――。結論を言えば、場のつくり方である。他者の尊重だ、相互理解だ、傾聴だ、対話だと一般に言われるとき、そうしたことが行なわれる場をどのようにつくるのかについては、ほとんどの場合無頓着である。そのようなことはたんなるノウハウ、コツであって、重要な問題であると思われていない。

しかし、哲学とデザインが交差するところから見れば、それはつまり、いろんな人が協働しうるインクルーシブな場のデザインの問題である。そこには開拓すべき領域、発見すべき現象、取り組むべき課題が途方もなくある。だから私は最近、この方向へ向けて自分の研究や活動を広げており、それを「共創哲学（inclusive philosophy）」と呼んでいる。そこでもっとも重要なのは、次のような問いである。

「共にいるために、共に生きるために、共に創るために何をどのようにすればよいのか？」

そういう観点から登壇者である鞍田崇君、服部滋樹さん、水内智英さんと私がこの5年間それぞれやってきたこと、考えてきたことを振り返り、突き合わせようというのが、今回の企画の意図である。そこで3人のゲストに順に話してもらい、その後一緒にディスカッションを行なった。

共にいること、共に生きること、共に創ること（2）

2022年4月18日 投稿

まずデザイナーの服部滋樹さんに話をしてもらった。彼はgraf[5]という一風変わった会社の代表である。家具やキッチン用品、文具、インテリア、グラフィックのデザイン、ショップ、カフェやレストラン、ギャラリーな

[5] https://www.graf-d3.com/

どの総合デザイン、さらにはイベントの運営やブランディングディレクションも行ない、近年では地域起こしにも取り組んでいる。通底するコンセプトは、「ものづくり」を通して暮らしを豊かにするということ。もともとは美大で彫刻を学んでおり、その後インテリアショップやデザイン会社を経て、そこで知り合った仲間たちとgrafを立ち上げた。京都芸術大学で教鞭も取っている。

今回のイベントで彼は自らのフィールドをCommunication Design と呼んでいるが、それが彼の活動の根底にあるマインドをよく表わしている。服部さんは、そもそもデザインとはどういうことなのか、そのフィロソフィーを15年ほど前から語ってきた。背景にある問題意識は、とくに建築の分野で、〝箱〟をつくって中身をあとで考えるような発想に対する違和感である。それでは長く使われる物にはならない。100年後でも残る建築を目指すなら、その土地の歴史、環境の中で人がどうやって生きていくのかを考えなければならない。そのためには、ハードの設計ではなく、ソフトの設計をして、そこからハードを生み出す必要があると考えたという。

また当時はバブル期で、グローバルスタンダードという言葉が世の中を席捲しており、他方でそろそろローカルだろうという動きも出てきていた。服部さんは、Think global, act local ではなく、Think local, act global ということで、Local Standard という言葉を思いついたそうだ。バブル崩壊の以前と以後については、私と同様の感覚をもっていたという。デザインは元来、不便な世の中を便利にすることを目指し、同じものを大量に生産してきたわけだが、バブルになって個性的なもの、世界にないものをつくるようになった。それは社会の中にデザインを位置づけるというより、社会とは接点のないものを目指すようなもので、一緒に創る、〝協業〟という発想はなく、服部さんはそういう潮流にいら立ちをもっていたらしい。

ではデザインは何をすべきか。21世紀を前にして、服部さんは、上から下へ指示を出すようなつくり方ではなく、下から上げて水平方向に広げていくようなつくり方を目指すべきだと考えた。21世紀になって、実際にそうなってきたと彼は語った。では実際にどのような方法でデザインするのか。基本的には、リサーチ→スタディ→アウトプットというステップを踏むわけだが、なかでもリサーチは調査→検証→編集→再構築と進んでいく。そのさい物をつくるのに、地形、風土、伝承など、その土地に根差した理由を見いだす。そこにある技術や物がなぜそこに生まれたのか。これからつくるものがそこに住む人々の生活にとって、どのような意味をもち、どのように使われるのか。それを文献、インタビュー、フィールドレコーディング、フィールドワーク、インターネットなど、様々な仕方で調べ、考えていく。そうやって現在の状況から未来を想定し、問題を検証し、人々が10年、30年、１００年後を想定して、どのように生きているかを考える。仮説と検証を繰り返し、アウトプットをする。

このようにデザインした実際の事例として、服部さんは瀬戸内芸術祭において小豆島で行なった「カタチラボ」について話してくれた。それは、grafのメンバーとその他の仲間たちと一緒に、島外から見てこの島にしかないものを探り、新しいカタチを見つけるというプロジェクトであった。

graf カタチラボ（graf の HP より）

たとえば、小豆島では特産のオリーブの葉でつくったお茶があったが、あまりおいしくなかった。そこで島でとれる様々な柑橘類と合わせることで、おいしいお茶を開発した。また、取材のときに聞いた方言を文字にすると、話しの独特のニュアンスが失われることが分かり、方言のリズムを音階に変えて、それを木琴で表現してみた。すると、子どもたちはそれを弾きながら、おじいちゃん、おばあちゃんの話す方言の練習をしたという。この方法は、世界中の言語の記録にも応用できるだろう。さらに小豆島の〝色〟を集めてみようということで、島内各地の石を採集し粉末にした（小豆島は石の産地である）。土も採取し、それをカラーチャートにした。島の人たちも初めて小豆島にどのような色があるのかを知り、その後小豆島の建物の色に使われるようになったという。

このような様々な活動のなかで、服部さんはメンバーや地元の人たちと何度も対話を重ねた。そうすることで互いの間に協業感が生まれ、連帯感も生まれる。これが服部さんの考えるこれからのデザインの姿である。

次に水内智英さんが自分の活動について話してくれた。水内さんは美大でデザイン学を学んだあと、ロンドンでメタデザインを学んでいる。その後、英日のクリエイティブエージェンシー勤務を経て、名古屋芸術大学に着任。ソーシャルデザインに関する研究活動や実践的プロジェクトを行なうほか、地域起こしを通したデザイン教育を行なっている。

彼は、地球研のプロジェクトの研究会について、みんな固いことを言わず、気楽に話しつつ、でも本質的なことを議論しているのを見て、とても気持ちがよかったと回想してくれた。デザインをやっている人は、話すのが上手でない人が多く、そういう場がなかったので、新鮮だったという。また鞍田君と一緒に行った昭和村（後述）でいろんな人の話を聞くことで、デザインすることと生きることがどのように関わるのか、共に創るとはどういうことかを体感的に学んだ気がするとのことだった。

水内さんは今回、自分のフィールドをRelational Designとしているが、彼にとって、デザインとは、「関係の美学／技術（Art of Relation）」である。一般のデザインは、社会を外から観察して形を与えるような視点をもっていて、そこに自分が含まれておらず、外に立っているようなスタンスである。それに対して彼は、自分自身が物事の一部になって参加し、共にいる、共に創るという意味でのデザインを目指している。そこで彼は、トニー・フライ（Tony Fry）というデザイン思想家の次のような言葉を引用した。

「デザイナーはデザインされた世界の中でデザインし、その世界はデザイナーによってデザインされた行為やモノのデザインによって到来する。もっと簡単に言えば、我々は世界をデザインし、世界は我々をデザインする、ということだ。[6]」

つまり、デザイナーは神のような視点で物をつくるのではなく、自分たちでつくってきたものによって自分たちがつくり直され、さらにそれをつくり直しているのであって、その循環が必要なのである。水内さんはまさにそのようなデザインを目指している。

活動事例として、彼が勤める名古屋芸術大学で、2012年から15年の間に行なった服部さんとのコラボ、「土と人のデザインプロジェクト」について話してくれた。そのときの問題意識は、芸術も結局縦割りで自分たちの領域だけに閉じこもっているが、外の世界ではいろんな人が関わっていて、縦割りにはなっていない。大学も周囲とつながっておらず、学生も大学と駅を行き来するだけになっている。そこで地域と関わりながら進めるプロジェクトを学生とやってみようということで、服部さんに協力を求めたという。その最初が「ゼロから晩餐会をつくる」、すなわち地域にある物だけを使って晩餐会を開催するという課題であった。

そのためには何をしなければいけないか？　そもそも晩餐会とは何か？　まず地域にあるもの・ないものを調べる、椅子も机も、会場も、皿も招待状も、料理の素材も、音楽も、すべての素材を地域に求める。調べていくと、

[6]　Tony Fry. *Defuturing: A New Design Philosophy*. Ava Pub Sa. 2020.

水内さんの発表資料より

おいしい豆腐屋があることが分かる。農家でどんな野菜をつくっているのか分かる。そこで畑を貸してもらって、育て方を教えてもらって、一緒に育てる。料理も教えてもらう。椅子も机もつくるのに、材料を探していたら、銭湯に木材があることが分かる。それは近くの家の解体をした廃材で、地域の生活の痕跡が残っている。……そんなふうにして半年かけて準備をし、お世話になった人たちを招待するのが晩餐会となった。寄付してもらったビニールハウスを会場にして、一緒に育てた野菜を使った料理を一緒に食べる。プロジェクトの記録映像を一緒に見る。市民交響楽団の人にも来てもらって演奏をしてもらう。

　そうやって地元の人たちと一緒に創った晩餐会について、『美術手帖』の副編集長、紫牟田《しむた》信子さんからは「すごいみすぼらしいですよね。でもすごく豊かですね」と評されたという。それぞれの素材がどこから来たのか語れる、準備する過程で学生と地域の人、地域の人どうしの関係が生まれている。そういう豊かさがあるということだ。「土と人のデザインプロジェクト」は、その後「このひとと」「ゲストハウスをつくる」「地域と共に無人販売所をつくる」と、4年にわたって続き、それを通して地域との関係はさらに育っていった。

　他にも水内さんは、デザイナーの仲間たちと一緒に、高知県佐川町で行なった「市井のプロダクトシリーズ」という活動について話してくれた。まちの中で職人さんたちによってモノがつくられ、それがその土地の人に使われ、なじむことで、人々の生活は支えられ、豊かになった。そうしてものづくりの〝こうば〟もまちの風景の一部となっていた。時代の流れのなかでそのような文化が失われていく。ならば、まちの職人たちと一緒にあらためてものづくりをすることで、まちでモノがつくられていることの価値を問い直そう、これがこのプロジェクトの趣旨である。

最初は誰と何をするのか決めずに、町のいろんな工場を訪ねて話をしているうちに、小原製瓦という瓦をつくる職人さんとコラボすることになった。それで最終的には瓦のジュエリー（指輪、ネックレス）をつくったのだが、最初はどうするのか分かっていなかった。通常であれば、デザイナーが瓦でジュエリーをつくりたいという企画を立てて、瓦の職人を探して依頼するわけだが、そのようなことはせず、まずは一緒にやりましょうという提案だけをする。お互い何をするのかよく分からないままスタートし、水内さんたちは見学して瓦のつくり方を知るところから始める。いろいろ試行錯誤し、大きさ、形、厚みを変えたりして、何週間も一緒に作業をしたり飲み食いしているうちに、ジュエリーをつくったらどうかという話になる。

そうやってデザイナーと職人が対等な関係で、アイデアを出してつくっていったという。ただしそれは、両者が一致団結して一つのものをつくり上げたという感じではなかったそうだ。つまり、デザイナーの言う「いいよね」と職人が言う「いいよね」はズレているのだが、モノが間に入ることで、意見や立場の相違を表面化させずにゆるやかにまとめ、共にいられる環境を生み出していたのではないか、ということである。水内さんにとっては、このプロセス全体がデザインという行為なのである。

最後に鞍田崇君が話した。

彼は私とプロジェクトを立ち上げる少し前から、環境問題に対して人文学的にアプローチする研究をしたかったという。そこで自分のもともとの専門である哲学、当時興味をもち始めていたデザイン、地球研で関わっていた地域社会を掛け合わせた形で研究を始めていた。そのさいとくに気になっていたのは、環境問題において、都市のような中心で起きていることが周縁で問題を引き起

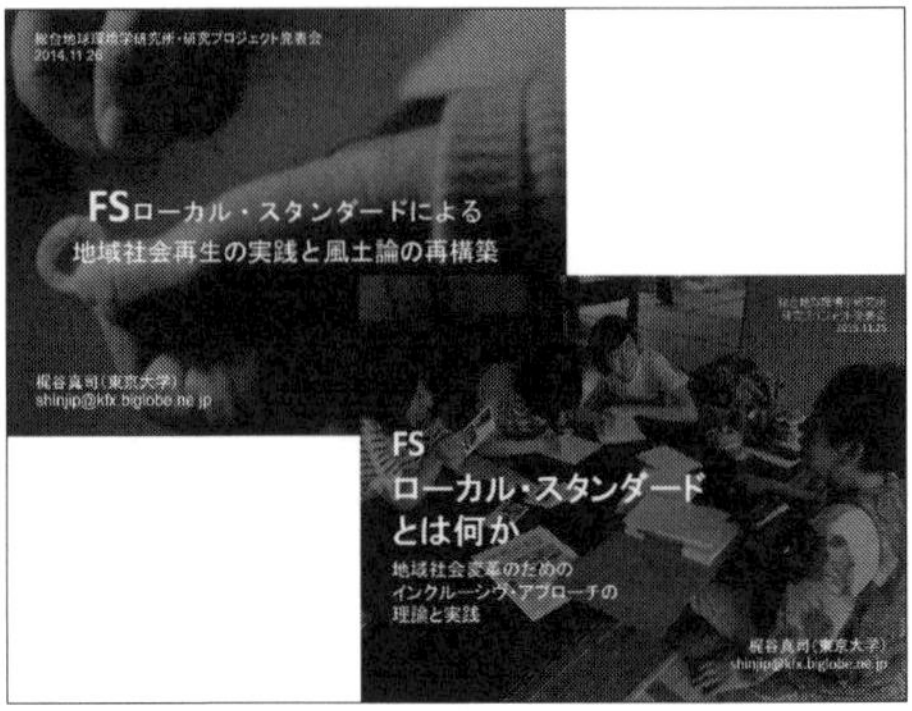

鞍田君の発表資料より

こしていること、いわばstakeをもたないstakeholder、直接利害関係がない利害関係者がいることだった。言い換えれば、問題の当事者だと思っていないが、実際には当事者であるということをどのように捉え、それにどう向き合うかを考えたかったそうである。そのためには、人文的な視点が重要であるが、同時に、人文学のあり方を考え直し、文献研究とは違うやり方を探したいと思っていたという。

〝言葉〟を中心とする哲学と〝物〟を中心とするデザインは、どちらも人間に関わるものであり、それを組み合わせることで何か見えてくるのではないか。実際デザインの世界には、原研哉のようにInformationに対するExformation、知っていることを未知化する、分からせるのではなく分からなくさせる、答えを書くのではなく、問いを発するということを考えている人がいる。これは哲学で言われる「無知の知」に通じる。別の言い方をすれば、Noiseへの感性を磨く、通常無用なもののように扱われる雑音をうやむやにせず、拾って意味を見いだしていくことである。そうすることで前述のような問題をstakeholderのような固い言葉ではなく、捉えられるのではないかと考えていた。それを哲学的に掘り下げるのに、Local StandardとともにIntimacyという情動性を大事にしてきた。鞍田君にとって、昭和村での活動はそのような文脈に位置づけられる。

　昭和村は、福島県の中でも奥深い山間部、奥会津にある。鞍田君がここに最初に行ったのは、地球研で焼き畑のプロジェクトに関わっていたときのこと。それ以前から民芸に興味をもっていたのもあって、昭和村でからむし（苧麻）に出会った。そして県外からからむしを織る技術を学ぶために来た「織姫」と呼ばれる女性たちと知り合い、なかでも渡辺悦子さんと舟木由貴子さんの二人からなる「渡し舟」というユニットの活動を取材したり映像化したりした。２０２１年には鞍田君も協力して渡し舟の二人で『からむしを績《う》む』（信陽堂）という本も出版している。

また昭和村では、学生たちと一緒にフィールドワークをしたことも大きな意味があったという。そこでは、言葉にする以前に体験の厚みを共有しつつ、まっさらな学生たちの新鮮な感性に刺激を受けたらしい。赤坂憲雄は「外なる異文化ではなく、内なる異文化が大事だ」と言っていたが、昭和村で感じた空気とか雰囲気とか気配としか言いようのないものが、そういう異文化に出会わせてくれる。鞍田君はそれを最近は一言でLifeと呼び、生活、人生、生命力などを包み込むものとして捉えている。だから今回のイベントの肩書では、自分のフィールドをPhilosophy of Lifeとしたという。

最後に鞍田君は、私たちのプロジェクトの時代的な位置について話した。環境問題は、およそ20年周期で新たな段階に移っている。第１期Ecology1.0が１９７０年から１９８０年代で、１９７２年に「国連人間環境会議」（ストックホルム会議）があった。第２期Ecology2.0が１９９０年から２０００年代で、１９９２年に「環境と開発に関する国際連合会議」（地球環境サミット）が開催された。そして第３期Ecology3.0が２０１０年から２０２０年代で、２０１２年に「国際連合持続可能な開発会議（ＲＩＯ＋20）」が開かれた。「つまり私たち4人は、第3期の初めに出会い、だいたいその中間の折り返しに来てふたたび集まったと言える。だから今までやってきたこと、今日話していることが２０３０年代以降どうするかにつながるといい」。今後の期待を彼はそう表現した。

共にいること、共に生きること、共に創ること（3）

２０２２年４月18日 投稿

以上、４人それぞれが自分たちの活動を振り返って、考えてきたことを話した。私自身は、デザインに憧れのようなものがある。とくに服部さんと水内さんの「土と人のデザインプロジェクト」が大好きで、あのようなことを哲学でやりたいと思ってきた。いろんな人が関わって、それぞれがそれぞれにできることをして、受け取れるものを受け取る。頑張って一致団結するとか、努力してお互いを理解して近づこうとか、そういうのではない、もっと自然に、ただ一緒にいて、一緒に何かをつくる、……というより何かができていく。

そういうインクルージョンは哲学対話に通じるものがあり、だからそれをもっと広げて、inclusive philosophy としてやっていきたいのだが、そのさいの問題は、思考や言葉をどのように形にするかということだ。デザインのように具体的に形にするにはどうすればいいのか。もちろん、文章にするというのは一つのやり方なのだが、私が大事だと思うのは、必ずしも自分が形にするのではなく、いろんな人が動くことで形になる、あるいはその人たちがそれぞれに形にするということだ。

そういうことで言うと、服部さんと水内さんのプロジェクトで、学生と地域の人のコミュニティが生まれたように、鞍田君が昭和村に学生を連れて行ったこと、そこでできたつながりのなかで学生が育つことも、一つの形なのかもしれない。東大の多文化共生・統合人間学プログラム（ＩＨＳ）ができたのもちょうど同じ時期で、そこで学生が育っているのも、何かが形になったのだと言うこともできるだろう。

デザイナーが具体的に形にすることを私がうらやむのに対して、水内さんは哲学の人の言葉のつくり方、使い方はうらやましいと言った。デザイナーたちは物をつくることで、かえってそれについて考えて言葉にしない、できないままですませてしまう。水内さん自身は、デザインは社会的に影響力があるのに、きちんと考えないままものづくりを続けることへのうしろめたさがあり、デザイナーはもっと言葉にする努力をすべきであり、言葉にできなくても考えるべきだという。

服部さんも同様に、デザインの世界では、言葉を熟成させるということはあまりないと言っていた。そして彼自身は最近、新たなデザインのコンセプトとして考えるべきことは、何をつくらないでおくか、つくらないことを決めるデザイン、言わば「美しく消えるデザイン」ではないかと述べた。それと関連して、アーカイブのあり方、形に残すことで何千年もあとの人が仮説を立ててくれるようなアーカイブの方法論があるのではないか。美しく消える方法、美しく残す方法を考えたいと言った。水内さんも同様に、デザインは非言語を扱っている部分が大きいが、アーカイブを残すことで、どういう思考をたどってきたのか分かると、その意義を説明した。

ではデザインの何を記録するのか。それについて服部さんは、デザインのプロセスをいかに可視化していくかが問われおり、それは今デザインの世界でも注力されていることであり、そのさい、つくるときとつくったあとが同時に重視されているという。鞍田君もまた、つくったものを消費して終わりではなく、つくるプロセスを重視するというのは、哲学もまた思考を生み出すプロセスが重要だということに通じるのではないか、そしてそこに「共に」というのが関わってくるのではないかと述べた。

プロセスを可視化する、知るというのは、ある種の共有である。物をつくったり、育てたりするかぎり、そこには人が関わっている。だからプロセスを共有すれば、そこに関わった人たちとつながることができる。そうした傾向は身近なところにも表われている。服部さんは、スーパーで売っている野菜に生産者の写真と名前が貼られていることがその一例だという。また「土と人のデザインプロジェクト」では、学生からの発案で、動画にするという形でプロセスを残したとのことだった。

さらに水内さんは、デザインの主な産物は最終的なアウトプットではなく、副産物のようなものやプロセスがむしろ主産物であったり、もしくは何が主産物で何が副産物か区別できなかったりするという。「土と人のデザインプロジェクト」では、晩餐会やゲストハウスも重要だが、それ以上にその過程でできた人間関係や、関わった人たちがした体験に価値があるのだと説明した。

思うに、同様のことは教育現場でも言われている。探究の時間や「主体的・対話的で深い学び」などは、結局はプロセスを重視するということだろう。しかし、世の中は言われるほどには変わっていないのではないか？　そう聞くと、水内さんは、たしかにデザインの世界でも、プロセス重視と言うと、今度はプロセスをきっちり設計してそれを確実になぞるような感じで、かえって余白がなくなるようなことになりかねないと言った。そこで鞍田君も、すべてのプロセスを制御して確実に結果を出そうとする人が多いが、そうやって制御可能なものですべてを埋め尽くすしんどさがある。整理のできなさ、制御のできなさを大事にしないといけないと述べた。そのために大事なのは、服部さんによれば、デザインしていてもきちっとつくるのではなく、輪郭を描きつつそれが形を呼び起こしていく、でも輪郭を構成したのはみんなだよねという感じだという。たしかにそうしなければ、プロセスを重視することは、これをやったらこうなるという小さなインプットとアウトプットを繰り返すだけで、今までよりもアウトプットを細かく気にするだけになり、かえって効率は悪くなるだろう。

ここで鞍田君から、そもそも私がこれほどデザインに興味をもったのはなぜかという質問があった。このイベントを通してあらためて思ったことだが、私にとってやはりそれは、プロセスを大事にするからだと言っていいだろう。哲学対話について、内容面では、哲学研究者から、レベルが低いとか深みがないとか、井戸端会議だとか、哲学のこと分かってないと言われるが、たしかにそうなのかもしれない。だが、内容が大したことがないことの何が問題なのか。大事なのはプロセスで、これまで自分を縛っていたものから解き放たれることに意味がある。それは必ずしも共有されなくてもよくて、個人の中で起きるだけでもいい。

昭和村でも、響いた人と響かなかった人がいるが、響かなかった人がいるから無意味だったわけではない。鞍田君が言ったように、プロセスは徹底的に個別的であっていい。ただし、その個別的なプロセスが、みんなと一緒にいることで起こるという点が重要なのだ。プロセスも思いも共有されておらず、それぞれに違っていていいのだ。ただ、他の人と一緒だったからこそ、そうした違いは生じたのである。

哲学対話をカリキュラムに導入しているある中学校で、「哲学対話の時間はどういう時間か？」と聞いた答えを寄せ書きにしたものがある。その中に「こどくになれるじかん」と書いている生徒がいた（つたない字でひらがなで）。寂しいとかつらい孤独ではなく、安心して孤独になれる。みんなと一緒に考えたことでそうなったはずだ。だから「土と人のデザインプロジェクト」でも、みんなで一緒にやりながら、受け取ったものは学生によって全然違っていたのではないか。

そう私が問うと、水内さんは、それが私の考えるインクルージョンなのだろうと言い、こう続けた。――ユニバーサルデザインは、みんなが同じであることを求める向きもある。他方インクルージョンは、違いを認め合うという程度かと思っていたが、そうではなく、一緒にいることで自信をもって孤独になれる、自分はこれでいいんだと納得できる、それがインクルージョンなんだと腑に落ちた、と。

鞍田君が言うように、その子は普段は孤独でいられなかったということなのかもしれない。あるいは、普段から孤独は孤独なのだが、哲学対話のときはそれが心地よかったのかもしれない。誰かに分かってもらえたということではないかもしれないが、分からないといけない、分かってもらわないといけないというプレッシャーから解放されて、安心して分からないまま、分かってもらえないままでいられたのかもしれない。相互理解が大事と言われるが、そうじゃなくてもいいのだ。相互理解をしないといけないと考えると、かえって重荷になり、縛られるだろう。

鞍田君によれば、「インティマシー」にも似たようなところがあるという。インティマシーと言うと、つながることありき、共感ありきのように思われることもあるが、断絶とか分断をうやむやにしないことが大事だということを、この間に痛感してきたとのことだった。

最後に服部さんが、今後は「健全な利害関係」が重要になるのではないかと言った。水内さんと台湾でやったワークショップから学んだことで、これまで利害関係は、AとBの間で考えられてきたが、もう一人の存在が意識されないと健全な利害が生まれないことが分かったという。それを哲学的にどのように捉えるのか。デザインで言うと、モノやコトが介在して三者の利害が成立するのではないか。それをEcology3.0の次のフェーズで取り組みたい。モノをつくることは環境に影響を与えることを考える。そのコンセプチュアルなヒントは哲学にあると思う。インティマシーも関係している。Local Standardの次の10年は、「健全な利害関係」をテーマにまた4人でやっていきたい——そう提案してくれた。

続いて、参加者との間で質疑応答が行なわれた。そのなかで、会場に来てくださっていたmatohuのファッションデザイナー、堀畑裕之さんからのコメントを紹介しておこう。彼は、最近柳宗悦を読んでいて、つくられたものには「前半生」と「後半生」があるという面白い考えに出会った。物をつくるのが前半生で、後半生はその後のことで3つある。1つ目は、見ていいなと感じて手に入れること。2つ目がそれを使う、それもただ使うだけでなく、使いこなすこと。3つ目はそれについて考えることである。民芸運動において、柳自身は何もつくらない人で、物の後半生を引き受けた人だと言える。考えたことを言葉にして民芸に言葉を与えた。

そのことを踏まえて堀畑さんは、自分もつくる人間として、つくったあとどのように使われて、その人に影響を与えたのかを考えたい。生活者として、自分が物の後半生を十分に生かし切れているか。そしてこの物の後半生というのは、登壇した私たち3人にとっても大事なテーマになるのではないか、とおっしゃった。

今回のイベントを終えて、〈哲学×デザイン〉の5年間をこの4人で振り返り、自分のやってきたことを再確認できた。とくに服部さんと水内さんは、デザインに対する私の思考を根幹で支えてくれている。鞍田君は、自身は民芸に関わりつつ、哲学とデザインをつなぐ一つの範例を見せてくれる。私の共創哲学は、またここからスタートする。

旅の寄港地
随想コラム5

奇跡が自然に起こる場所……名古屋駅前の着ぐるみ街頭活動に1年以上通って

2022年12月6日 投稿

2021年9月から毎月名古屋に通い、駅前で着ぐるみを着て行なう街頭活動に参加している。周囲の人には「梶谷は何をやっているんだ?」と好奇と不審の念を抱かせ、自分でもなぜこれほど熱心に通っているのか分からない。月1回、1年以上参加してようやく文章にできるところまで来たので、いったん自分なりにまとめてみた。私が哲学対話でやってきたことと深いところで通じる、さらに一歩も二歩も先をいく試みだと思っている。

「支援は尊厳を奪う」——全国こども福祉センター代表の荒井和樹さんの言葉だ。支援はいいことだと思って奮闘している人には、ショッキングな言葉だろう。しかし、これこそがこの団体の活動を理解するのに、もっとも重要な点だと思われるので、ここから話を始めたい。

〝支援〟に潜む問題

誰かを〝支援する〟というのは、どこか上から目線だ——「君たちは困っているようだから、私たちが助けてあげよう」。

支援する側は、「あなたのため」と言いながら、結局は制度や組織のため、自分たちの都合や利益に合うようにしたがる。困っている人は連絡してください、こちらに来てください、申請をしてください、という〝お願い〟を装った指示を出す。

そして続けて聞く。どんな問題を抱えていますか——いじめ? 不登校? 虐待? 性被害? 援助交際? 自殺願望? 貧困?……それに答えた瞬間、その子は「いじめられている子」「不登校の子」「虐待にあっている子」「性被害にあっている子」「援助交際をしている子」「自殺したがっている子」といったふうに分類される。同情され、アドバイスをされ、それどころかしばしば注意され、説教され、叱責される。「君のためだ。君のためを思ってのことだ」という態度で、時に優しく、時に厳しく。

こうした支援をありがたく受け入れる子は「良い子」、それを拒んだり、避けたり、それ以前につながりもしない子は「問題児」「ケシカラン奴」「困った子」となる。「自己責任だ！」と言われ、見放される。「私たちがこんなに親身になって助けてあげようとしているのに」。いやいや、本当はみんな助けてほしいはずだ。ただ情報が伝わっていないだけ、相談先が分からないだけ。素直になれないだけ。だからもっと発信して理解してもらわないと、支援が届かない！と考える。

しかし「いじめられている子」「不登校の子」「虐待されている子」「性被害にあっている子」「援助交際をしている子」「自殺したがっている子」という人が存在しているわけではない。一人の人間があるところでいじめられた、ある学校で授業に行けなくなった、親から虐待された、ある人から性被害にあった、あるとき自殺したくなった〝だけ〟である。いじめも不登校も虐待も性被害も自殺願望もその子の一部であって、すべてではない。一人の人間をそのような分かりやすいカテゴリーに分類し、それに応じて対処するとき、支援は容易に管理となり支配となる。それは〝一人の人間〟としての存在の否定である。だから「尊厳を奪う」ことになるのだ。

いや、尊厳を認めているから、その子を救い出そうとしているのだ、と反論するかもしれない。だが、このような支援の問題は、子どもの立場から見れば、すぐに分かる。子どもが支援を拒んだり避けたりするのは、そこに何か〝嫌な〟ところがあるからだ。つながらないのは、つながりたくない何かがあるからだ。関わる前から嫌な感じがするか、関わったことがあって嫌な思いをしたことがあるからだ。

そもそも自分が問題のある、助けが必要な、かわいそうな人間だとは思われたくない。まして子どもの場合、たいていは家庭の問題でもある。すると、親や家族に気をつかって言えない。恥をさらすことにもなりかねない。日本みたいに「恥」の文化の社会、「迷惑をかけない」ように子どものころから育ち、大人になっても事あるごとに「迷惑だ」「迷惑をかけてすみません」と言い合う社会ではなおさらだろう。

支援されたくないどころが、支援が必要だと見られるのも、自分がそういう人だと認めるのも嫌なのだ。子どもに限らず、そう思う人は少なくない。相手が嫌がることをするのは、支援だろうが何だろうが、〝嫌がらせ〟である。セクハラやパワハラだと、された側の気持ちに寄り添うのは当たり前のように言われるが、支援となった途端に、支援する側の気持ちを前面に出す。

たしかに緊急の支援・救済が必要な人を半ば強引にでも介入するのは、時に必要である。ではそこまで事態が深刻ではない（と少なくとも本人が思っている）人はどうすればいいのか。彼らがすでにいるところに出向くか、彼らが来やすい場をつくるしかない。だがどうやって？　荒井さんの言う「アウトリーチ」がその方法である。

荒井さんとの出会い・初めての参加

荒井さんと初めてお会いしたのは、２０２１年９月20日に行なった「障壁を越えて、出会いにかける」というイベントに、救急医療看護師の野口綾子さんと一緒にお越しいただいたときである。そのさい彼の著作『子ども・若者が創るアウトリーチ――支援を前提としない新しい子ども家庭福祉』（アイエス・エヌ株式会社、２０１９）を読み、当日話を聞き、前述のようなことはおおよそ理解した。哲学対話を通して考えていたこととととても近く、しかもそれ以上の何かがある予感がして、イベント後にすぐ「今週末行っていいですか？」と聞き、９月26日に街頭活動に参加することになった。

まず印象的だったのが19歳のＭさんだ。高校２年生のころから来ているらしい。当日、荒井さんから教えてもらった住所にある事務所へ行くと、彼女を含む数名のメンバーがいた。時間になると駅に向かうので、〝下っ端〟の私も荷物をもち、ついていく。

現地に着くと、Ｍさんは黙々と準備をして、私に好きな着ぐるみを選んで着るよう促す。名簿を差し出し、名前を書くように言う。初めて来た得体のしれないおっさんに、愛想笑いもせずに淡々と指示を出す。それにしても、着ぐるみを着てはみても、いかにも板についておらず、浮いている私。対して彼女の着ぐるみ姿の何と凛々しいことか……などと思いつつ、見よう見まねで街頭活動を始める。

するとそこに一人のホームレスらしき男性が近づいてきた。と思ったら、メンバーの一人の女子高生が「あー、久しぶりー！」と言って、その男性とハグし合っている。信じがたい光景に頭が一瞬真っ白になる。何が起きているのかまったく分からない。

聞けば、その男性は、いつも来て一緒にいるらしいが、それにしても女子高生とホームレスという、普通ならまったく相いれない者どうしがごく自然に一緒にいて、ハグまでしている。いったいここで何が起きているのか？

やがて街頭募金が始まる。この団体の募金は、どこかの誰か（戦争や災害で難民になった人、アフリカの飢餓に苦しむ人、殺処分されそうな犬や猫）のためではなく、自分たちの活動に募金を呼びかける。だから、援助したい先にちゃんと届かないのではないかと疑う余地がない。ただ、そのことはあまり募金の集まり具合と関係ないようで、趣旨も分からずお金を入れる人も多い。若い人が着ぐるみを来て頑張っているみたいだから、募金をしてくれるのか。

　それよりも意外だったのが、募金する人である。普通の人(何か用事があって、通り過ぎていく人）はあまり募金をしない。するのはむしろ生活に困っていそうな人（主に男性）で、それも10円とか１００円ではなく、１０００円札を入れていく。これも驚きだった。

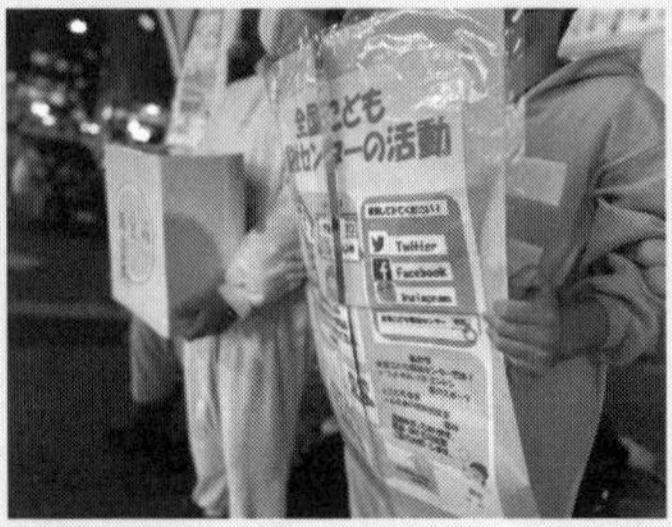

募金の様子

　本で読んでイメージしていたアウトリーチっぽかったのは、女子高生が募金をきっかけにしてメンバーと話をしていったことくらいだろうか。とにかく予想外のことが起きて、一回体験しただけではまったく理解が追いつかなかった。それで翌月も来た。するとまた面白いこと、訳が分からないことが起きる。それでまた翌月も来る。そんな調子で1年以上、毎月このためだけに名古屋に通っている（ついでがあったらなおさら）。

　自分にとってこれは、まったく例外的なことだ。そもそも私は、基本的に他人のやっていることにあまり興味がない。自分がどこかに行くのは、依頼があったり仕事があったりで、言わば受動的であって、自ら能動的に行くことは通常ない。でもこの活動には、１００%自分から行なっている。そもそも何も頼まれていないし、私が行かなくても誰も困らない。私が行って何かやるべき役割があるわけでもない。ただ、行きたいから行く。行きたい理由は、分からないこと、知りたいことが尽きないからだ。

団体の活動内容

　団体の活動は、大きく街頭活動（アウトリーチ）とスポーツに分けられる。街頭活動はさらに募金と交流からなる。そのさい着ぐるみを着るというのが、この団体のユニークな点である。それだけでメンバーの一人になれるし、初めてでも人々の注意を惹き、警戒感を和らげられ、子どもに手を振り、振ってもらえる。

　また募金は、前述したように、どこか別のところにいる〝恵まれない人〟に対するものではなく、団体の活動に対するものである。「子どもの非行防止や居場所づくりの活動を行なっています。よろしかったら街頭募金にご協力お願いします！」と、道行く人に呼びかける。

ここで「交流」とは、メンバーから通りがかりの人に声をかけたり、興味をもった人から声をかけられたりして話をすることである。相手は同年代の高校生や大学生。話す内容は、最初は団体の活動、その後は相手のこともある程度聞くが、基本的には他愛もないおしゃべりである。街頭活動のあとは、事務所に戻ってまたおしゃべりをしたり、トランプやボードゲームをしたりする。

もう一つの活動のスポーツも交流の一つで、バドミントンやフットサルが多い。これが街頭での募金や声かけと同列に並べられるのは、奇異に思われるかもしれないが、いずれも若者の居場所づくりとしての意味をもっている。街頭活動が苦手、もしくは興味がなくても、メンバーどうしで楽しめる。

こうしていろんな参加の機会をつくることで、より多くの人たちが過ごしやすいようにしている。ただこれだけと言えば、これだけである。ところが、ここでは普通では考えられないようなことがたくさん起こる。

分からないこと、驚くべきことの数々

相当な工夫や努力をしても、普通は実現しないこと、それでいてなぜそうなるのか分からない驚くべきこと、つまり言葉の通常の意味での〝奇跡〟が、ここではごく普通に、当たり前のように〝起こる〟。しかもさらに驚くのは、メンバーの誰も、そんなたいそうなことをしているとは思っていないことだ。その一端を紹介しよう。

――誰が来るのか、当日にならないと分からない。

1回目でＬＩＮＥに入れてもらったので、メンバー間のいろんなやり取りや連絡を、私も見られるようになった。そのやり取りにも驚いた。いつも鍵を開けるＭさんが「今日誰が来る?」と聞くと、「準備から行けまーす」（だから事務所に来る）とか「少し遅れるので直接街頭に行きます！」とか連絡が入る。

街頭活動は毎週のことなので、バイトのシフトのように、ある程度は担当日を決めて、極端に少なくなったり、一部の人に負担が集中したりしないようにするものだと思っていた。だが、この団体のメンバーは、その日にならないと、誰が来るのか分かっていないようだった。

ボランティアと言うと、えてしてお金をもらっていないことが強調され、本来の意味の自主性は忘れられがちである。表向きは自主的だと言われても、どこかに強制力が働く。それに対して、ここのメンバーは本当に自主的に来て

いる。来たい人が来られるときに来る。担当も決めていない。名古屋以外の町に住んでいる人も少なくない。それでも毎週（！）10人以上集まる。だから、来ている人が「自分ばっかり」と不満を言うこともなければ、来ていない人のことを「何であの人来ないの？」と文句を言うこともない。

彼らはなぜ来ているのか？　どうしてこれで成り立っているか？　1年以上たった今でもよく分からない。

――知り合った人がいきなり着ぐるみを着る

街頭での声かけと言ってもいろいろである。通りがかりの人に声をかけることもあるし、団体やメンバーのツイッターやインスタで活動を知って興味をもった人が見に来て話が始まることもある。見に来ても恥ずかしがって自分から話しかけられず、声をかけられるのを待っている子もいる。

そうこうするうちに、その日に知り合った人がその場で着ぐるみを着て、声かけを一緒にすることもある。ここですでにメンバーと区別がつかなくなっている。このことは、荒井さんの本に書いてあったので、その点で意外ではなかったが、こんなにあっさり起きるとは思わなかった。

――路上生活をする人たちとの交流

私が初めて行ったときに女子高生とハグしていたのは、Oさんというおじいさんである。のちに路上生活を30年続けていることが分かった。彼以外にも同様の人たちが何人か近づいてくるが、メンバーが話をするのはOさんくらいで、他の人は避けられている。ただし、話をしないというだけで、物理的に距離をとったりするわけではない。

もっとも活動の初期は、まったく関わらないか緊張関係にあって、現在のようになるには2年くらいかかったらしい。今や彼らと一緒にいることは、団体の活動の一部になっている。つまりこの活動は、路上生活をする人にとっても、居場所となっているのだ。

これは一見する以上に驚異的なことではないだろうか。私たち（っていったいどういう人だろう？）は普段、路上生活する人と接点をもたない。お互い関係をもつ必然性がなく、むしろ避けている。しかし、団体が駅前という彼らの居場所、その近くで活動をしたために関わりができた。団体のメンバーにとっても、当初は怖かったらしいが、毎週顔を合わせるうちにお互いに次第に慣れていったそうだ。

また、活動を始めた当初は、駅裏の広場は今よりも暗くて治安も悪かった。風俗店のスカウトやキャッチセールスなど危険な人たちも多く、彼らより早く若者に接触して福祉につなげるのが団体の趣旨でもあった。だから、当時はそういう人たちからメンバーが絡まれることもあった。しかし着ぐるみを着た若者のような無害無垢な人たちには、攻撃する理由も身を守る必要もない。そうしていつしかスカウトもキャッチもいなくなり、週末の駅前は着ぐるみ集団が他を圧倒してしまったようだ。それは路上で生活する人にとっても大きな安心になっただろう。

とはいえ、団体のメンバーは、声かけボランティアにありがちなように、彼らの体調を気づかったり、困りごとを聞いたりするわけではない。そういう〝支援〟はしない。メンバー自身、路上生活する人たちとは、仲のいい知り合いとして接する。だから毎週再会を素直に喜ぶ。

それどころかOさんは、最近活動の開始時間より前に来て、メンバーが荷物を置く場所をとっておいてくれる。そして私たちが行くと、「おーい、遅いぞ！」と笑顔で言う。むしろ助けられているのは、こちらのほうだ。こんなことがどうして可能なのか。何度見ても不思議な光景である。

——いろんな人が緩やかに一緒にいる

メンバーには、いろんな悩み、問題、背景をもっている人がいる。それは前述のように、いじめ、不登校、自殺未遂、虐待、家出、性被害、精神疾患など、それぞれに専門の支援組織があるような深刻な問題である。

ところがメンバーは、普段そうしたことについて、秘密にしたり避けたりするわけではないが、とくに話題にすることもない。街頭活動後の交流（おしゃべり）も、他愛もない話をしているだけのことが多い。あるいは、トランプをやったり、しりとりをやったり。

もちろんメンバー間には、仲のいい関係もあれば、それほどでもない関係もある。だからお互いの事情を多少なりとも知っていることもあるが、まったく知らないこともある。総じて彼らは、一緒にいるのがどういう人か、なぜ来ているのかあまり気にしていないように見える。居心地がいいから来ている。そしてそこが自分にとって居場所であるように、他の人にとってもここが居場所になるといいという気持ちを、強弱濃淡の違いはあれ共有しているようだ。

その気持ちがあるから、居場所を求めている人は誰でも拒否せず、受け止めている。そして新たにメンバーになるのは、しばしば普通なら「要支援」となる人である。そういう様々な事情のある人たちが、まったく無理なく自然体で一緒にいられるのは、いつ見てもすごいと思う。

——驚くべきスピードで人が変わる

この団体で繰り返し驚かされるのは、メンバーになった人が、ただ一緒に街頭活動をして、事務所でおしゃべりしたりゲームをやったりお菓子を食べてたりしているだけで（もちろん一部のメンバーが、それ以外のところで世話をしていることもある）、目覚ましい変化を遂げることだ。

最初は恥ずかしがって着ぐるみを着るのも断って隅っこで立っていた学生が、数か月後には、声かけで大活躍をしている。話しかけられても、首を縦に振ることも横に振ることもなくただ困った表情をするだけだった女の子が、数か月後に自分からしゃべるようになっている。他のところでは手に負えないと言われ、○○障害だとされた人が、とくに何の問題もなく交流している。家でも学校でもほとんど話さない子が、ここではよくしゃべり、自分の意見も言うようになる。それに何より、毎回のように起きることだが、路上で声をかけられて最初は警戒していた人が、10分後には和気あいあい、友だちのようにしゃべっている。

いずれも、普通では容易には起きないことだろう。要支援とされそうな人は、病院や専門家にかかっても、これほどのスピードでよくなることはないと思う。それがごく普通の若者だけで、これほど劇的な変化が起こるのは、何度見ても驚愕する。

――若者による居場所づくり

この団体は若者が主体の活動であり、大半が高校生と大学生、社会人も数人いるが20代である。代表の荒井さんは活動に来ないこともある。私が参加したときでも彼が来なかったことがあるが、活動もみんなの様子も普段とまったく変わらなかった。事務所の管理も若い人たちに任されていて、毎回のように来るメンバーは鍵をもっているが、代表の荒井さんがもっていないこともある。

またトラブルが起きても、荒井さんはあまり介入しない。彼によれば、いろんな人がいれば、時にぎくしゃくしたり衝突するのは当然で、そうしたことが起きないように大人がルールをつくったり仲裁したりせず、メンバーどうしが試行錯誤して乗り越えるのを待っている。荒井さんも時々意見は言うが、指示をしたり仕切ったりすることはない。

ここでは大人が若者のために居場所をつくっているのではなく、あくまで若者たちが自分たちの居場所をつくりながら、それを他の若者にも広げていっている。

荒井さん自身もいろいろと試行錯誤してここに至っているらしいが、このような活動をする荒井さんの覚悟、度量、そして若い人への深い信頼には心底感服する。そしてメンバーがそれに本当によく応えている。組織論的な視点から見ても、この団体は非常にユニークで卓越した事例ではないかと思う。

いろんな人の居場所であるために

私たちは普段、〝何者か〟であることによってグループの一員となり、居場所を得ている。それは、家族であれ、学校であれ、会社であれ、地域であれ、他の何かの集団であれ、同じことである――男である、女である、友だちである、夫である、妻である、父親である、母親である、娘である、息子である、大人である、子どもである、教師である、学生である、〇〇の社員である、〇〇人である、〇〇出身である、〇〇病である、〇〇障害である、等々。

けれども、つねに〝何者か〟でいるのは、容易なことではない。そうした役割を十分に果たせなくなったり、奪われたり外されたり、そこになじめなくなったりすることがある。飽きたり嫌気がさしたり、負担に思ったりすることもある。そうなるとそこは居場所ではなくなる。すぐにその集団から離れるわけではないにしても、そこにいづらくなる。

そんなとき、どうすればいいのか。また別の〝何者か〟になって、別の居場所を見つければいいのだろうか。もちろんそれでもいい。でもそれではまた同じことの繰り返しになる。〝何者か〟でなければ、そこにいられないことに変わりはない。

全国こども福祉センターのすごさは、おそらく、そこにいるために何者でなくてもいいということだ。メンバーになる条件もあるようなないようなな。着ぐるみを着れば、それだけで仲間になれる。でも着ないといけないわけではない。街頭活動は重要だが、苦手な人、興味のない人は、フットサルやバドミントンだけ来る。それくらいゆるい。

たしかに街頭活動や団体運営上の役割はある。けれどもそれは基本的に、その時々でやれる人がやる、やりたい人がやる。だから日によって変わることもある。今日は違うことをしてみようと思って、やってみたら意外にできた、楽しかったというふうに。やっぱりゆるい。

核になる人はいるが、その人たちの発言力が特別強いわけでもない。とくに頑張っているわけではない人も、居心地が悪そうにはしていない。実際、私自身、たいして役に立ってはいない。いてもいなくても活動じたいに影響はない。大学教員でもなければ、哲学の研究者でもない。月に一度来るおじさん。それだけのことだ。

上下関係がなく、年齢や立場が違っても、誰もお互いに敬語を使わない。私のこともみんな「梶谷さん」と呼んで、他のメンバーと区別せず、普通に話をする。私もここでは何者でもない。それがどれほど居心地よいことか。彼らが来ている理由が、少しだけ分かる気がする。

とはいえ、来ている人の中には、「ここに来ていなかったら、どうなっていたか分からない」「ここに来なかったら死ぬと思う」という人までいる。そのような若者たちのための場所を誰かがつくるのではなく、彼ら自身がつくっている。そこがすごいのだ。

ここを一言で表わすなら、「奇跡が自然に起きる場所」である。それを見るのが楽しみで、私は毎月来ているのだろう。

そう言えば私にも〝奇跡〟が起こった。

2022年10月に行ったとき、路上生活をするOさんと、利き手がどちらかという話をしていたら、Oさんが「オレは字がうまいんだ。子どものころ習字をやってたんだぞ」と言うので、私は「じゃあ、色紙買って来るから、なんか字を書いてください」と頼んだら、何枚か書いてくれた。翌週別件で妻と名古屋に行ったとき、Oさんに紹介したら、色紙を一枚取り出して、私たちのために「二人なかよくいくように。元気で。アイラブユー」と書いてくれた。

この日、Oさんは突然私の名前を呼んだ。「おい、カジタニ！」と何度も呼んだ。1年以上通って、初めてのことだった。そして「カジタニ、お前が来るとヘンな風になるんだ」と、笑顔で文句を言った。人から承認されて、これほどうれしかったことはない。

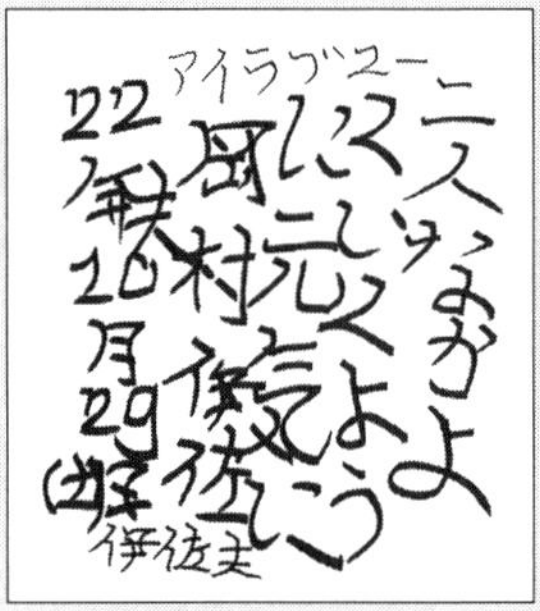

Oさんが書いてくれた色紙

エピローグ　いまだ旅の途上

最後に締めくくりとして、第1章から第4章までの各段階で発見したり考えたりしたことを記しておこう。

P4Eプロジェクトの収穫

哲学対話を通して、実に多くの人たちと出会った。高校では出張授業や新入生オリエンテーションで、合計数千人もの生徒たちと接している。子育てサークル、高齢者のコミュニティ、地方の町や村では、文字通り様々な境遇の老若男女が参加した。アクティブラーニングや探究学習に取り組む学校では教員研修を行ない、企業ではコーチングやチームビルディングとして社員研修を行なってきた。

そのなかで繰り返し実感したのは、自由に考えることの大切さである。どんなテーマでもいいし（母、ビジネス、お金、宇宙、恋、学校、しつけ、エネルギーなど）、どこでもいい（カフェ、イベントスペース、学園祭、幼稚園、小中高校、会社、子育てサークル、地方の町や村）。大学や研究室、自宅の書斎に限定する必要などない。いつでもどこでも、誰であれ、常識や固定観念、不安や恐れ、羞恥心や見栄にとらわれることなく考えられること。そのためには、人からどう思われるのかを気にするのではなく、自分の思ったことを率直に言えなければならない。それはより深く物事を考え、理解するという普通の意味での哲学的思考にとっても、企業や研究で必要な発想の転換にとっても重要であろう。

しかしそれ以上に、そのような場は、無理をしなくていいので心地がいい。いろんな人の考えを知り、それを通して自分のことも知る。そこには充実した喜びがある。ならば、哲学対話をしたら仲良くなるのは、当たり前のことなのかもしれない。哲学対話＝他者と共に自由に考えることで、いろんな人が無理なく一緒にいられるコミュニティが自然にできてくる。一般には人を寄せつけない、むしろ排他的な哲学にそのような可能性があるというのは、何とも刺激的な発見だった。

それは、独我論へと通じるデカルトの「われ思う、ゆえにわれあり（*cogito ergo sum*）」に対して、その複数形の「われら思う、ゆえにわれらあり（*cogitamus ergo sumus*）」を、思考による共同性の原理として打ち立てるかのようだ。本書の副題もここから来ている。

哲学対話によるコミュニティ論

このように哲学対話から共同性について考察することで、従来とは異なるコミュニティ論を構想することができる。そのさいおそらくもっとも重要なことの一つは、「受け入れる」と「受け止める」の区別であろう。

哲学対話では、相手を否定しないことがルールになっている。これだけなら、最近はあちこちで言われていることだろう。そこではできるだけ相手に共感することが求められているように思う。しかしそれでは、自由に考えることはできない。共感できないのに、共感するふりをするのは、他の人を気にして発言することである。哲学対話では、賛成も共感も求められていない。ただ相手を否定しないことだけが求められている。

他の人の考えに納得できないなら、質問すればいい——「なぜそう思うのですか」「それはどういうことですか」。答えを聞けば、相変わらず賛成も共感もできないかもしれないが、理解はできる。あるいは、理解できなくても、そういう考え方もあるのか、それなりの考えがあってそう言っているのだということが分かる。つまり「受け入れる」のは難しくても、「受け止める」ことはできるのである。

「受け入れる」とは、理解し賛成すること、共感すること。つまり考えや気持ちを共有することである。そうするためには、相手の意見とのあいだに一致点を見つけ、部分的にであれ自分のものにしなければならない。そのさい自分はいくらか譲歩するか妥協しないといけない。それは多かれ少なかれ苦しい、不快なことである。しかし相手の意見をただそのようなものとして「受け止める」だけであれば、自分を変える必要はない。理解も共感もしなくていい。

このような関係は、異質な他者との共生のためには相互理解が必要であるという、よくある考え方の限界を明らかにする。共にいるために相手を理解しなければいけないのであれば、理解できない相手とは一緒にいられなくなる。理解できなければ、排除していいことになりかねない。けれども、哲学対話では、理解できない相手とでも無理せず一緒にいられる。受け入れられなくても、受け止められればいいからである。

それに相手のことを「理解した」と言うのは、時に侮辱になりかねない。他者はそんなに簡単に理解できる存在ではない。誰でも努力すれば理解できると考えるのは傲慢である。だから理解できなくても一緒にいられる可能性を示すのは、きわめて重要である。

ここから従来とは違う原理に基づくコミュニティや共同性のあり方が見えてくる。通常の話し合いでは、意見がバラバラで合意に至らないのはストレスになる。だから同じような考え方をする人の集まりのほうが好まれ、違う立場の人には根回しをしたり、立場の強い人の意見に同調したりする。哲学対話では、意見が違うことはストレスにならないどころか、むしろ楽しいと思える。だから参加者が多様であればあるほどいい。

一般的には、コミュニティは何らかの共通点、類似性に根差しているとされる。似たものどうしだから、共有しているもの（言語、価値観、目的、慣習）があるから一緒にいる。他方、哲学対話は相違点、異質性に根差したコミュニティを生み出す。違うけれども（努力して）一緒にいるのではなく、違うからこそ（楽しいから）一緒にいる。そういう共同性のあり方である。

ここから、普段は粗暴であったり障害があったり、立場が弱かったりして話せず、それどころかその場にいられない人が、なぜ哲学対話の場にはいられるのか分かるだろう。否定されず、理解されなくても受け止めてもらえるから、他の人に無理をして合わせなくてもよいからである。他の人も、彼らを頑張って理解して受け入れることなく、かといって排除したり関わりを放棄したりする必要もない（「あんな訳の分からない奴、もう放っておこう」ではなく）。ただ受け止め、それでいて心地いいと思えるのである。

場のデザイン

不思議なことに、哲学対話がもたらすこのようなコミュニティは、参加者やファシリテーターの努力によってではなく、ほとんど自然発生的に実現する。プロローグで書いたように、その秘密は場のつくり方にある。それがデザインの問題だと気づかせてくれたのが、〈哲学×デザイン〉プロジェクトの初期に出会った三人、早川克美さんと水内智英さんとライラ・カセムさんである。

とくにあとの二人は、インクルーシブデザイン（inclusive design）を私に教えてくれた。これはユニバーサルデザイン（universal design）と同様、障害者を含めてより多くの人が使えるものをつくる。違いは、ユニバーサルデザインがアウトプットを問題にしているのに対して、インクルーシブデザインは、製作のプロセスに焦点を当て、障害者を含めていろんな人が関わるようにしている点である。つまり、インクルーシブデザインは、より一般化して言うなら、多様な人が共に活動する〝場のデザイン〟なのである。参加型アートを手がける河本有香さんや、インクルーシブな学びの場をデザインするＮＰＯ代表の山田小百合さんは、まさにその道の専門家であり、このプロジェクトのイベントでお呼びした人はみな、多かれ少なかれ、そのような場をつくってきた人たちである。

哲学対話は、いろんな人たちと一緒に考えること、多様な人たちと共に思考を創るプロセスそのものである。そこで私は、このようなデザインにおける潮流から着想を得て、哲学対話を「共創哲学」として捉え直し、それを英語ではinclusive philosophyと呼ぶことにした。そうして私は、哲学対話の活動を哲学とデザインの交差するところに位置づけ、より拡張した形で行なうようになった。そうすれば、言わば哲学対話を〝対話〟から解放することができる。すなわち、哲学対話によって生じるインクルージョンやコミュニティを、言語による制約から離れて探究することができる。

そのさい重要なのは、哲学とデザインの違いである。それは、哲学が理念やコンセプトを明確に提示しつつ、そこにとどまりがちであるのに対して、デザインは実際に理念を具体的に形にするための工夫やメソッドをもっていることである。その点で私がとくにインクルーシブな場のデザインから学んだのは、以下のようなことである。

・一緒にすることを大まかに決める（一つのプロダクトを創る／一つのテーマ、問いについて対話する）
・役割を明確に決めない（制作者とユーザーを区別せず、ユーザーが生産にも関わる／考え・話す人と聞く人を分けず、一緒に考え話し聞く）

・それぞれの仕方で関わる（それぞれがその時々でできることをする／それぞれが話したいことを話し、考えたいことを考える）

・参加資格や達成目標をゆるやかにしておく（「こうじゃなきゃいけない」「これはダメ」「これが正しい」と考えない。そのつど出てきたものに合わせて進めていく）

こうしたことは、哲学ではたんなる〝ノウハウ〟や〝コツ〟として軽く見られ、一般にもあまり注意が向けられない。コミュニティや共生のために相互の理解や尊重、寛容さが重要だと言われるが、あたかもそう唱えれば何とかなると思っているか、さもなければあとは個々人の意識と努力に任され、結局うまくいかないことを嘆くだけになる。いずれにせよ、それ以上何もできることはないかのように考えている。

しかし個人の意識にせよ努力にせよ、無条件にゼロから発動するわけではない。そこにはそういうことが起こりやすい条件、環境がある。またそれ以前に、「理解する」とか「尊重する」ということがどういうことなのか、寛容さとはどのような状態なのかが、実はよく分かっていないことが多い。ましてどのようにすればそれが可能なのかは、さらに分からない。

その点、哲学対話ではそのような状態が実現しやすく、またそのためにどうすればいいかも、前述のように、デザインの観点からある程度明らかになっている。

ただし、まだ概念的な説明ができていない。これは言うなれば、理論と実践、理念と現実をどのようにして架橋するのかという問題であり、今後それを探究していくのが共創哲学（inclusive philosophy）の重要な課題である。

ヴァーチャル空間での対話

コロナ禍のもとで、人々がリアルな空間で集まることができなくなり、代わってヴァーチャルな空間が一気に広がり、イベントもミーティングももっぱらオンラインで行なわれるようになった。

哲学対話も、それまで対面でしかしていなかったのができなくなり、この間まったく断念した実践者も少なくなかった。しかし全体としては、オンライン上でむしろ以前より盛んに行なわれるようになり、今まで知らなかった多くの人たちを巻き込んでいった。私自身もこの間、以前より自分で哲学対話の場を主宰したし、他の哲学カフェにも多く参加した。そこではこれまでリアルな空間での対話を成り立たせてきた様々な隠れた条件が見えてきた。これは私にとって、コロナ禍における意外な収穫であったので、ここに記しておく。

まずよく言われるように、自宅からオンラインでつなぐことで、それまで会場まで来られなかった人が参加できるようになった。具体的に言えば、地理的に遠く離れている人、病気や障害をもっていたり、乳幼児を育てたり介護をしているなど外出が困難な人、引きこもりの人などである。インクルーシブな場をつくるという観点から言えば、こうした人たちは、対面の場では排除されてきたということである。以前から分かっていたことだが、今まで見て見ぬふりをしてきたように思う。

また、オンラインであれば帰宅する必要がないので、哲学対話も夜遅く、たとえば夜の10時、11時からでも開催できる。すると参加者がみな、とりわけ女性が非常にリラックスしている。多くは部屋着を着ているし、人によっては化粧も落とし、ソファでくつろぎながら参加している。なかには寝ころんで参加し、途中で眠ってしまう人もいた。外でリアルに行なえば、誰しも身なりは相応に整えないといけないが、それは多かれ少なかれ私たちを緊張させ、発言にも影響する。自宅の部屋ではそういうことがないので、よりオープンに話ができる。実際、とても率直な（時に過激な）意見や話を聞くことが多かった。

さらにオンラインでは、全員が同じ大きさの〝枠〟の中に収まっている。だから実際の体の大きさやその人の雰囲気から来る圧迫感がない。対面で話していると、人によって存在感が違う。一般には体が大きければ威圧感があり、小さければそれほどでもない。その人の性格によっても存在感は変わる。子どもも落ち着きがなかったり、走り回ったりすれば、その場の雰囲気を乱しかねない。

そうした身体性は、言葉のやり取り以前のより原初的な次元であり、私自身、哲学対話の経験において人並み以上に重視してきた。しかし身体的な存在感は、しばしば圧迫感となり、その場にいる人を緊張させ、普段の生活で弱い立場の人、性格的におとなしい人、周りを気にする人が気楽に話すのを難しくする。人間のリアルな生にとって身体性は、人と人とのつながりにとっての基礎であるが、それはポジティブな意味ばかりでなく、ネガティブな意味、すなわち抑圧や阻害の要因にもなりうるのである。

また参加の仕方もリアルな対話よりも圧倒的に多様であった。たとえば、乳幼児のいるお母さんは、横で子どもが泣いたり騒いだりしていても、話すときだけマイクをオンにして気兼ねなく参加していた。別のお母さんは、高校生の娘さんが帰宅して夕食をつくっているあいだ、カメラはオフにしながら他の人の声だけ聞いていて、料理が終わったらカメラをオンにして参加した。テーマが繊細なときには（そのときは性に関わるテーマだった）、顔を出しにくいのか首から下だけ映して話していた。なかには、その代わりにぬいぐるみを抱いて、その身ぶりや手ぶりで自分の気持ちを伝えてくれた人もいた。

さらにチャットも使えるので、そこに自分の意見を書き込む人も出てきた。声を出して話すのが苦手な人や、外出中で声を出せないときでもチャットなら参加できる人もいる。また他の人が話しているあいだでも、チャットなら自分の意見を言える。つまり対話が複数同時並行で進む。当たり前のことだが、リアルな対話の場合、一人が話していると、他の人は話せないが、オンラインだとその制約もなくなる（かといってチャットに書き込んでいる人が話を聞いていないわけでもない）。

対面では、参加は０か１００しかない。しかしこのようにカメラのオン・オフを切り替えたり、またカメラに映る部分を加減したりすることで、言わば30％参加、50％参加、70％参加（あるいはチャットと声と両方で参加するなら120％？）といった具合に、様々な度合いでの参加が可能になる。

哲学対話はオンライン化によって、たしかに難しくなった部分があったにせよ、参加者や参加の仕方がより多様になり、これまで以上に充実したものになったと思う。さらに重要なのは、こうした変化や工夫が、誰かが提案したり促したりして初めてそうなっているのではなく、自然発生的に生じているということだ。場のデザインについて述べたように、「こうじゃなきゃいけない」「これはダメ」「これが正しい」と決めずに任せ、そのつど出てきたものに合わせていけば、場はおのずとふさわしい形になっていくし、みんなが創意工夫をして、それが自然に広まっていく。その様をリアルタイムに目撃できたのは幸運だった。

＊＊＊＊

哲学対話はとてもシンプルである。一つの問いについてみんなで一緒に考える。ただそれだけのことである。そして場のデザインと結びつけることで、考えることと共に生きること、つまり人間の存在の探究において開拓すべき領域、発見すべき現象、取り組むべき課題が尽きることなく広がっている。まだまだ進むべき道は続いているのである。

あとがき

思考の表現には、いろいろな形がある。研究者であれば、学会発表や論文が一般的だろう。私の場合、東大に来てからの主な表現の場は、圧倒的にＵＴＣＰのブログ報告「邂逅の記録」であった。その意味でブログ報告は、少なくともこの十年間では、まぎれもなく私の〝主著〟である。内容的に言っても、現在の私の思考とそこに至るほとんどすべてがそこにあるといっても過言ではない。

とはいえ、これは元来個別の活動についての報告なので、書籍としてまとめて出せるとは思っていなかった。ところが、それを全部通して読んでくださった人が現われた。京都の総合地球環境学研究所で知り合った寺田匡宏さんだ。何と奇特な人だろう。

寺田さんは私の活動を旅のアナロジーで捉え、これまでの軌跡を示すブログ報告を「冒険日記」として出したらどうかと提案してくださった。「邂逅の記録」は、イベントを「出会い」になぞらえてつけたタイトルだったので、彼の提案は自分のイメージとは少しずれている気がした。だが、全体をあらためて読み返してみると、それは私の活動と思索の遍歴そのもので、まさに「冒険日記」であった。彼は、私が自分でも気づかなかったことを的確に言い当てていた。

寺田さんは歴史学者でありつつ、旅人と文学者と思想家の感性を合わせもつ、まさに領域横断的な知を体現する人である。その彼からこのような提案をいただいたのは、望外の幸せである。それも今度寺田さんが新たにはじめる「よむかくくらすかんがえるの本棚」というシリーズの第一弾にしたいという。何と光栄なことだろう。

本のレイアウトやデザインは、綴水社の上瀬奈緒子さんが担当してくださり、無味乾燥なブログ報告に潤いと彩りを与えてくださった。彼女は校正もとても丁寧で、細部に至るまで整えてくださった。表紙のカバーをデザインしてくださった和出伸一さんも、地球研でのプロジェクト以来の付き合いである。「文字だけでかっこよく」という無茶な希望をかなえてくださった。あいり出版の石黒憲一さんには、さほど知名度の高くない私の本の出版を快く引き受けていただいた。何とありがたいことだろう。

最後に、私に活動と表現の場を与えてくれたＵＴＣＰ、およびＵＴＣＰを築き上げてきたすべての関係者に心より感謝する。私もその一人として、さらに多くの人たち、とくに次世代の人たちに、この自由な哲学のスピリットを本書で少しでも伝えられたら、それに勝る喜びはない。

２０２３年８月　著者しるす

この本に登場した人たち

この本で鍵となる言葉

Diary of Adventures through Philosophy Dialogue

We Think, Therefore We Are

Shinji Kajitani

Airi Shuppan (Kyoto)
2023

English Summary

Since 2012, my philosophical life has been based at the University of Tokyo Center for Philosophy (UTCP), where I have been holding events, lectures, workshops,and other activities. It is my another main field, different from study reading books at the desk.

There are two major projects that I have been working on: *Philosophy for Everyone* and *Philosophy × Design*.

Philosophy for Everyone is an activity involving philosophy dialogue and comes from Philosophy for Children. Philosophy dialogue is a process of talking and thinking about a question with others (about 5 to 15 people). There are rules for it, such as "Don't worry about what others think," "Don't be negative toward each other," "It is OK to just listen without speaking," and "It is OK to lose your understanding," which allow us to speak openly and frankly. What I often notice during philosophy dialogue activities, is the importance of thinking freely. It can be about any subject (mother, business, money, love, school, anime) or anywhere (café, university festival, company, parenting group, local community). Everyone should be able to think without being bound by common sense, stereotypes, insecurities, fears, shame, or vanity. In that way, people experience such freedom by thinking together. It is also the liberation of philosophy.

Furthermore, through philosophy dialogue, we can create an inclusive place where diverse people – in terms of age, generation, gender, occupation, educational background, and illness or disability – can be together without much

effort. From there, a new theory of community can be developed. We usually think of community as being formed on the basis of commonalities and similarities. However, a place of philosophy dialogue creates a community rooted in differences and heterogeneity. It is a very exciting discovery for me that philosophy, which is generally thought of as exclusive, has such a potential. It is not Descartes' "I think, therefore I am" (cogito, ergo sum) that leads to solipsism, but rather "We think, therefore we are" (cogitamus, ergo sumus).

In my opinion, the key to understanding the potential of dialogical philosophy lies in the "design of place." Therefore, I started another project *Philosophy × Design* in 2016. Philosophy dialogue is the very process of creating thoughts together with diverse people, and inclusive design – designing the process, not the product – gives me a lot of impulses and suggestions. In this way, I named my activities that develop from philosophy dialogue "inclusive philosophy." This will allow philosophy dialogue to move away from dialogue and overcome the restrictions imposed by language. After 2020, during the so-called Corona period, my main activities have been conducted online and entered the virtual world. That led me to various considerations and discoveries about inclusivity.

It has already been more than 10 years since I started this journey with the philosophy dialogue. There have been many unexpected encounters that have driven me on an adventure of thought. Each time, I have written about them in my blog report "Records of Encounters" on the home page of UTCP. This book is a selection of those records.

Table of Contents

Chapter 4 : Into the Virtual World

Author

梶谷 真司

Shinji Kajitani

東京大学大学院総合文化研究科教授。同研究科付属・共生のための国際哲学研究センター（UTCP）センター長。京都大学大学院人間・環境学研究科博士課程修了。専門は哲学（とくに現象学）、医療史（とくに育児や養生）、比較文化。著書に『シュミッツ現象学の根本問題～身体と感情からの思索』（京都大学学術出版会・2002年）、『考えるとはどういうことか～0歳から100歳までの哲学入門』（幻冬舎・2018年）、『書くとはどういうことか～人生を変える文章教室』（飛鳥新社・2022）、『問うとはどういうことか～人間的に生きるための思考のレッスン』（大和書房・2023年）などがある。近年は、哲学対話を通して、学校や企業、地域コミュニティなどで、「共に考える場」を作る活動を行い、そこからいろんな人が共同で思考を作り上げていく「共創哲学」という新しいジャンルを追求している。

Professor of Philosophy and Intercultural Studies at the University of Tokyo, and also director of the University of Tokyo Center for Philosophy (UTCP). Completed his Ph.D. at Human- and Environmental Studies of Kyoto University. His main research field is phenomenology, cultural studies and medical history (especially childrearing and nurture of life). His main works are (in Japnanese): *Basic Problems of the Phenomenology of Hermann Schmitz* (Kyoto University Press, 2002), and *What is it to Think? – An Introduction to Philosophy for People Ages 0 to 100 Years* (Gentosha, 2018), *What is it to Write? – A Writing Class to Change Your Life* (Asuka Shinsha, 2022), *What is it to Question? – Lessons in Thinking for Human Life* (Daiwa Shobo, 2023). He has been engaged in activities to make “places for thinking together” at schools, companies, and local communities through philosophy dialogue, and recently, he is pursuing a new genre “inclusive philosophy,” in which various people create thoughts collaboratively.

よむかくくらすかんがえるの本棚

Bookshelf to read, to write, to think, and to live

あらゆることが目まぐるしく変わる世の中ですが、そんな中、読み、書き、考えることを暮らしの底に置いてみたいと思います。

暮らしの中に、読むことと、書くことがあるとは、つまり、考えるということが暮らしの中にあるということ。

よく考えることとは、よく暮らすことでもあると思うのです。

機械が代わりに書いてくれたり、読んでくれたりする世の中が見えてきています。

そうして、そのうちに、機械が代わりに考えてくれる世の中が来るのかも。

でも、機械が代わりに暮らしてくれる？

暮らしていくとは、人間が暮らしていくということ。

人間らしくよく生きてゆくために、読む、書く、暮らす、考えるを、もう一度しっかりと考える必要があるかもしれません。

しなやかに、自然体で、でも、深く。

この本棚が、読むと、書くと、暮らすと、考えるを、よく実践している人々の様々な声を集めた本棚になればと思います。

シリーズ　よむかくくらすかんがえるの本棚
棚守《たなもり》　寺田匡宏

In the era, in which everything changes rapidly, we should rethink about reading, writing, and thinking in everyday life.
If you have reading and writing in your everyday life, you have thinking in the life.
To think well means to live well.
Nowadays we predict an age in which machine reads and writes instead of us.
Furthermore, we may enter the time in which machine thinks instead of us.
Then, does machine live instead of us?
It may be so, but our life should be lived by ourselves.
In order to live humanly, we should reexamine what is reading, writing, thinking, and living.
In this bookshelf, we will collect books which help us to read, write, think, and live well.

Series “Bookshelf to read, to write, to think, and to live”
Bookshelf keeper: Masahiro Terada

［シリーズ　よむかくくらすかんがえるの本棚］

哲学対話の冒険日記

――われら思う、ゆえにわれらあり

2023年11月20日　初版　第1刷　発行
定価はカバーに表示しています。

著者　梶谷 真司

装丁・ロゴ作成　和出伸一（象灯舎）
制作　上瀬奈緒子（綴水社）

発行所　（株）あいり出版
〒600-8436　京都市下京区室町通松原下る
元両替町259-1　ベラジオ五条烏丸305
電話／FAX　075-344-4505
http://airpub.jp/

発行者　石黒憲一

印刷／製本　日本ハイコム（株）
©2023 ISBN978-4-86555-113-6　C0010　Printed in Japan